はじめに

日本という国の「はじまり」はどこか——この問いかけへの答えは意外と難しい。日本列島に人が住み、旧石器時代から縄文文化へ進んで独自の文化文明を作り始めた時を始まりとするべきだろうか。

現在の日本国に繋がる政権、いわゆる大和朝廷の出現を最初と見るべきだろうか。いや、その後もこの国を支配する政体は何度も移り変わったのだから、現在に直接繋がる始まりは他にもいくつか見出せる。

そのような政治的視点における「はじまり」はさておいて、神話的視点に立つとどうなるか。『古事記』『日本書紀』を中心とする日本神話は、まず神々が虚空に現れ、その中から役目を与えられたイザナギ・イザナミの二人が国生みを行って、それによって日本列島とそこに暮らす人々の物語が始まったのだと記している。以後描かれる神々の神話は、個性的な神々が活躍する物語の連続で、創作を志す人にとって貴重なインスピレーションを与えてくれるはずだ。

もちろん、創作者に刺激を与えてくれるのは神話だけではない。人々の営みもまた、物語を作り上げるにあたって大きなヒントになる。邪馬台国のヒミコ、大和政権の拡大、仏教を始めとする海外からの文化・文明流入にまつわる軋轢、律令国家の誕生、そして公家たちによる権力争いの嵐——本書ではこれら古代日本の歴史的事件や当時の人々の暮らしや文化、価値観を紹介し、皆さんが創作をするための助けになることを目的としている。なお、本書は頭から読むよりも事典として「目次を見て気になる項目からつまんで読む」「今調べたいところを探して読む」利用法をおすすめする。

本書が主な題材とする古代日本は、歴史もの、ファンタジーもののターゲットとしてはあまり見ないかもしれない（平安時代だけは大人気だが……）。歴史ものでは日本の戦国時代と江戸時代の人気が非常に高いし、ファンタジーといえば中世ヨーロッパをベースにした「剣と魔法のファンタジー」が大定番だ。だから古代日本のことなんて知らなくてもいい、と思う人もいるかもしれない。

だが、そんなことはない。はっきり言って、古代日本は面白いのだ。神々は魅力的だし、今に繋がる日本の「形」が出来上がっていくさまも非常にワクワクする。これらを世界設定のベースやキャラクタースタイルとして使ってもいいし、あくまで要素として物語の中に取り込んでもいい。例えば、「イザナギの黄泉行」や「天の岩戸隠れ」のような神話的事件をあなたのオリジナルのファンタジー世界に盛り込んだり、ヤマトタケルのような英雄を登場させたりするのである。日本人にはなじみ深いエピソードやキャラクターなので、読者に面白く思ってもらうことができるだろう。

本書は『物語づくりのための黄金パターン　世界観設定編』シリーズの五冊目だ。これは『物語づくりのための黄金パターン117』に始まる『黄金パターン』シリーズの番外編として位置付けており、レイアウトやデザインは同シリーズのものを継承している。内容としては秀和システムさまから刊行させていただいた『創作事典』シリーズのリニューアル版であり、旧版にあったイラストを廃して図版を増やし、内容を整理した。

本の性質上、日本神話についての紹介は『神話と伝説のポイント27』での日本神話パートと一部重複する。さまざまな神話について概説的に紹介している前著に対して、本書ではより深く、細かく紹介しているということでご理解いただきたい。

榎本秋

もくじ

もくじ

サンプル

この章では、古代日本的なモチーフを用いて制作した世界設定のサンプルを用意した。1つめは神々が実在する世界を舞台にした、和風ファンタジー冒険ものを。2つめは、現代を舞台に神話の神々の力を用いた能力バトルものを。3つめは定番の平安時代ものを。それぞれ創作の参考にしてほしい。

サンプル1　秋津群島

イントロダクション

その地は「秋津群島《あきつのむれじま》」と呼ばれていた。遠い異国からやってきた者たちは、そこを船でぐるりとめぐれるような小さな群島だという。

一方、船でどれだけ岸を周ろうとも決して果てにたどり着けぬ大きな土地がある。

西からはさまざまな新しいものが入ってくる。恐るべき武器、実りをもたらす種、国を動かす知恵、異国の神。それに憧れ、すべてを塗り替えるべきと訴える者は群島の民にさえもけっして少なくない。

だが忘れるな。この地に、古き神あり。敬わぬ者、贄を捧げぬ者、弱き者。すべて神の餌食となるべし——。

秋津群島とは

地域の名は「秋津群島」。数百の島で構成される群島である。

創世神話によると、天から降りてきた神々が大地の塊を運んできたのがこの群島の始まりであるという。本来ならもっと大きな大地になるはずだったのが、神々がうっかり落としてしまって割れたので、今のような群島になったのだと神話は語る。

島と島の間の距離はかなり近く、人間が泳いで渡れるような距離になっていることも珍しくない。島と島の間を飛んで渡る蜻蛉《とんぼ》は原風景であり、群島全体の象徴でもある。

人間たちはそれぞれ島に住み、島ごとにクニを作っているケースがもっとも多い。だが、いくつかのクニは既に複数の島を支配下におき、さらなる勢力拡大の意思を示している。

群島の中心には火山島がある。「火祭の巫女」が住む聖地だ。この島は年に一度、秋になると必ず噴火する。それを合図として諸島の長たちが火山島を訪れ、

基本コンセプト

ヤマトタケルやヒミコの時代がイメージの和風ファンタジー

⬇

新たな知識や技術が入ってくる、価値観の移り変わる時代

キーポイント

「倭国大乱」をイメージした、動乱の時代を用意した

⬇

大陸（中国モチーフ）の影響がこの地域をどう変えるか？

神はある種の怪物として人間のすぐ側にいる世界

⬇

神と戦う物語も、神の真実を探る物語もできる

祭りを行い、また外交・商売を行う。噴火して撒き散らされた灰は神秘の力を秘めていて、風にのって諸島へ舞い降り、土地を豊かにしたり人を癒やしたりという恵みをもたらす。

人と神が暮らす土地

島々の距離が近く、海が川のように人や物を運ぶ役目を果たすこともあって、古代レベルの文明度のわりには群島全体での交流が盛んである。そのため、宗教にもある程度統一感が見られる。

群島の宗教に経典はなく、ただ神々を崇め、畏れ、その代わりに恵みを希うものである。ここでいう神は抽象的な存在ではなく、具体的に秋津群島に存在する、人間を超えた何かだ。大陸人たちは神ではなく怪物だ、妖だ、という。

神は慈雨のように人を養うこともあるし、嵐のように命を奪うこともある。神は人の姿をしていることが多いが、動物や植物、無機物、現象の姿をしていることもある。人間の目には怪物としか見えない神も珍しくはない。人間に直接干渉するものもいるし、信仰さ

えされればそれでいいものもいる。神の行いに理があることもあるし、まったくの気まぐれのこともある——神々には大きな個体差があるのだ。一つの島に複数の神がいることもあるし、複数の島にまたがって崇拝される神もいる。

彼ら地上の神々とは別に、天の上にも神々がいる、とされている。それは群島を作った神々であり、群島に共通する神話で語られる神々だ。地上の神々は天上の神々について知っているはずだが、詳しいことを語ろうとするものはいない。

大陸からの嵐

群島から見て、西の海を越えた先には大陸があり、「陽」の名を持つ大国がある。西の海にはいつも大嵐が吹き、潮は強く、その海を渡るものはめったにいなかった。

ところがこの数十年ほど、陽の使者が秋津群島を訪れるようになり、群島のクニの中にも陽へ使者を送る者が出るようになってきた。造船技術が進歩したおかげだとも、航路が発見されたのだとも言うが、古よりの神話を信じる者たちの中には別の意見がある。西海の海神が死んだせいだというのだ。それは悪しき外敵から秋津群島を守る役目を持つ神であった、という。果たして彼らの言うことは本当なのか。もしそうなら、誰が神を殺したのか。

真相は分からない。一つ間違いないのは大陸からの来訪者が度々やってくるようになったことだ。それは「陽」の使者であったり、民間の商人であったり——「陽」に滅ぼされた大陸国家の残党であったりする。

その国の名は「臨」。「陽」と並ぶ大国であったという。王族で唯一の生き残りだという王女は追手から逃れるために群島へやってきて、そのカリスマ性によってすぐさまいくつものクニを味方につけることに成功した。

一方、「陽」の外交官も群島で熱心に活動しており、既に「陽」に恭順するクニが集まって連合を形成している。彼らは群島統一後は「陽」の属国として、その庇護下に入るつもりでいる。

もちろん、「陽」にも「臨」にも従わぬ者たちはいる。旧来の伝統に固執する者たちだが、連合しようとしても上手くいかず、大陸からもたらされた技術や道具にも縁遠く、苦戦している。

遠くないうちに、群島では「陽」派と「臨」派による正面切った戦争が始まるだろう。

「陽」派が勝てば情勢が比較的安定する。「陽」は群島のことにそこまで意識を払ってはいないからだ。臣従の使者を送り、貿易をしながら発展していくことになる。だが、そうしていく中で独自の文化が薄れていったり、「陽」の方針が変わって役人や王族が送り込まれて支配が進んでいったりという可能性もある。そうなれば不平不満を持つ者たちが現れることもあろう。この時にはもう一度大乱が起きるのだろうか。

「臨」派が勝てば戦乱はさらに続くことになる。群島の軍勢をまとめた「臨」の王女が大陸へ攻めかかることになるからだ。巨大国家である「陽」と戦って勝ち目はあるのだろうか。今のところ、王女は己の勝利を疑っていないように見える。それはただのハッタリかもしれないし、何かしらの切り札があるのかもしれない。

第三の選択肢はあるのだろうか。伝統国家群、あるいはどの勢力にも属さない小国の中から、野心を持って勃興する何者かはいるのだろうか。

時代は変わり……

にわかにきな臭くなり、合戦が相次ぐようになった人間たちをよそに、別の次元でも異変が起きつつある。神々の様子がおかしいのだ。

ちょうど大陸からの船が頻繁に来るようになった頃から、諸島の神々がそれまでと違う振る舞いを見せるようになった。

ある神はそれまでのクニとの接触が一年に一度だったのが、一月に一度になった。王と面会し、何事か信託を与えているようだ。別の神は人を食らうようになった。それまでも生贄を食べていたようなのだが、村に現れて積極的に食らうようになったのだ。神と神が何やら会談をしていた――という目撃談も流れている。

信心深い者の中には、大陸からやってきた連中が神々の心をざわめかせているのだと、どうにかして連中を追い返さねばならぬと叫ぶ者もいる。あるいはその逆で、人を害する神など殺してしまえ、大陸からやってきた新しい宗教（太陽神を崇拝する）を受け入れようと訴える者もいる。

そのような人間側の動揺をよそに、地上の神々の活動は変化し、また活発化している。神が一つのクニの王のようになった島もあるし、逆に神によって滅ぼされてしまったクニもある。今まさに自分たちが信仰してきた神により皆殺しにされようとする時、おとなしく殺される人もいるだろうし、逃げようとする者もいる。そして、腕利きを雇ってこれに対しようとする者も、当然いる。

結果、自然な流れとして、神退治を職業として請け負う流れ者が現れるようになった。彼らは強大な怪物である神と戦える強者であり、神をも恐れぬ新しい価値観の持ち主である。彼らは神を殺してしまうこともあるし、交渉で穏便に事態を解決することもある。

そのようにして神と接触すれば、自然と「神は何を考えているのか」「神とは何なのか」を知ることにもなる。彼らの中から隠された真相を把握し、群島の情勢を変えていこうという者も現れるだろう。

だがそれゆえに、彼らに注目する者たちも現れている。クニの王たち。「陽」の外交官や「臨」の王女、火山島の巫女といった群島の主要人物たち。それどころか、人間と関わってこなかった天上の神々さえもが、彼らに対してエージェントを送って接触を始めている節がある。歴史を動かす者は、神と戦う者たちの中から現れるのだろうか？

創作のヒント

本書のサンプルとして、一つは弥生時代〜古墳時代をモチーフにした設定を入れたかった。邪馬台国のヒミコ、あるいはヤマトタケルの時代である。この時代は資料も少なく、詳しいことは神話の向こう側で分からない。それは書き手の好きにやれるということだが、自由であるということは手がかりも少ないということだ。

悩んでいろいろ考えて、この時代（あるいはもう一つあとの飛鳥時代なども含めて）は大陸との交流が盛んであったことを思い出した。漢字や仏教に代表され

〈秋津群島〉発想の流れ

最初の発想

「アイディアが広がってしまいがちな古代日本テーマを、
海外との関係が似ている幕末と重ねて作ってみよう！」

↓

神というファンタジー要素を入れてフックに

↓

群島の住民たちは大陸との関係・神との関係の２つに対して
それぞれのポジションを持つため、キャラクターを作りやすい

スケールの大きな事件を作るのに
向いた世界設定になっている

る文化や技術が持ち込まれ、日本という国の形が今のようになるのに大きな転機となっている。そこで日本史においても特に激動の時代として知られ、外から文化と技術が持ち込まれた幕末とイメージを重ねて見ることを思いついたのである。

しかし、それだけではこの時代を舞台にする意味がない。せっかく記紀《きき》神話とも重なる時代を扱うなら、ファンタジックな要素を入れ込まなければもったいない。そこで、「実在する神」という要素を入れ込んだ。神々がさまざまな姿をしているのは、現実における「八百万の神」のオマージュだ。

神々が人を導き、恩恵を与えることもあるが、人を害することもある……というのは、「荒魂《あらみたま》」「和魂《にぎみたま》」の二面性を持つ神を当たり前に受け入れてきた日本らしいモチーフになったのではないか。

果たして地上にいる神は何なのか？　天上にいる神との関係は？　そもそもそれは本当に「神」と呼べる存在なのか？　――このあたり、物語で提示する謎としてなかなか面白いものになったのではないかと考えているが、いかがだろうか。

サンプル2　神与者たちの戦い

イントロダクション

神々が目を覚ました。

それがなぜなのかは分からない。ある神は人に罰を与えるためだといい、ある神は人を救うためだといい、ある神は黙して語らない。

それは天津神《あまつがみ》と国津神《くにつがみ》の再戦なのか。日の本の神々と外つ国の神々の決戦なのか。それとも、すべては人の子が争っているだけなのか。

答えは見えない。

明らかなことは一つ。神々はただ、力を与えるのみ。力を振るうのは人の子なのだ。

気まぐれか、企てか。ともあれ、人にあらざる力を与えられてしまったあなたは――。

神々に与えられた力

二〇二〇年代の現代日本。表向きの歴史は何も変わっていない。情報と物が溢れるが、人々はけっして幸福とは言えない。経済は長らく停滞し、人々は信じるものを見失って不安の真っただ中にいる。

だが一つ、私たちが生きる現実とこの世界には大きな違いがある。この世界には神がいるのだ。日本に現れた彼あるいは彼女は記紀神話に名を残す神々の名を名乗っている者たちが主流である。自分たちがこの地を作り、人を育てた、現代に連なる日本の始まりを導いたのだ、という。彼らは長く眠りについていて、二十一世紀になって目覚めたが、かつて持っていたという肉体は失っている。今を生きる人間たちに直接的に干渉するのは難しかった。ところがその代わりに、人の子に力を与えることができたのである。

このようにして力を与えられた人間を、「神与者《しんよしゃ》」という。力を与えられた人であり、また神に与《くみ》する人の意味でもある。

どうやら、神々は相争っているらしい。それはある

基本コンセプト

現代異能バトルもので、背景に日本の神々を！

↓

日本的な神々の野放図さと、ゲーム的なシステムは相性が良い

キーポイント

神に力を与えられた若者たち

↓

神も、人間も、思惑と事情はそれぞれ

戦いは延々と続いていく……？

↓

「次のステージ」や真相はいろいろと考えられる

種のポイント争いの様相を呈していて、自分が力を貸した神与者が活躍すればするほど、その神の立場も良くなってくる。このポイントを〈神饌《しんせん》〉と呼ぶ。本来は神に捧げる食べ物のことだ。

特に、神与者同士が戦い、勝利するのが一番〈神饌〉が貯まる行為であるようだ。彼らが戦う際は結界を張って周囲に影響を出さないようにし、また自分たちの命に別状がないようにするのが普通である。大量虐殺であったり、力を派手に使って世の中の表舞台に出たりするなど、あまり目立つ行為は嫌われる。しかし力を使ったことが神々にバレさえしなければ、こういう行為でも十分〈神饌〉が貯まるらしい。

〈神饌〉を貯めて貯めたその先に何が待っているのかはよく分からない。ただ、神々同士にも派閥争いがあるらしいことがそのヒントになるだろうか。神話の時代における「国譲り」を反映して、天津神と国津神は今でも仲が良くない。

また、他国においても神や悪魔や天使や仙人が目覚め、活動を始めているらしい。彼らが何を考えているかも現時点ではあまり知られてはいない。

神与者たち

神がどんな人間を神与者とするかには、はっきりとした条件はあまりないようだ。

己と性格や性根が近い相手を選ぶケース。何かしらの目的に合致した相手を選ぶケース。人間の好き嫌いがはっきりしていて、それに従っているケース。「己の生まれ変わりにだけ力を貸す」と明言しているケース。

ただ、一つの傾向として若者、特に思春期の少年少女が非常に多いということはある。これは純粋な年頃であれば神の力を受け止めやすく、頭が柔らかいのでパニックになることも少ないからだとされる。

力を与えたあとはどうなるのか。放置してしまうことが一番多い。神の多くはとりあえず力を貸して、しばらくして成果が出ないようであれば取り上げてしまえば良い、と考えているのだ。大雑把なのである。価値観や視点が人間とは違いすぎるのである。

もちろん、すべての神が大雑把なわけではない。「これこれこういう目的のためだけに力を使うように。私利私欲に使ってはならない」などと事細かに指示をする神もいる。あるいは、自ら神与者についていく神もいる。

神与者のほうはどうか。これもさまざまだ。神に協力して〈神饌〉貯めに熱心な者。私利私欲に走る者。行動方針や信条が近い者を集めて、グループを作る者。インターネット上には既に神与者専用の小規模なSNSがあって、そこで情報交換や協力依頼、そして何よりもバトル相手募集などが飛び交っている。

神与者の能力

神与者の能力は多種多様だ。

もっとも基本的な能力は、身体能力の強化と、結界の作成。ほぼすべての神与者が使える。主に人を遠ざけたり中を見えなくしたりするが、その出力は人によりかなり違う。ただただ体が強くなるだけの神与者もいるし、常人に毛が生えた程度の力しか出せない者もいる。結界も、路地を一つ包むのが精一杯の者から、都市をぐるりと囲める者まで、多種多様である。

その上で、神によっては特別な能力を与えてくれる。

能力は神が神話で行ったことや、神が管轄していると信じられている項目に関係することが多い。ヒノカグツチなら炎に関係するし、アメノウズメなら特別な舞を踊る力が与えられることであろう。

だから、自分が何の神の神与者なのかは隠す者が多い。自分の能力や弱点がバレてしまうからだ。それでもベテランならなんとなく相手の傾向を察することができるので、強い神与者であればいちいち隠さない者も多い。

神々の事情

神与者に力を与える神はどんな存在なのか。既に紹介したように、主に記紀神話の神々だが、「神」はそれだけではない。

例えば、記紀神話以後に出現した神がいる。その代表格がかつて怨霊として恐れられ、神として祀られた者たちだ。早良親王《さわらしんのう》、崇徳上皇《すとくじょうこう》、菅原道真《すがわらのみちざね》、平将門《たいらのまさかど》といった有名どころは残らず神として目覚め、神与者を送り出している。

仏教における仏の中にも目覚め、神与者を送り出したものがいる。仏教を守護する四天王――持国天《じこくてん》、増長天《ぞうちょうてん》、広目天《こうもくてん》、多聞天《たもんてん》がその筆頭である。

海外でも神与者が現れているらしいが、まだ日本にまで進出した者はいないようだ。

また、神の中には特別な現れ方をする者もいる。特に力の強い者を中心に、一柱であるはずの神が複数同時出現しているケースがあるのだ。その際はエピソードや神としての性質ごとに別に出現する。

一例として、スサノオなら嵐の神にして高天原を荒らした乱暴者としてのスサノオと、ヤマタノオロチを倒した冒険者としてのスサノオと、根の国を支配したあの世の王としてのスサノオが現れ、それぞれに神与者を送り出しているのである。

一方、神としてこの地上に姿を見せていない神もいる。例えば記紀神話で言えば、造化三神《ぞうかさんしん》を含む別天津神《ことあまつがみ》の五神、イザナギ・イザナミを含む神世七代《かみよななよ》の十二(十一)神を目撃したという証言はないし、彼らから力を与えられた神与者も出現していない。ある神与者がアマテラス(の側面の一つ)に聞いたところ、「けっして現れることはない」という回答をされたという。

それは単に、力が強すぎたり神としての格が高すぎたりするから地上に現れることができないのか。それとも別の理由があるのか。今のところ、どの神与者もことの真相にはたどり着いていない。

神与者の未来は……？

神与者たちの戦いが今後どうなるのかはさっぱり分からない。何か破滅的な事件が起きて神与者たちが皆殺しにされたり、生き延びても大多数が引退せざるを得なくなったりする可能性もある。ズルズルダラダラと続く可能性もある。神々が姿を消したり、考えを変えたりして、力を取り上げてしまう可能性もある。

力を使うことに飽きたり、怖くなったり、目的を達成したりして引退する神与者もいる。戦いからは引いたけれど、他者をサポートすることに喜びを見出した者もいるし、ただただ自分の生活を便利にすることだけに力を使い続ける者もいる（ただ、そのようなことに力を貸し続ける神はめったにいないが……）。

まことしやかな噂として「〈神饌〉が一定ラインを超えると戦いは次のステージに移る（あるいは終わる）」という話が神与者SNSの一部では定説化しているが、果たしてどれだけ信用して良いものか。そもそも、これは「ある神が特定点数まで〈神饌〉を貯める」ということなのか、「神々全体が保持する〈神饌〉」ということなのか。

また、噂としては「他者の〈神饌〉を強奪する何者か」が暴れているという話もある。通常、〈神饌〉は神と神与者双方の同意がなければ譲渡できない（このルールを利用して決闘をする者もいる）のだが、「強奪者」と呼ばれる何者かは同意がなくとも無理やり奪うことができるのだという。

やがて仏の神与者と戦うことになるのだという者もいれば、日本を代表して海外の神与者との戦いが待っているともいう。

中でももっとも荒唐無稽なのは、「これは新しい時代の神になるための試練だ」という噂だ。〈神饌〉を存分に神に捧げることができた神与者は、新しく神になる――というのだけれど、根拠は何もない。

今日も神与者たちはそれぞれの事情・動機を背負って戦い続ける。

〈神与者たちの戦い〉発想の流れ

最初の発想
「神が人間に乗り移ったり力を与えたりする日本の宗教観は、
異能バトルのバックボーンにちょうどいいのでは？」

↓

敵をどうするかが悩ましいが……

↓

天津神と国津神という日本神話にもともと存在する
対立関係を生かして、神の力を持つ者同士のバトルに

外国の神などを敵にするアイディアもあった

創作のヒント

異能バトルは現代エンタメの華の一つである。この本のサンプルにも一つは入れたかった。

このテーマではどんな理屈で能力を与えるかが悩みどころだが、日本の神々はしばしば人間に乗り移る形で力を与える……という解釈がされる。そこで今回は神々によって力を与えられた者たちの戦い、という形にさせていただいた。

戦うなら敵が必要だ。真っ先に考えたのは日本以外の神々との戦いだが、ちょっと生臭くなりすぎそうだったのでここでは避けた。妖怪・怪物との戦いも定番だが、別のサンプルに近くなってしまうので望ましくない。

そこで、「同種の能力者同士の争い」という構図を持ってきた。幸い、日本神話には天津神と国津神という対立構造があるし、自由奔放な神が多いから「神々が好き勝手に争っている」という形も作りやすい。アレンジとして、同じ発想でギリシャ神話を題材にしても面白そうだ。

サンプル3　もう一つの平安時代

イントロダクション

平安京は生と死が交差する京《みやこ》であった。

公家らは優雅な宴に酔いしれつつも政争に励み、庶民らは飢えと病、争いを日常とする。

後の世にどう見えようとも、それこそが彼らの日常であった。

しかし、歴史に残らぬ事実が、ここに一つ。

平安京の夜は百鬼夜行。鬼が、怪異が、そこには当たり前にいた。

そしてそれらを狩る者たちも、また。

さて、真に恐るべきは鬼か、人か――。

鬼や怪異と隣り合わせの社会

このサンプルの設定は、十一世紀初頭日本のパラレルワールドを想定している。

明確に違うのは、後世に伝説として語られるさまざまな鬼、怪異、またそれと戦った侍や陰陽師などの活躍が事実であることだ。

昼の平安京は問題も多いがそれなりに平和だ。しかし、夜になると鬼がうろつき、怪異が人をさらうのは珍しいことでもなんでもない。それどころか、公家のような高貴な人々は、昼でさえも気を抜けば鬼に襲われかねない。鬼たちは「庶民は痩せて不味い、公家の肉は美味い」と信じているのである。

ただ、超常的存在である鬼や怪異はその力ゆえに、自在には動けない。土地の事情（風水）、また星の位置などに左右される独特なルールに従って行動することが分かっている。これは陰陽道のルールに合致するものだった。

そこで、陰陽師が、公家が鬼に襲われないよう状況を整えることになった。まず、屋敷は結界で守り、通常は襲撃を畏れないで済むようにした。しかし星の配置によっては屋敷でさえ襲われることがあり、普段

基本コンセプト

鬼や怪異が実在する平安京でバトルもの

⬇

ゲームの舞台設定などにも使えそうな設定を用意した

キーポイント

当時の公家たちが方角を気にしたことには意味があった！

⬇

陰陽道によって鬼や怪異の行動を予測することができる

多種多様な「鬼殺し」と、鬼や怪異の戦い

⬇

その背景で糸を引く何者かがいるのだろうか？

でも道を歩けば危険だ。そこで、陰陽師が安全な方角、安全なルートを占うシステムが確立した。これが方違《かたたがえ》の真実である。

なお、このような陰陽道による鬼・怪異対策のシステムを整えた人物として、安倍晴明《あべのせいめい》の名が知られている。記録上名前が残っているのは賀茂氏の門ノ下生として学んだ安倍晴明の名であるが、どうもこの世界では記録に残っていないだけで、それ以前から晴明を名乗る陰陽師が活動していた節がある。しかもそれは同一人物ではないらしく、いくつもの姿を持つ人物が「安倍晴明」として知られている。いま、その名を名乗るのは女性だ。陰陽師として活動するために男装をしてはいるが。

また、彼（彼女？）は『枕草子』の清少納言《せいしょうなごん》、『源氏物語』の紫式部《むらさきしきぶ》、『和泉式部日記』の和泉式部《いずみしきぶ》といった当代を代表する作家たちにも接触しているふしがある。それは彼女たちの文芸・詩歌の才に目をつけてのことなのか、それとも彼女たちが官女として高貴な女性のそばに仕えていることに価値を見出してのものなのかは分からない。

「鬼殺し」たち

とりあえず公家たちの安全は守られたが、鬼のことを放置するわけにはいかない。鬼が増えればその行動を予測しにくくなるし、うっかり遭遇した庶民が食われるリスクも高まる。公家にとってちょっとやそっとの庶民が食われてもどうでも良いが、流石に平安京中の庶民が被害に遭うようでは困る。政治に滞りがあるからだ。

そこで、鬼の数を減らすための討伐・退治も行われるようになった。実行を担当するのは、武器の扱いを得意とする侍、神や仏に祈って不思議な力を発揮する神官や僧侶、世事に慣れた名家の使用人や商人、さらには元盗人、そして鬼や怪異の行動を予測してその動きを封じることができる陰陽師といった人々である。中には鬼や怪異そのものであるにもかかわらず人間に味方するものさえいる。彼らは「鬼殺し」と呼ばれる。当然、公家はこんな戦いには普通出てこない。

「鬼殺し」を取りまとめる組織はない。当初は陰陽寮や検非違使庁の下に置かれることも考えられたのだが、特別な力を持つ「鬼殺し」を一つの集団にすることを嫌う公家が少なくなかった。そこで、公家たちの中での政治的綱引きの結果として、それぞれが「鬼殺し」をバラバラに雇って活用することになった。有力な公家、検非違使庁《けびいしちょう》、陰陽寮、あるいは天皇や皇太子、宮たちの直属……という具合である。

特に有名な「鬼殺し」が、源頼光《みなもとのよりみつ》だ。「源」の名が示す通り天皇家の血を引く貴種である彼は、同時に侍たちの長でもある。睨むだけで鬼をひるませ、一喝すれば心の臓が弱いものは倒れるというその力は貴種の血ゆえとも、実は鬼の子だともいい、さまざまな噂の対象になっている。頼光自身はその噂を肯定も否定もしない。

その頼光を抱えるのが藤原道長《ふじわらのみちなが》だ。公家として最高位にいる彼は「鬼殺し」としても頼光や四天王を始めとする最高の腕利きを数多く抱え、そのことがまた彼の権威を支えてもいる。

また、「鬼殺し」は民間にもいる。商人の護衛をする者、山賊や盗賊に身をやつす者、庶民に鬼から身を守るすべを教えている者、僧侶や神官に仕えている者などだ。彼らは雇い主から報酬をもらったり、殺した鬼や怪異が残した武器、体の欠片、そして肉を売って飯の種にしたりする。——恐ろしいことに、鬼や怪異の肉を好んで食う物好きがいるのだ。不老長寿の薬であるとも、鬼の力が手に入るともいう。

宮仕えの「鬼殺し」と民間の彼らは基本的に仲が悪い。鬼退治という共通の目的がなく出会ってしまうと、最悪の場合殺し合うことになるだろう。

しかし、人間も愚かではない。よほど強大な鬼や怪異を退治するということになれば組織同士が手を組み、民間からも雇って、「鬼殺し」の徒党を組むこともある。

鬼と怪異の事情

「鬼殺し」に敵対する鬼や怪異のほうも、徒党を組む。ただ、鬼と怪異は必ずしも仲が良くない。この二つは本来別物なのだ。

この世界の鬼は人とよく似た角を持つ生き物である。主な住処は黄泉の国であるが、地上にも数多くいる。黄泉の国の鬼たちは閻魔大王らの配下として働く役人だが、地上の鬼たちは荒くれ者だ。彼らには幾人か王がいて、京の周辺にいるものの中では酒呑童子《しゅてんどうじ》や茨木《いばらき》童子《どうじ》の名が知られている。

鬼は実体を持ち、繁殖をする生き物だが、人間よりは霊的な性質が強い。そのため、無意識のうちに陰陽・風水の理に従って行動する。

怪異はいわゆる「妖怪」だ。もともとは八百万の神として人々に敬われ、あるいは親しまれていたのが信仰心を失って怪物化したものたちが主だ。しかし人間たちの噂話や、愛用された道具、強い感情をまとった動物が変化することも多い。

古い怪異はなんとか信仰心を取り戻して神に戻ろうとするものたちが多いが、最近誕生した怪異にはそもそも自分たちが神であるという自覚がない。本能に従って人を害したり、驚かせたり、からかったりすることしか頭にないものが多い。

怪異は性質の違うものたちが集まって百鬼夜行を形成することもあるが、それも一時的で、基本的には単独行動を好む。恒常的に百鬼夜行を成立させる怪異の王のような存在はまだ現れてはいない。

戦いの行方は？

現在、「鬼殺し」たちと鬼や怪異との戦いは前者有利で進んでいる。「鬼殺し」も一枚岩ではないが、鬼や怪異はもっとバラバラだからだ。内部での対立や小競り合いも多く、一致団結して人間と戦うなどとてもできそうにない。

このような事情から、公家や「鬼殺し」の中には遠からず鬼や怪異を皆殺しにできるのではと見ている者もいる。

だが、冷静な者たちはその安易な予想を疑っている。そもそも、鬼や怪異はなぜ生まれたのか？　その根本を知らないままでは、鬼を殺しても新たな鬼が出てくるだけではないのか？

あるいは、そもそも「鬼殺し」の敵は本当に鬼や怪異だけなのか？　と考える者も少なからずいる。というのも、「人気のない廃屋に美しい姫が住むという噂話を聞いて訪ねてみたら、鬼（怪異）に出会って慌てて逃げてきた」という話が近頃流れているからだ。その姫は鬼や怪異と何か関わりがあるのだろうか？

創作のヒント

このサンプルを作るにあたっては、三つの選択肢があった。

一つは、平安時代風でありつつまったくの異世界、和風ファンタジーにすること。

一つは、史実の平安時代、史実の平安京に徹底的に沿いつつ、しかし登場人物は歴史上の人物とは別人にすること（藤原道長や安倍晴明などを出さない）。

そして最後の選択肢が今回のように歴史をなぞりつつ、ファンタジックな要素を加える方法だ。

この三つの選択肢の中であえて三番目を選んだのは、十一世紀初頭の平安京が、ちょうど有名人たちが集まったオールスター時代だったからに他ならない。政界には藤原道長、文芸には清少納言に紫式部、武勇で言えば源頼光と四天王、陰陽師・安倍晴明、そして酒呑童子と茨木童子。本書本文でも紹介しているこれらのキャラクターたちが実は同じ時代の住人だった――ということをアピールしたかったからこの形式を選んだのである。

〈もう一つの平安時代〉発想の流れ

最初の発想

「平安時代の有名人たちがおおむね集まることができる時期がある。
そこを舞台にしてみよう！」

↓

彼らが活躍できるようなシチュエーションはどんなものか？

↓

「鬼」と「鬼殺し」の対立に、国家や諸勢力が
絡んでいけるようなシチュエーションを設定

平安時代の生かし方は他にもある

　しかしながら、皆さんは他の二つの選択肢を選んでも何の問題もない。例えば、平安京を舞台にはしたいけれど藤原氏を中心とする複雑な政争に足を突っ込むとテーマがボケる、あくまで怪異との戦いや公家の恋愛をテーマにしたい……というのであれば、二番目の選択肢をとっても良い。実を言えば、かの『源氏物語』がこの手法をとっているのだ。もちろん、一番目の選択肢でまったくのオリジナルの、あなたなりの平安時代を作り上げても構わない。

　また、「鬼殺し」には統一した組織を用意しなかったが、ここを変えたほうが話が作りやすい、という人もいるかもしれない。例えば「討鬼使庁」のような組織を作ってしまうわけだ。このサンプル設定では鬼や怪異は朝廷にとって公的な敵であり、それを対峙する組織があってもおかしいことは何もないからだ。例えば現代日本において「オカルト庁」みたいなものがあるイメージとは違う。差し迫った敵がいる時、人はどう考えるか、と見るべきなのだ。ただその場合、味方が安定しすぎるとつまらないので、「討鬼使庁」に隠された秘密や陰謀なども仕掛けたほうが良い。

コラム(1)「古代ならではの面白さ」

古代日本的な世界を舞台にするにせよ、古代日本的な要素を持ち込むにせよ、「なぜ古代なのか」「他の時代（例えば中世や近代）との違いはどこにあるのか」という問いかけに対する答えはしっかり用意しておきたい。

もちろん、細々とした違いはさまざまに見ることができる。仏教伝来は日本人の価値観に大きな影響を与えたから、それ以前のあり方を描くということには意味があるだろう。あるいは、律令制がしっかり機能していた頃を描けるのは古代ならではだ。また、蝦夷に代表されるような異民族との戦いもまた、古代以外ではなかなか描きにくいテーマと言えるかもしれない。

しかしその中でも特に注目したい要素として、「現実と幻想（神に代表されるようなファンタジックな要素）の境界線がまだあやふやだった」ことがある。

『古事記』に描かれるような神と人が当たり前に交わる世界観はもちろん、それ以外でも役小角《えんのおづの》が鬼神を使役したり、平安京を妖怪が闊歩したり、頼光四天王が鬼を退治したりと、ごく当たり前のように「人間でないもの」が出てくるのが古代の物語だ。

これが中世以降になると、神も鬼も妖怪ももっとひっそりとした形で姿を現すものだ。現代ほどはっきりと存在を否定はされなくとも、表には出てこれなくなるのである。しかし、この時代なら、そんな束縛にとらわれる必要はない。古代日本をモチーフにするなら、これを利用しない手はないのだ。

例えば、神や妖怪がごく当たり前にいて、人間たちを苦しめたり、交渉の相手になったりする世界観でも良い。あるいは、「史料には神や鬼と書いているが、実はただの異民族であったり、異国からの来訪者であったりした」とするのでも良い。

まだ人々が信仰心に厚く、迷信深く、占いなども信憑性のあるものとして受け取られ、不思議なものをそのままに受け入れるのが当たり前であった時代であるからこそ、書ける物語。そんなものを意識してみてはいかがだろうか。大いに雰囲気が出るはずだ。

第一章
神々の物語から
大和朝廷へ

古代日本を舞台・物語の中の重要な要素にするということは、日本の「はじまり」に触れるということだ。神話に描かれたはじまり、考古学や歴史学の成果として分かってきたはじまりはそれぞれどんなものなのか。今の私たちに繋がるさまざまな物事はどのようにはじまったのか。創作に生かしてほしい。

①和風の根幹にあるもの――「神」

万物に神が宿る――八百万の神々

「この世のありとあらゆるものには神様が宿っている（だから大事にしなければならない）」というのは、日本人の多くが親から聞かされたことがあるか、そうでなくとも大方納得できる教えではないだろうか。

二〇一〇年にリリースされた「トイレの神様」という曲がヒットした。これはシンガーソングライターの植村花菜《うえむらかな》が祖母との思い出を歌った曲だが、その中で祖母は「トイレには綺麗な神様がいる」「だからトイレを綺麗にすれば自分もべっぴんさんになれる」と教えたという。ちなみに、トイレの神様は実際にいて、神道では土の神・埴山姫神《はにやまひめのかみ》と、水の神・水罔女神《みつはのめのかみ》（イザナミの尿から生まれたとか）が当てはめられ、仏教では不浄を清浄にする烏芻沙摩明王《うすさまみょうおう》が出産とともにトイレも管轄にしている。

このような価値観の源泉は古代日本にまで遡れる。

日本古来の宗教、現在神道と呼ばれるもののルーツとなる教えにおいて、神の数は八百万《やおよろず》といい、万物に宿ると考えられていたようだ。ここでいう神々は基本的に肉体や個性を持つものではなく、霊的な存在として自然の中にあったとされる。それぞれに個性を持っていくのは、のちに仏教が日本に持ち込まれてその影響を受けていく過程のことであった。

なお誤解されがちだが、「八百万」というのは具体的な数のことを指しているわけではない。多数の意味で、当時の神話を作った人々にとって区切りの良い数字である八を使っただけのことである。

このような、万物に神（霊）が宿るとする考え方を「アニミズム」といい、日本における八百万の神もアニミズムの一種とされる。また、そのような万物に宿る神や霊との間を取り持つシャーマンがいる場合、「シャーマニズム」と呼ぶ。神道にも巫覡《ふげき》（現代でいうところの巫女）というシャーマンがいたため、シャーマニズムの一種とも言えるのだろう。

日本人はトイレのような日常的なものにも神を見出したし、山のような大きなものにも強い神性を感じた。例えば奈良盆地の三輪山は古くよりオオモノヌシの神体山（＝神霊の宿る山、山そのものが御神体）として信仰を集め、『日本書紀』にも登場する。あるいは富士山なども「日本を鎮守する神がおられるのだ」と敬われ、信仰の対象となってきたのである。

このような神（＝自然）との向き合い方は、日本人の生き方や価値観の根源的部分に色濃い影響を残している。例えば、和食は食材一つ一つの味を引き出すことに腐心するという。そこには、自然からの恵みを無駄にしない、畏敬の心が深く表れているのではないか。

さて、エンタメ作品にこの八百万の神の発想を生かすなら、どうしたらいいだろうか。

分かりやすいのは、人格や姿を持つキャラクターとしての「八百万の神々」が存在する世界にしてしまうことだろう。神々は誰にでも見えたり触ったり会話したりできる存在なのかもしれないし、特別な能力や素質を備えた人間の目にだけ見えるのかもしれない。特別に強い愛情や信仰を与えられた道具や自然に宿る八百万の神だけが自我や姿を持つ、とするのもいい。

一方で、八百万の神はそのようなキャラクター的な存在ではなく、あくまで精霊的な、自然や物品に宿る力にすぎない、と考える手もある。この「神」には本来自我も人格もない。しかし、特別な才能のある人（194ページで紹介している「巫《かんなぎ》」など）であれば自分の中にその力を取り込んだり、時には仮の人格や姿を与えることもできる（その方が操りやすいのだろう）、というのはどうだろう。

あるいは、この二つの発想を組み合わせてもいい。普通の八百万の神は後者的な「ただのエネルギー」だが、特別な神だけがもともとの自我や姿を持っている、というわけだ。

荒魂と和魂

神話はしばしば、人々が自然に対して持つ印象を色濃く反映するものだ。過酷な砂漠で生きる人々が想像したのは、厳格な唯一神であった。あるいは、死体が自ずからミイラ化してしまうエジプトにおいては、人工的に作ったミイラがあの世で生きるための肉体になるという信仰が生まれたのである。

では、日本の自然はどのような信仰を生み出したのか。関係がありそうなのが、荒魂《あらみたま》と和魂《にぎみたま》の発想である。神道においては、一つの神には複数の側面があると考える。大きくは、二つ。外側に現れる荒々しく攻撃的な荒魂と、穏やかで柔和かつ調和的な和魂だ。この和魂がさらに幸魂《さきみたま》と奇魂《くしみたま》に分かれるという。

通常、これらの性質は一柱の神の中で共存しているが、場合によっては分かれてそれぞれに行動することもあったようだ。一例として、神功皇后《じんぐうこうごう》が朝鮮半島へ遠征に出かけた際は、住吉三神《すみよしさんしん》（摂津の住吉大社を始めとする住吉信仰の神々。海上の交通を守る）の荒魂は日本軍の先陣を務め、和魂は船を守った、という話が伝わっている。それぞれに得意分野があったということだろうか。

なお、神社で祀られる時も、普通は荒魂と和魂が一体になって祀られているが、場合によっては荒魂だけ、和魂だけのこともある。

そもそも神を祀り、祈り、祭りを執り行うことの目的は、荒魂を鎮め、和魂にすることである。荒々しい側面を抑え、共同体に幸をもたらしてくれと祈るのだ。

日本は自然豊かな国であるという。山があり、森があり、川があり、海がある。それぞれの場所から幸を得ることができて、人々の暮らしを支えてくれる。それは雨や風、大地や海流がもたらしてくれる恵みだ。

しかし、そのような自然の動きが、時に牙を剥くこともあると私たちは知っている。日本列島は自然災害も非常に多い。津波、洪水、台風、地震、落雷、噴火……植物や動物を育み、人を生かしてくれる恵みは、人を殺し、建物を壊し、田畑を台無しにしてしまう自然の猛威と、いつだって表裏一体なのである。

神々に両面性を見出した古代の人々の脳裏には、そのことがあったのではないか。自然の荒々しい側面と、穏やかな側面の二面性を、神々の二面性という形で表現したのではないか。そのように思うのである。

なお、この「神の中に相反する存在が共存している」という発想はドラマづくりにかなり便利だ。例えば、封印されていた神の一部、荒魂的な部分だけが解放されて暴れ回っているため、これに対抗するために

1つの神のさまざまな側面

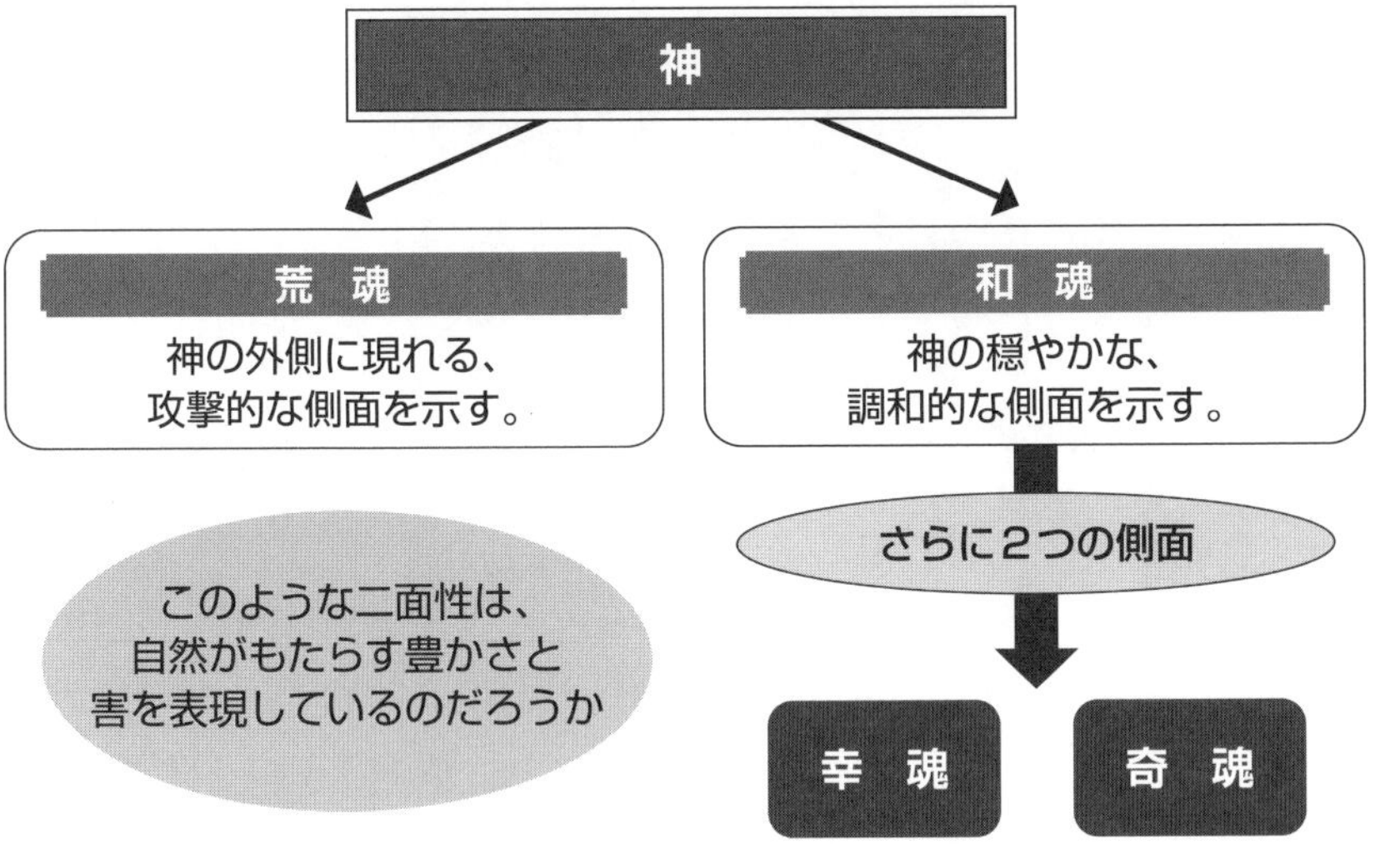
神
荒魂
神の外側に現れる、
攻撃的な側面を示す。
和魂
神の穏やかな、
調和的な側面を示す。
さらに2つの側面
幸魂
奇魂
このような二面性は、
自然がもたらす豊かさと
害を表現しているのだろうか

和魂的な部分を解き放つ……というのはどうだろうか。

あるいは、本来一つの神としてこの世に現れるはずだったのに、二つに分かれてしまった、というのも面白そうだ。混沌と秩序、黒と白、炎と氷。そうした対比する属性を持つ二柱の、しかし元は一つだった神との対決に巻き込まれる、あるいはそもそもその分裂と対立を引き起こしてしまった主人公の冒険というのはどうだろうか。

このアイディアを日本的発想から導き出した場合の良いところとして、「実は荒魂と和魂というのは善悪で分かれているわけではない」ことがある。前者は攻撃的、後者は調和的という属性を持っているだけであって、必ずしも攻撃的だから悪ということではないはずなのだ。自然だってそうだ。川が氾濫して田畑をダメにすることもあるが、上流から栄養豊かな土を運んでくることもある。

二つに分かれた神のどちらかを良いもの、どちらかを悪いものにするのではなく、それぞれに言い分があり、役割があり、事情がある……とすることで、物語が豊かになるだろう。

氏神はただの祖先の霊ではない

万物に宿る霊だけでなく、死者をも神として祀るのが神道の特徴である。特に、三章で後述する怨霊信仰――菅原道真《すがわらのみちざね》を天神として祀るケースに代表される信仰がよく知られている。

そのような特別な人だけでなく、普通の死者も神として祀られる。祖先を神として崇め、敬う祖霊信仰も世界的にしばしば見られるものだ。

民俗学者の柳田國男《やなぎだくにお》は、氏（一族）の守り神である氏神は、死んだ祖先が合流し、複合した存在として崇められていた、とした。面白いのは、死んですぐ氏神になるわけではない、ということだ。なぜなら、いわば「死にたて」の霊は死の穢《けが》れを背負っている。これは聖なる存在である氏神にはふさわしくない。そこで一定期間（柳田は三十年前後であろうとした）を置く。これは死者の霊が生前に持っていた個性を喪うまでの期間であり、また生者たちも世代が変わって、死んでしまった人のことを忘れる期間でもある。当時の墓の多くは今のように立派な墓石を建てるものではなく、木の柱や自然石を置くものであったから、それだけ経てば自然の中に姿を消す。

いわば、時の中で生前のあれこれと縁が切れ、ある種本当の意味で死ぬことによって、氏神に合流できる、ということであったのだろうか。

柳田によれば、このような特定の人格を持たない（祖先の集合体ともいうべき）氏神こそが、本来の神のあり方であったという。その氏神は多く名を持たず、氏族や土地の名がついていたとしてもその名は基本的に語られず、また神の居場所も神社ではなく近くの山頂であった（神社は常設的な神の居場所ではなく、祭りの時などに仮説で作るものだった）、という。

今のように記紀神話に出てくるような神々や歴史上の人物を氏神として祀ったり、常設の神社を作ってそこに常に神がいるとするのは、のちに整備された神道のあり方なのだと柳田は主張する。現代を生きる私たちにはちょっとびっくりする話だが、なるほど、万物を神とするアニミズム的思考で考えると、柳田の語るあり方のほうがそれらしいように思えるのだが、どうだろうか。

氏神

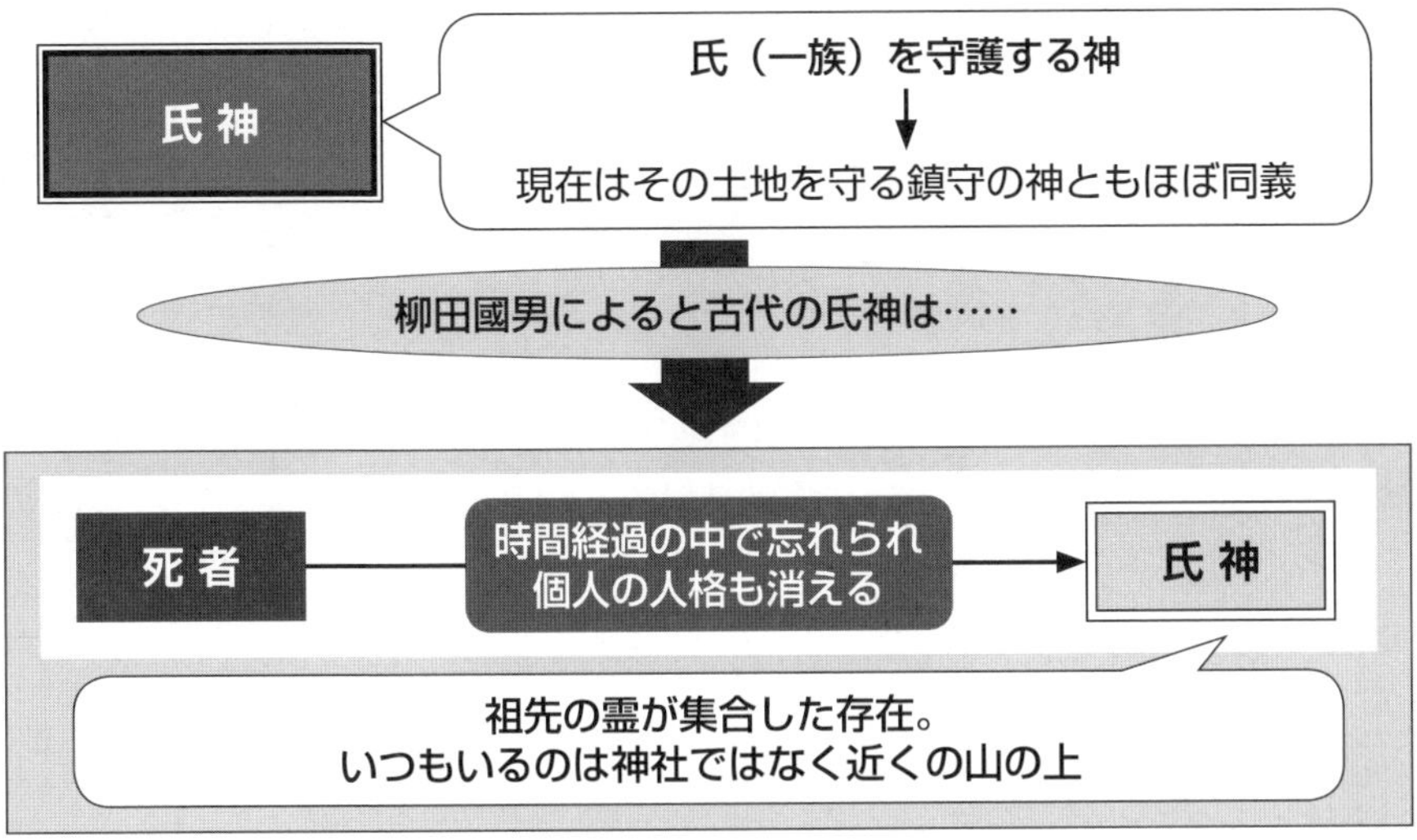
氏神
氏（一族）を守護する神
現在はその土地を守る鎮守の神ともほぼ同義
柳田國男によると古代の氏神は……
死者
時間経過の中で忘れられ
個人の人格も消える
氏神
祖先の霊が集合した存在。
いつもいるのは神社ではなく近くの山の上

神は自然と社会を映す

以上、この項では日本独特の「神」のあり方について触れてきた。大事なのは、そこには自然や社会など、その地域ならではのあり方が色濃く現れていたことだ。どうしてそうなるかといえば、多くの場合、神への信仰は人々の生活と深くリンクする形で生まれてきたからだ。

生活と無関係なただの娯楽ではなく、人々が暮らしていく中で感じる喜び、悲しみ、怒りといった感情や印象が信仰へと昇華されていく。となれば、生活を支える自然や社会の影響を受けるのは当たり前だ。

逆にいえば、あなたが物語のための世界を作る際にも、このような視点は欠かせないものになる。信仰は社会や生活と繋がっているべきだ。だから、その社会で必要とされる職業を守護する神、人々に豊かな恵みを与えてくれる自然に関係する神などは深く敬われる。一方で、天災の多い地域ならその発生源を司る神には恐れと感謝（天災から守ってくれることへの感謝）の相反する心が込められることになるだろう……。

②「大和」の物語

「にほん」「にっぽん」「やまと」

今、私たちは自らの国のことを「日本」と呼んでいる。読みは「にほん」とすることもあるし、「にっぽん」とすることもある。この読みはどちらが正しいのか長らく未決定だったが、二〇〇九年に正式に閣議決定され、「どちらでもよい」ということになった。

この日本という呼び名、いつ頃どのように成立したかご存知だろうか。時期としては、大化の改新の時のことと考えられている。ところがこの時、読みは「にほん」でも「にっぽん」でもなかった。「やまと」だったのである。

そもそも、「やまと」こそがこの国の古い呼び名であった。これは大王（天皇）を擁する大和朝廷が発祥したのが「やまと」と呼ばれる土地だったから、これが広がって国そのものを「やまと」と呼んだのである。

漢字は当初、「倭」が当てられた。これは中国が日本を「倭」と書き、日本も相手にあわせて自分たちの国を「倭」と書いたからだ。この頃の日本は独自の文字を持たず、漢字を取り入れていったため、自然と「倭」の文字を受け入れ、それを自分たちの言葉に結びつけた。「倭」と書いて「やまと」と呼ぶようになったのである。

その後、中大兄皇子《なかのおおえのおうじ》（後の天智天皇《てんちてんのう》）が当時の政治を牛耳っていた蘇我《そが》一族を打倒した乙巳の変を起こし、自らが政治の実権を握って大化の改新と呼ばれる一連の改革を行う中で、国の名も変更した。それが「日本」である。名前の由来は「日出処」、つまり「日の本」ということで、（大陸から見て）太陽が昇る東の国、を意味するものと考えられている。

この時変更されたのは漢字だけで、読みは「やまと」のままだった。ところが、人々はこの国名を漢字読みするようになり、「にほん」あるいは「にっぽん」の読み方が定着して現在に至る、というわけだ。

「やまと」と「にほん」

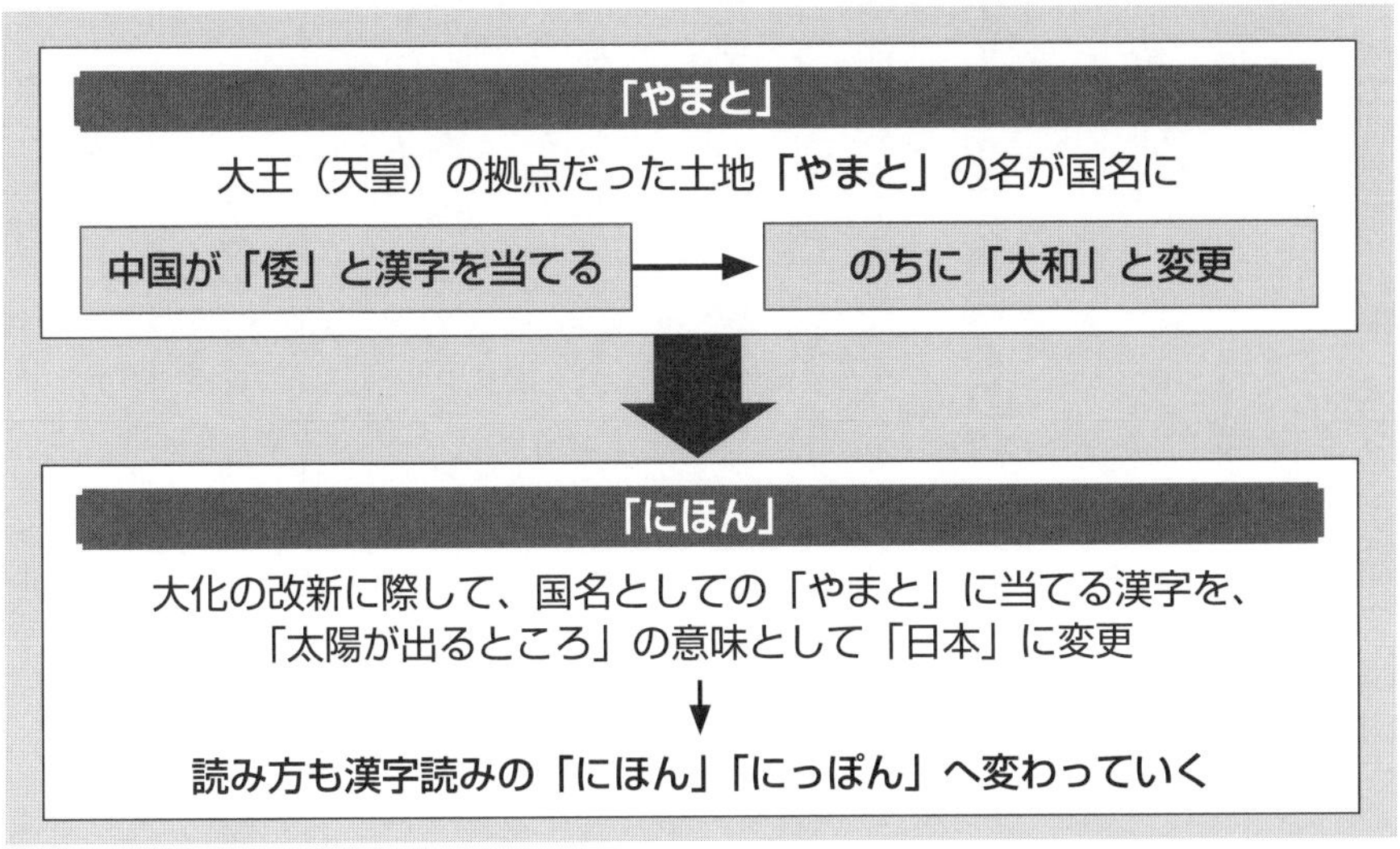

「やまと」
大王（天皇）の拠点だった土地「やまと」の名が国名に
中国が「倭」と漢字を当てる
のちに「大和」と変更
「にほん」
大化の改新に際して、国名としての「やまと」に当てる漢字を、
「太陽が出るところ」の意味として「日本」に変更
読み方も漢字読みの「にほん」「にっぽん」へ変わっていく

「豊葦原」と「秋津島（洲）」

日本を示す言葉は他にもある。

例えば、日本という地域、日本列島を示す代表的な美称として「豊葦原《とよあしはら》」がある。「豊かに葦が茂った平原」ということで、緑豊かな国のイメージを表現した言葉だ。

これの変化系で、「豊葦原の中つ国」「豊葦原の瑞穂《みずほの》国《くに》」「豊葦原の千五百秋《ちいほあき》の瑞穂国」がある。中つ国は天上の高天原と地下の黄泉国（根の国）に挟まれた真ん中を意味する言葉で、つまり地上のこと。瑞穂国の瑞穂は瑞々しい稲穂で、古代から米が日本人にとって重要な、豊かさの象徴だったことがわかる。千五百秋は千年も万年も繰り返す季節のことであり、それだけの間、瑞穂国であり続けるということだ。

また、「秋津島（洲）」という言葉もある。もともとは大和政権の宮があった地名で、そこから広がって日本全体を指すこともある言葉になったようだ。「蜻蛉洲」とも書く通り、「あきつ（あきづ）」は蜻蛉の意味。蜻蛉は秋に飛ぶ昆虫であり、豊かな実りを象徴してもいる。つまり「蜻蛉の飛ぶ島」というのは豊穣が約束された土地であるのだ。

「大和」だったり「豊葦原」だったり「秋津島」だったりといった古名（美称）は、日本をモチーフにした架空の世界、架空の時代を作り上げる際、雰囲気を出すのにぴったりだ。本書のサンプル1でも、「秋津群島」という形でちょっとアレンジして使わせてもらった。

同種の古名は世界的にいろいろあって、例えばイギリス、グレート・ブリテン島は古くは「アルビオン（白い土地）」の名で呼ばれていた。この名は異世界ものなどでイギリス風の地域の名としてしばしば使われるので、聞いたことがある人も多いのではないか。

日本のルーツに異議あり!?

さて、このような名を持つ日本という国のルーツはどこにあるのか。

学術的には「細かいところは諸説あるが、大まかにはわかっている」ということになるようだ。中国大陸の東に浮かぶ日本列島に、あちこちからやってきた人々が集まり、複雑に混ざり合って今の日本人に繋がる民族が生まれたと考えられている。

まず狩猟採集を中心にする縄文時代が花開き、その後期には農耕も始まった。続く弥生時代ではさらに人口も増え、あちこちに国が生まれ、相争うようなこともあった。

ところが、このような通説をひっくり返す新説がいくつもあるのだ。その多くは非常にドラマチックでインパクトのある説で、新聞や雑誌、テレビなどで紹介されてしばしば大きなムーブメントを起こしてきた。

実のところ、それらの説の中できちんと評価され、定説化したものは現時点では基本的にない。「理論として無理がある」あるいは「根拠とされた史料が偽書である」などと退けられてきたのだ。

では、退けられた説が一度は大きな流行を作り出せた理由はなぜか。それは、単純に面白かったからだ。聞く人の心を打ち、ワクワクさせることができたからだ。ロマンがあったからだ。

歴史小説などでこれらの説を取り込むことはおすすめできない。既に否定された、説得力のない説だから

日本のルーツ

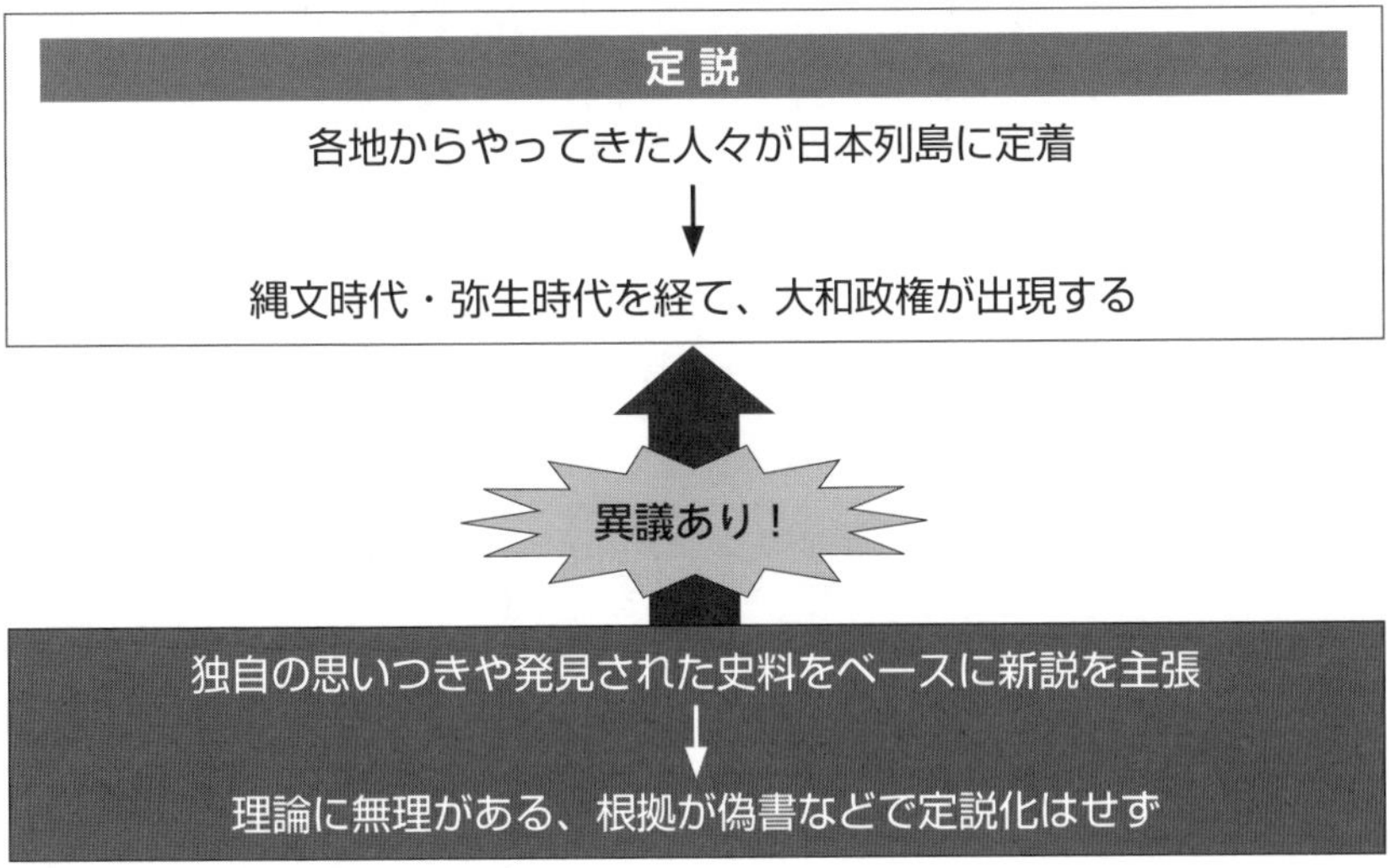

定説
各地からやってきた人々が日本列島に定着
縄文時代・弥生時代を経て、大和政権が出現する
異議あり！
独自の思いつきや発見された史料をベースに新説を主張
理論に無理がある、根拠が偽書などで定説化はせず

だ。だが、オリジナルの物語の要素として、世界設定を作るための枠組みとして用いる分には何の問題もない。読者の気持ちを引きつけるために、大いに役立つはずだ。

そのような前提で、次の諸説を見てほしい。

◇騎馬民族征服王朝説

考古学者・江上波夫《えがみなみお》の「騎馬民族征服王朝説」は戦後すぐの頃に一世を風靡した説だ。

彼は大和朝廷が一貫して大きな勢力を誇っていたはずの古墳時代に、前期と後期で古墳の性質が違っていることに注目。特に後期の古墳は戦闘的・北方アジア的な性質を持っていることから、「四世紀頃、東北アジア系の騎馬民族が朝鮮南部を支配した後、北九州を経由して大和へ入り、この地に王朝を打ち立てた。これが大和政権、つまり現在の日本国に繋がる国家の誕生である」と主張したのである。

ダイナミックな説であり、征服者と非征服者の間のドラマもいろいろ考えられそうだが、疑問も数多く提出されており、主流説とはならなかったようだ。

◇日ユ同祖論

唯一神を崇めるユダヤ教の民であり、パレスチナの地を追われてからは各地に分かれ、しばしば迫害されて過ごしたユダヤ人。彼らと日本人は、実は同じルーツを持つ民である――というのが「日ユ同祖論」である。物証が不十分だったり矛盾があったりとあまり信憑性が高いものとは思われないが、人気がある説だ。

どうしてそんな説が出るのか。鍵を握るのは「イスラエルの失われた十支族」である。紀元前七二二年にパレスチナの地から追放されたイスラエル人には十二の支族（部族）がいて、主にこのうち二支族がユダヤ族の祖になった。そして、残りの十支族がどうなってしまったかは分からない。彼ら（の一部？）が遠い極東、日本にまでやってきて、日本人の祖になったのではないか。それが日ユ同祖論のあらましだ。なお、朝鮮や中国についても同種の説がある。

この説は少なくとも十六世紀頃には、ヨーロッパ人宣教師たちの間で唱えられていたらしい。やがて幕末から明治にかけて日本を訪れたノーマン・マクラウドという男が日本人向けにこの説を紹介する本を書き、日本人の中にも日ユ同祖論を訴える者たちが現れる。初期は宣教師やキリスト教徒らによって語られていた説が語り手を変えたり、説の内容にも大小の変化や新説の追加などがあった。さらに後述する竹内文書の影響なども受けつつ、現在に至るまで日ユ同祖論を唱える者たちは絶えていない。

さて、彼らは遠く離れたパレスチナのユダヤ人と日本の日本人の間にどんな関係性を見出したのか。例えば風習だったり、宗教だったり、道徳だったり、武器だったりするものにユダヤとの共通点が見出せる、ということであるらしい。

古史古伝

ここからは「古史古伝」と呼ばれる、古代日本について書かれた史料群のうちごく一部を紹介する。それらは基本的に『古事記』『日本書紀』他を中心にした現在定説となっている古代についてのとらえ方を否定し、新しい古代観を提示するものだが、通説では偽書として退けられており、扱いに注意が必要なのは先に紹介した説と同じだ。

日本人はどこからやってきたのか？

大陸

騎馬民族が大陸から朝鮮を経由してやってきて大和に政権を打ち立て、
現在の天皇家の先祖になったのではないか？

↓

古代日本

↑

イスラエル

ユダヤの失われた十支族の中の一部がアジアへ流れてきて、
日本人の先祖になったのではないか？

どちらの説にも無理があるとして定着せず

◇竹内文書

青森県戸来村（現在の新郷村）に「キリストの墓」と呼ばれる名所がある。あのイエス・キリストが実はゴルゴダの丘では死なず、弟を身代わりにして天国へ向かった。それが日本の戸来村であり、戸来はヘブライに由来する、というのである。

この根拠になったのは、天津教《あまつきょう》の教祖・竹内巨麿《たけうちきよまろ》が代々竹内家に伝わっていたと称する文書であった。これが竹内文書だ。一九三五年、村おこしを求めて村長が旧知の画家に依頼をしたところ、その縁でやってきた竹内が村を調査し、のちに「自分の持つ文書の中にキリストの遺言がある」と主張。そしてキリストの墓が作られるに至ったのだ。

竹内文書は神々から天皇家に至る系譜を中心とするが、そこには世界中のさまざまな偉人たちが実は日本へやってきていた、というとんでもない内容が入っている。モーゼ、ブッダ、マホメットらは日本へ来て学び、その影響を受けて偉大な行いをなしたというのである。他にもエジプトのピラミッドはもともと日本にあったものを真似て造ったのだとか、漢字の前に日本には神代文字というものがあって、これが世界中の文字の元になったのだとかいう（もちろん、竹内文書は本来神代文字で書かれていたわけだ）。さらにはムー大陸やアトランティス大陸と思しき記述まであるというからとんでもない。

◇富士宮下文書

山梨県富士吉田市にある小室浅間神社の社家、宮下家に伝わっていた文書。大正にはこれを元にした『神皇紀』が刊行され、ベストセラーになった。

この文書によると、日本の神々はもともと大陸にいて、記紀神話で天地開闢《かいびゃく》まもなく現れたタカミムスビは中国の神皇と同一視される存在であった、という。彼らは日本に移って来て、富士山周辺の原野を高天原と名付け、ここに都を築いた。しかし外敵との戦いや内紛が相次ぎ、ついには富士山の噴火で都は燃えてしまい、幻になってしまった……と文書は語る。

他の古史古伝と同じく富士宮下文書も偽書とされるが、その制作動機は土地や水の争いを有利にするための理由付けであったと考えられている。

◇秀真《ホツマ》伝《ツタエ》

ホツマ文字（ヲシテ文字）という独自の言葉で書かれた文書。他にもいくつか同じ文字で書かれた文書がある。

『秀真伝』は『古事記』『日本書紀』と内容的に重複するところが多く、記紀のベースになった文章だと考えられた。さらに高天原があったのはヒタカミ、つまり東北であるとしている点にも注目が集まった。しかし実際のところ内容で矛盾するところが多数あり、文書中に見られるエピソードにも浄瑠璃や狂言など中世や近世のエンターテインメントに影響を受けたと思われるところがあることから、実際に超古代の史料であるとは考えにくいとされている。

◇東日流《つがる》外三郡誌《そとさんぐんし》

かつて津軽の地に、北方からやってきた狩猟民族アソベ族と、東の大陸からやってきたツボケ族がいた。そこに日向族（のちの大和朝廷）との戦いに敗れた邪馬台国の王たちと、中国の動乱から逃れた晋の公子たちがやってきた。この四者が結びついたアラハバキ王

古史古伝

古代日本について、通史を否定するような見方を提供する史料群
→基本的に偽書とみなされている

竹内文書

イエス・キリストの墓は日本の戸来村にある！　世界の偉人が日本で学んだ！
→新興宗教で主張される

富士宮下文書

大陸からやってきた人々が日本の神々になって富士の麓で繁栄したが、滅亡する
→土地争いが背景に？

秀真伝

独自の言葉「ホツマ文字」で書かれていて、記紀の元になったのではないかとされた
→内容に矛盾が多い

東日流外三郡誌

かつて東国には中央にも影響を与えるような先進国家があったが、衰退した
→東北人の支持を受ける

国は大いに栄え、大和朝廷とも戦い、時にはこれを征服して自らの王を大和朝廷に立てることさえあった。中世においても安倍氏や秋田氏としてその末裔は残ったが、天災や敵対勢力により歴史書が焼かれるなどの苦難で、やがて忘れられていった……。

以上の物語を語るのが、『東日流外三郡誌』と呼ばれる史料だ。青森県の郷土史家・和田喜八郎の家の屋根裏に隠され、そこから落ちて来て発見されたとされる。この史料は市浦村（現在の五所川原市）の村史資料編として刊行されたことから注目を集め、新聞やテレビなどマスメディアの題材にもなったし、エンターテインメントのネタとしても取り入れられた。「中央に負けない王国がかつてあった」という点が東北の人々のプライドを刺激した面も多分にあったものと思われる。

しかし実際のところ『東日流外三郡誌』及び和田が発見したとされる「和田文書」と呼ばれる史料群には、現代的なオカルト要素が見られるなど不審な点が多く、現在では「和田による偽書である」という評価が定着しているようだ。

③神世七代の謎とイザナギ・イザナミの悲劇

天地開闢

日本神話の主神アマテラスの生みの親であり、国生みの神として知られるイザナギ・イザナミはあまりにも有名だ。しかしこの二柱の神は、日本神話における最初の神ではない。

『古事記』によると最初に高天原に現れた神と彼らが象徴する要素は以下の通りだ。

・アメノミナカヌシ（天の中央、天地を主宰する）
・タカミムスビ（生産・生成）
・カミムスビ（生産・生成）

この三柱は「造化三神」と呼ばれる。そのあとに

・ウマシアシカビヒコヂ（生命力・生長力）
・アメノトコタチ（天の永遠性）

の二柱が生まれ、すぐに身を隠す。最初に生まれたこの五柱は特別な神として「別天津神《ことあまつがみ》」と呼ばれる。

また彼らは「独神」である。独神とは配偶者を持たない単独の神だ。男女の性別が分かれておらず両方を合わせ持つ神とされる。

その次に同じく独神である

・クニノトコタチ（国の安定）
・トヨクモノ

が生まれる。トヨクモノに関しては、原野の生成を司るともいわれるが、はっきりしない。

『日本書紀』においては、クニノトコタチが最初の神として登場することになる。『日本書紀』は編纂当時の数々の伝承をまとめたものであり、「ある書ではこう、別の書では」というふうに複数のエピソードが紹介されている。そのためクニノトコタチのあとに生まれた神や順番は『日本書紀』の中でもさまざまだ。そして『古事記』では独神とされている神々が、『日本書紀』では陽の気だけを浴びた男神と明言されているという点にも違いがある。

『古事記』において男女の神々が誕生するのはトヨ

日本神話の始まり

別天津神

最初に現れたのは造化三神
（アメノミナカヌシ・タカミムスビ・カミムスビ）

↓

続いてウマシアカシビヒコヂとアメノトコタチが出現

この５柱は独神であり、すぐに姿を隠してしまう

⬇

神世七代

クニノトコタチ・トヨクモノ、そして男女セットの 10 柱の神が出現

↓

男女の神は 1 代と数えるため、**「神世七代」**と呼ばれる

最後に出現したイザナギ・イザナミが世界を完成させる

クモノのあとになる。彼らは男女で対になった神で、独神に対し「双神」ともいう。

- ・ウヒジニ（男神／泥）
- ・スヒチニ（女神／砂）
- ・ツノグイ（男神／杭）
- ・イクグイ（女神／杭）
- ・オオトノジ（男神）
- ・オオトノベ（女神）
- ・オモダル（男神／地面の完成）
- ・アヤカシコネ（女神／完成を称える）
- ・イザナギ（男神／誘う）
- ・イザナミ（女神／誘う）

先の八柱は大地が整っていく様子を説明しているといわれる。またこれら十柱の神が象徴するところについては諸説あり、人体が整っていく様子であると取ることもできる。

『古事記』では女神の名に「妹」という言葉がつくため、夫婦は兄妹であるという見方がある。しかし「妹」とは男性が妻や恋人を呼ぶ時の古語で、実際の妹であるというわけではない。ただしこの時代、異母

兄妹間での婚姻は行われていたし、順に生まれた神を兄妹でないとも言い切れないのではないだろうか。

クニノトコタチからイザナミまでの十二柱を「神世《かみよ》七代《ななよ》」という。クニノトコタチとトヨクモノはそれぞれ一代、ウヒジニからイザナミまでの十柱は対になる二柱で一代と数える。

別天津神にせよ、神世七代にせよ、よく分からない存在だ。いろいろその象徴を推測することができるのはここまで紹介した通りだが、キャラクターとしての彼らは見えない。

そのような存在を神話に登場させる場合、そこにどんな意味をもたせることができるだろうか。その部分だけ作り話だったり、あとから付け足したものだったりするのだろうか。それとも、人格を持たない、純粋な力のような存在だったりするのだろうか……。

国生み

天と地が分かれたばかりの頃、地上世界はくらげのように漂っていた。そこへ神々がイザナギ・イザナミの二柱に国土を作り固めるよう命じ、天沼矛《あめのぬぼこ》を与えた。

イザナギとイザナミは天地の間にかかったはしごに立って矛を下ろし、かき回した。矛を引き上げた時に滴り落ちた水が積もり重なってオノゴロ島ができた。二柱はオノゴロ島に降り立ち、神聖な柱を立て、御殿を建てた。

イザナギはイザナミに体がどうなっているか尋ねた。イザナミは「体はだんだんと整い、足りないところがある」と答え、イザナギは「自分の体には余っているところがある」と言った。それぞれ女性器と男性器のことであるが、『日本書紀』では「雌（陰）のはじまり」「雄（陽）のはじまり」としている。そして「足りないところと余っているところを合わせて国を生み出そう」と提案し、イザナミはそれを了承する。

神聖な柱をイザナギは左から、イザナミは右から回って出会い、イザナミが「なんと素晴らしい男性だろう」と声をかけた。イザナギは「女が先に声をかけるのは良くない」と言ったが、二柱は夫婦となり交合し、子が生まれた。しかし最初に生まれたのは不完全な蛭子《ひるこ》であった。『日本書紀』によると三年経っても立つことができなかったという。そのため葦の船に乗せて流した。この蛭子は子の数には入らない。

不吉な子を生んでしまった夫婦は、高天原に上って神々の言葉を聞いた。そこでフトマニという鹿の肩骨を焼く占いを行うと「女が先に言葉を発したのが良くなかった」との結果が出た。女が先に話したのが良くないという考えは中国の夫唱婦随《ふしょうふずい》（夫が言いだし、妻がそれに従う）の思想によるものと考えられる。またイザナギとイザナミが兄妹で、そのためであろうとする説もある。兄妹結婚のせいで不具の子が生まれたという説話は中国南部から東南アジアにも存在している。

イザナギとイザナミは神々の言葉に従って、もう一度神聖な柱を回るところからやり直し、今度はイザナギから声をかけた。この時生まれたのが、淡路島である。これ以後、夫婦は四国、隠岐《おき》島、九州、壱岐《いき》島、対馬、佐渡島、最後に本州を生んだ。この柱を回るという行為は、民間で行われていた作物の豊穣祈願に関連するとされている。

『日本書紀』ではイザナギとイザナミは命じられたのではなく自分たちから国を創ろうとする。

先に述べたように『日本書紀』は複数の微妙に異なるエピソードが収録されているが、イザナギとイザナミが行った行動の順番が異なっているものがある。

最初に柱を回りイザナミが声をかけた際、その時点でやり直しをしている。『古事記』ではイザナギが体について尋ねたのは柱を回る前だったが、『日本書紀』では柱を回って出会ったあとに尋ねている。

そして『古事記』では本州が最後に生まれているのに対し、『日本書紀』ではどのエピソードでも一番目か二番目に生まれている。

神生み

国を生み終えたイザナギとイザナミは、住居に関する神に始まり、海や川、風や木などの神を次々に生んだ。自然にまつわる神が生まれるのは他の神話にも珍しいことではないが、それよりもまず住居に関する神が生まれているのが面白い。

イザナミは最後にヒノカグツチという火の神を生んだ際、陰部が焼けただれて病になってしまった。この時の嘔吐などからも神が誕生しているから驚きである。そしてイザナミはそのまま亡くなってしまう。夫婦は合わせて十四の島と三十五の神々を生んだ。

これらの神生みは当時の人々の生活に関連深い。特に火の神の誕生は火の起源という説もある。当時人々は火きり杵と火きり臼という道具を用いて火を起こしており、それぞれ男根と女陰に見立てられているのではないかといわれる。病になったイザナミから生まれた神々は、農業に関連するものであった。

『古事記』ではこの時点でアマテラス・ツクヨミ・スサノオは誕生していない。だが『日本書紀』では海や川、山などを生んだあとに、この三貴子が誕生しているものがある。『古事記』ではイザナギから生まれるこの三柱は、『日本書紀』では夫婦から生まれている。最後に火の神が生まれ、それが原因でイザナミが亡くなるというのは共通している。

イザナミが亡くなったあと、イザナギは「愛しい妻を、子の一人に代えるとは思わなかった」と嘆き悲しみ、イザナミを出雲国の国境に葬った。黄泉国は出雲国にあるという思想に由来する。

そこでイザナギは、妻の命を奪ったヒノカグツチを斬り殺してしまう。この時のカグツチの血や亡骸からも神が生まれている。剣や水の神が生まれていることから、これらは刀鍛冶の様子が連想されているといわれる。実際、ヒノカグツチは刀鍛冶の神としても信仰されている。

黄泉国

イザナミに会いたくなったイザナギは、妻に会うために黄泉国（根の国ともいう）へ向かい、御殿から現れた妻に「愛しい妻よ。あなたと私とで作った国はまだ作り終えていない。現世に帰りなさい」と語りかける。しかしイザナミは「もっと早く来てくだされば。黄泉の食べ物を食べてしまった」と答える。そして「けれども愛しい夫がわざわざ訪ねてきてくださったのだから、帰れるか黄泉国の神と相談します。その間私の姿を見ないでください」と言ってイザナミは御殿の中に帰った。

しかしいつまでたってもイザナミは戻ってこず、イザナギは待ちきれずに御殿の中に入ってしまった。櫛の歯を一本折って火を灯すと、イザナミの体にはウジがたかり、頭や胸など合わせて八種類の雷神が出てい

日本列島はいかに誕生したか

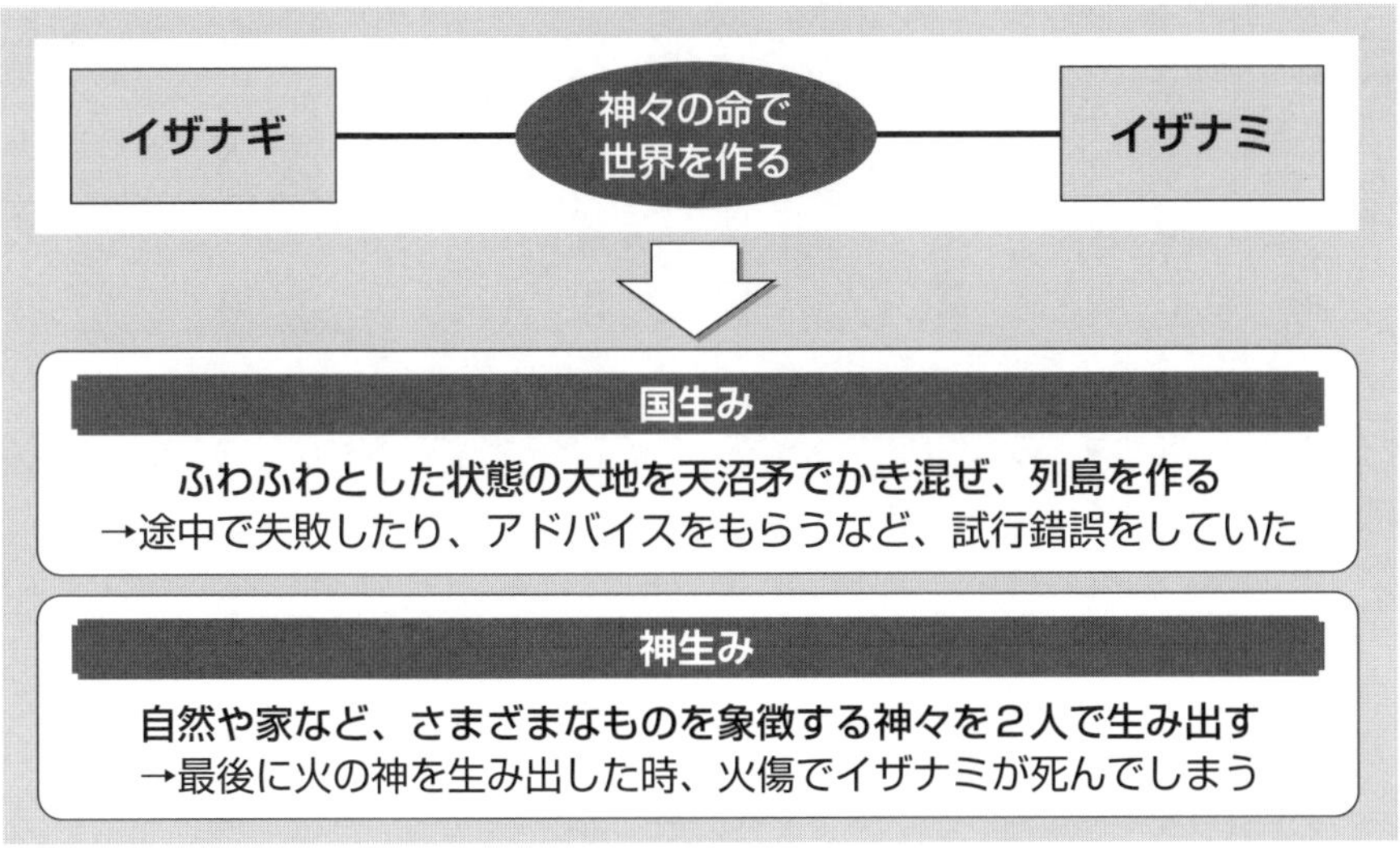
イザナギ
神々の命で世界を作る
イザナミ
国生み
ふわふわとした状態の大地を天沼矛でかき混ぜ、列島を作る
→途中で失敗したり、アドバイスをもらうなど、試行錯誤をしていた
神生み
自然や家など、さまざまなものを象徴する神々を２人で生み出す
→最後に火の神を生み出した時、火傷でイザナミが死んでしまう

るという恐ろしい姿になっていた。驚き恐れたイザナギは逃げ帰るが、イザナミは「恥をかかされた」と黄泉国の醜女に追いかけさせた。『日本書紀』には八人の鬼女・ヨモツヒサメが追いかけたとある。

イザナギが黒い鬘（蔓草などを輪にして髪につける装飾具）を投げるとたちまち山ぶどうがなった。醜女たちがそれを食べている間にイザナギは逃げ、再び醜女たちが追いついてくると、今度は櫛の爪を折って投げた。するとタケノコが生え、やはり醜女たちがそれを食べている間にイザナギは逃げた。

今度は八種の雷神が一五〇〇人もの黄泉の軍勢を従えて追いかけてきたので、イザナギは後ろ手に剣を振りながら逃げた。黄泉《よもつ》比良坂《ひらさか》という現世と黄泉国の境にたどり着くと、そこになっていた桃の実を軍勢に投げつけた。軍勢はたちまち退散した。

そして最後にイザナミが追いかけてきたので、イザナギは巨大な千引の岩で黄泉比良坂をふさいだ。その岩を挟んでイザナミは「こんなことをなさるなら、あなたの国の人々を一日一〇〇〇人締め殺しましょう」と言い、イザナギは「ならば私は一日に一五〇〇の産屋を建てる」と答え、夫婦は離別したのである。こうしてイザナギは生の神、イザナミは死の神となって対立する。

黄泉の国の御殿は、殯宮儀礼の風習によるものと考えられる。古代の貴人は死後葬儀まで殯宮に安置した。「黄泉の食べ物を食べてしまったから帰れない」というのは、同じ食べ物を食すことによって親密な関係が生まれるという思想に基づく。同様のエピソードはギリシャ神話にもある。親しい間柄の例えで「同じ釜の飯を食う」という言葉があるが、人が仲良くなる方法というのは時代や国を問わず、変わらないのかもしれない。

イザナミの体が恐ろしいものに変化していたのは、死者に対する恐怖の表れといえる。また『日本書紀』によると、夜に火を灯さないことや投げ櫛が不吉と言われるのはこのエピソードによるとしている。

ここで注目したいのはやはりさまざまなアイテムだろう。物を投げながら逃走する説話は世界各地に存在する。身につけていた櫛や鬘は黄泉の追っ手を足止めするのに役立った。

桃が軍勢を退散したのは、桃が邪気を払うという中国の思想による。鬼退治で有名な桃太郎もこれによるといえよう。

千引の岩は岩石が邪気や悪霊の侵入を防ぐという当時の信仰にもとづく。石に神や神霊が宿るという話は多い。勾玉などが単なる装飾具でなくお守りとして扱われたのも、石信仰によるものである。

『日本書紀』ではイザナギの尿が大きな川となり、追ってきた鬼女を阻んだというエピソードもある。それぞれのアイテムや生まれた神々に当時の信仰や思想、風習などが深く関連づいている。

禊と三貴子

イザナギは黄泉国から逃げ帰ったあと、「なんと穢らわしい国に行っていたことか」と身を清めるために禊《みそぎ》をする。この時脱ぎ捨てた衣や履などからも神が生まれた。『日本書紀』では離別の呪言のあとに投げ捨て、やはり神となっている。禊で体を清めた際にも数々の神が生まれた。

そして顔を洗った時、いよいよアマテラスらが生ま

イザナギとイザナミの別れ

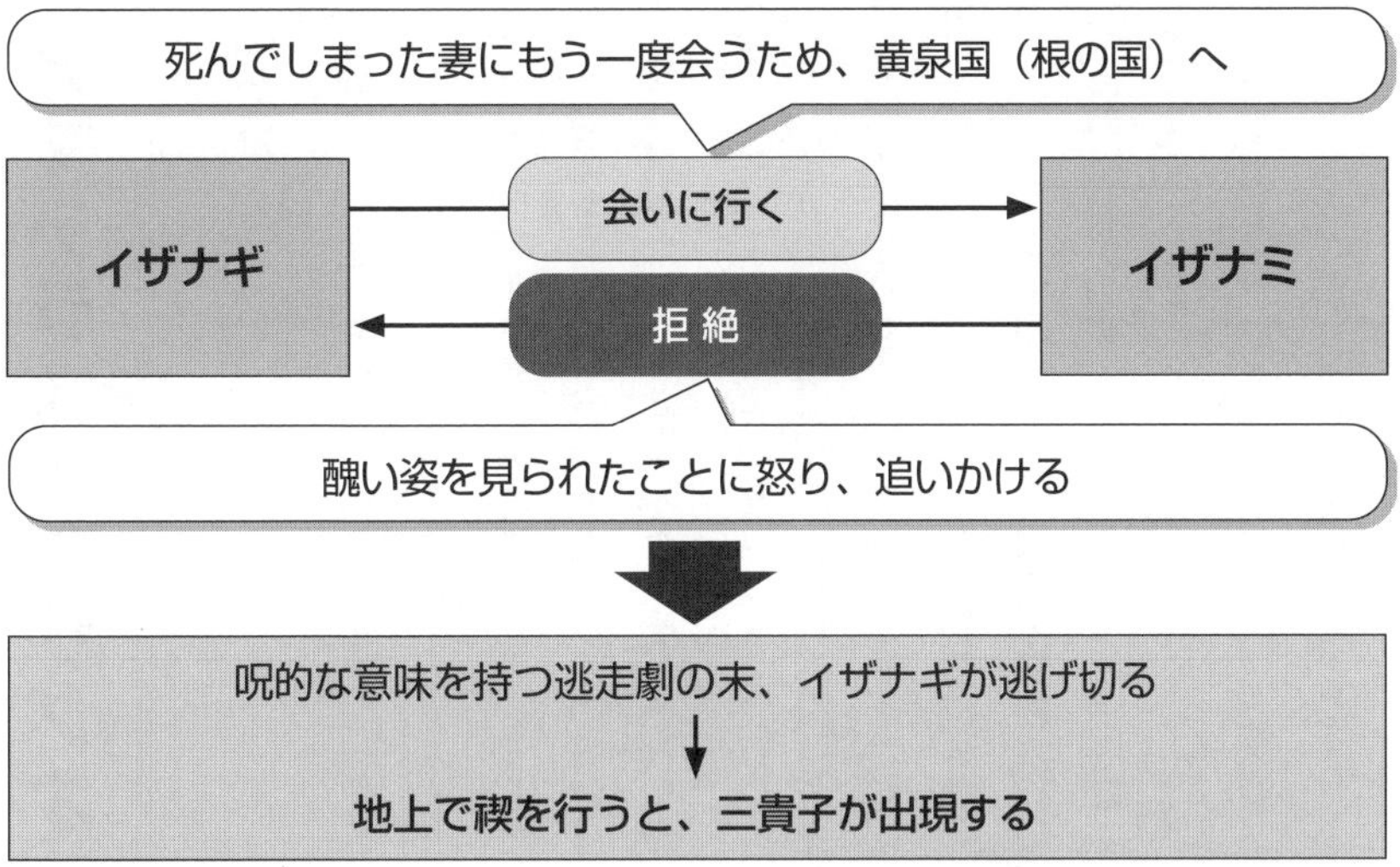
死んでしまった妻にもう一度会うため、黄泉国（根の国）へ
会いに行く
イザナギ
イザナミ
拒絶
醜い姿を見られたことに怒り、追いかける
呪的な意味を持つ逃走劇の末、イザナギが逃げ切る
地上で禊を行うと、三貴子が出現する

れる。左の目からはアマテラス、右の目からはツクヨミ、鼻からはスサノオが、それぞれ生まれた。彼らが次代の主役になっていく。

黄泉国で死や死霊の恐ろしさが描かれているが、このシーンではその穢れを祓う方法を示している。禊は川の河口や河原などで行われた。水の浄化力によって清める儀式なのである。

事象が生まれたその過程に……

ここまでの物語は、天地及びそれに付属するさまざまな事象の誕生にまつわるものだ。私たちは空、地、海、生と死、火などが生まれた理由を科学で説明付けるが、古代では神々のドラマとして説明した。そうすることで人々は世界を理解し、安心できたのだ。また、例えば「神をも殺した火は恐ろしいから注意して扱おう」という教訓を伝える役目も担っていたはず。

あなたの作る世界の人々は、天地の万物をいかに説明するのか。そのことは、人々が日々をどのように過ごし、神々の恩恵をいかに受け止めるかにも繋がってくる、ささやかだけれど大事な要素であるのだ。

④アマテラスとスサノオ

三貴子の分治

黄泉の国から戻って禊をし、多くの神々を生んだイザナギは、最後にもっとも尊い三柱（アマテラス・ツクヨミ・スサノオ）が生まれてとても喜んだ。そしてアマテラスに首飾りを与えて高天原を、ツクヨミには夜の国を、スサノオには海を治めるようそれぞれに命じた。これを「三貴子の分治」という。

しかしスサノオは役目を果たさず、母の国に行きたいと思って泣いてばかりいた。伸びた髭がみぞおちに届くほどだったというから、ずいぶん長い間泣き続けていたようだ。スサノオがわめく声は夏の蠅《はえ》のように充満し、悪霊の禍いが一斉に起こった。イザナギはこれに怒って「ならば与えた国に住み続けてはならぬ」とスサノオを追放した。ここからアマテラスとスサノオの物語が始まるのだが、二柱ともやることなすことスケールが大きく、大変なことになってしまう。

アマテラスとスサノオの誓約

追放されたスサノオはイザナミがいる根の国に行く前に、姉であるアマテラスに挨拶をしていこうとして天を訪れた。すると山や川がどよめき、国中が震動した。驚いたアマテラスは「私の弟は私の国を奪うためにやってくるのだ」と言って、すぐさま髪をほどいてみずら（古代の男性の髪型）に結い、頭や両手にたくさんの勾玉を通した長い玉の緒を巻き付け、さらに武装して弟を待ち構えた。スサノオが「邪心はありません。母のいる根の国に向かう事情を説明しようと参上したのです」とアマテラスに訴えた。アマテラスは「どうやってあなたの潔白を証明するのか」と尋ねた。これにスサノオは「それぞれ誓約《うけい》をして子を生もう」と言った。

これは正邪・吉凶を判断する方法である。あらかじめ決めた通りの結果が出るかどうかで真実を見極める、占いの性質を持った一種の裁判形式だった。あなたの作る世界でも、神話に由来する不思議な裁判・善悪判断のルールを作ってみるのは面白いかもしれない。

アマテラスはスサノオの持つ剣から、スサノオはアマテラスの玉の緒からそれぞれ神を生んだ。アマテラスの玉の緒から生まれた五柱の男の神はアマテラスの子、スサノオの剣から生まれた三柱の女の神はスサノオの子とした。スサノオは「私の心が潔白である証明として優しい女の子が生まれた」と言う。

誓約の流れに『古事記』と『日本書紀』で大きな違いはない。しかし『古事記』には誓約の結果どう判じるかという文言が抜けている。つまり男女どちらの神が生まれれば潔白なのかということがあらかじめ記されていない。

実は『日本書紀』によると「女が生まれれば邪心あり、男が生まれれば清い心である」としている。『古事記』では互いに相手の持ち物から神を生んでいるが、『日本書紀』には持ち物を交換せず、自分の身に着けていた物からそれぞれ神生みを行っているエピソードもある。つまりアマテラスの子が女神で、スサノオの子が男神なので潔白であるというのだ。持ち物を交換しているエピソードについても、男神はアマテラスの子だが、生んだのはスサノオなのでやはりスサノオが勝ったと解釈することもできるだろう。

しかし『古事記』における誓約の結果は『日本書紀』における取り決めとあべこべだ。『古事記』でスサノオが女神を生んで潔白を宣言している理由として、時代背景があるのではないかという説がある。もともとの伝承は男神を生んで勝ちを宣言したものだったが、『古事記』は女帝の時代に作られたためこのように改変されたのではないかというのだ。

天岩屋

邪心がないことを証明したスサノオだったが、勝ったことで調子づき、高天原で乱暴な振る舞いをしてしまう。スサノオはアマテラスの田の畔を壊し、水路を埋め、神殿を汚した。一度は潔白が証明されたためかアマテラスはそんなスサノオをかばう発言をするも、スサノオの乱暴は酷くなり、その結果、アマテラスに仕える機織の女性がはずみで死んでしまうという事件が起こる。これを恐れたアマテラスは天岩屋戸を開き、中にこもってしまった。

このシーンは『古事記』ではアマテラスは「恐れ」から岩屋（洞窟）に入っているが、『日本書紀』では「怒り」としている。わずかな違いだが、キャラクターの性格の印象が変わってくる。

そして太陽の女神であるアマテラスが岩屋にこもってしまったことで、高天原も葦原中国も闇に包まれる。暗闇が続き、あらゆる邪神が騒ぐ声は夏の蝿のように世界に満ち、禍が一斉に起こった。

アマテラスが天岩屋にこもり、世界が闇に包まれたシーンの描写は、スサノオが母を恋しがって泣きわめいていた際の描写によく似ている。「夏の蝿」とした部分は原文では「さ蝿（五月蝿とも）」となっており、「夏の田植えの頃に群がる蝿」の意味だが、「あばれさわぐこと」という意味もある。まさにスサノオの持つイメージそのものではないだろうか。

アマテラスが隠れて困った神々は、天の安河の河原に集まり、作戦を練った。そこで八咫鏡《やたのかがみ》や勾玉を連ねた玉の緒などを作らせ、祝詞を上げ、女神アメノウズメが岩屋の前で舞った。それを見た八百万の神々は高天原中に響くほどに一斉に笑った。

アマテラスは「私が岩屋にこもっているから世界は暗黒であろうというのに、なぜアメノウズメは舞い、神々は笑っているのだろうか」と不思議に思って岩屋の中からアメノウズメに尋ねた。アメノウズメは「あなた様よりも優れた神がいらっしゃるので、喜びから舞い踊っているのです」と答えた。ますます不思議に思ったアマテラスは、そっと岩屋戸から出て八咫鏡を覗こうとした。この時、岩戸の陰に隠れていたアメノタヂカラオがアマテラスの手を取って外に引き出し、別の神がアマテラスの背後に注連縄を通し、「これより岩屋に戻ることはできません」と言った。こうして世界は太陽を取り戻し、明るくなったのである。そのためこの事件は「天岩戸《あめのいわと》」の通称でも呼ばれる。

そして神々の相談の結果、このような大事件を引き起こしたスサノオは数々の贖罪を課せられ、高天原を追放された。

『日本書紀』では岩屋戸を開くために作ったアイテムが多少違っていたり、アメノタヂカラオはアマテラ

スサノオVSアマテラス

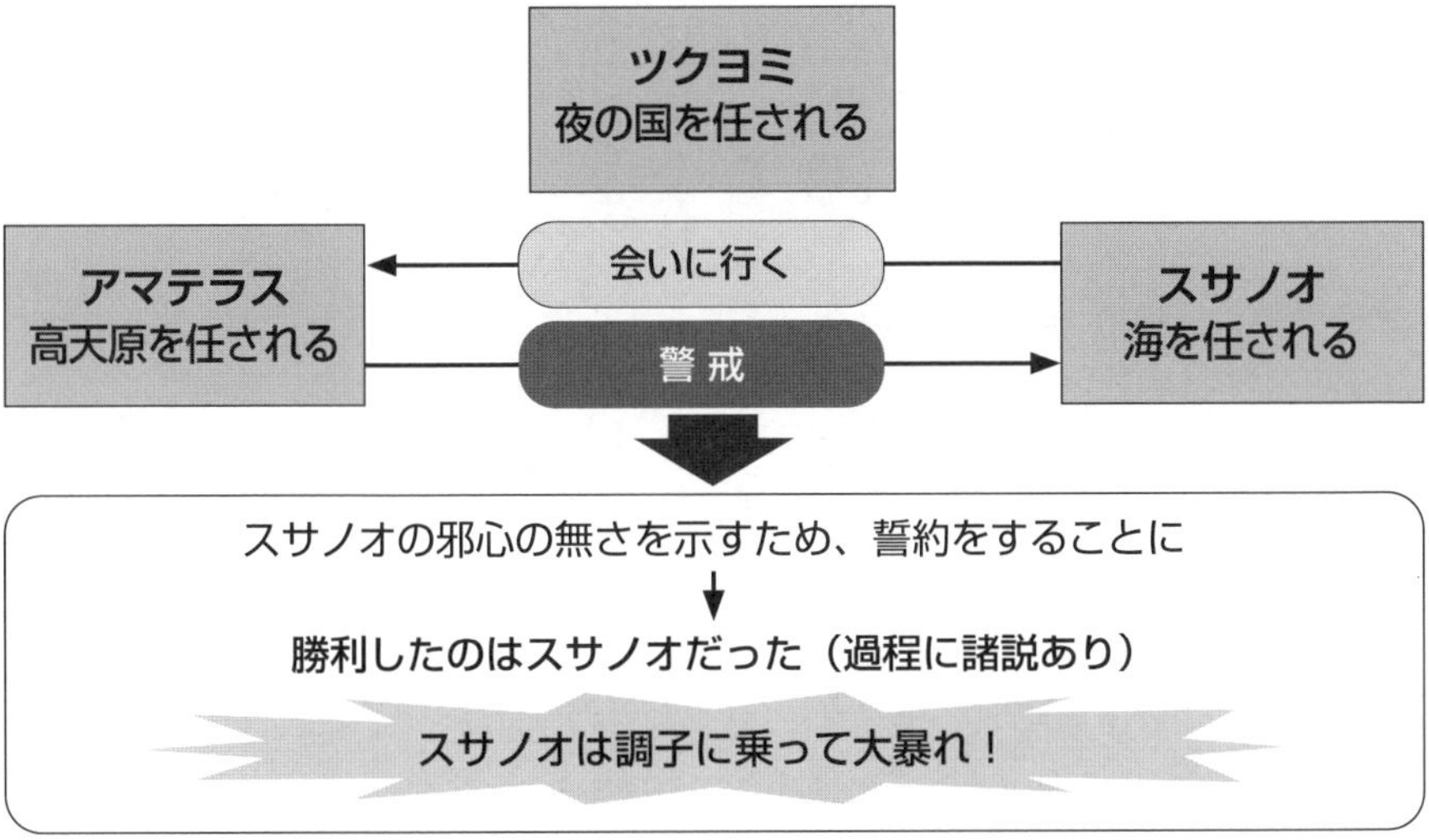
ツクヨミ
夜の国を任される
アマテラス
高天原を任される
会いに行く
警戒
スサノオ
海を任される
スサノオの邪心の無さを示すため、誓約をすることに
勝利したのはスサノオだった（過程に諸説あり）
スサノオは調子に乗って大暴れ！

スを引き出したのではなく岩戸をこじ開けたりと、やはり『古事記』とは少々異なるエピソードが伝わっている。『日本書紀』のみのエピソードとしては、岩屋にこもるアマテラスに鏡を差し入れ、これに傷がついたものが伊勢神宮に祀られている大神であるという。また人々が切った爪を粗末に扱ったり、蓑笠を着たまま家に入ることを嫌ったりするのは、スサノオの贖罪に由来するのだともしている。

この天岩屋戸のエピソードは日本神話でもっとも重要なシーンの一つと言えるだろう。この説話は農業神（アマテラス）に対する暴風雨神（スサノオ）、つまり災害を語ったものとする見方もある（スサノオを暴風雨神とするのは否定的な説もあるので、あくまで一つの側面としてとらえてもらいたい）。

アマテラスが岩屋にこもり、また現れ出るさまは、冬に死んだ生命（穀物など）が、春にまた復活するさまになぞらえているともいわれる。スサノオがアマテラスの田の畦や水路を壊すシーンや、先に述べた「さ蠅（夏の田植えの頃に群がる蠅）」の表現から見ても、稲作が当時の人々にとってどれほど大事なものであったかうかがい知ることができよう。

　アマテラスのこもる岩屋の前で行われた祭儀は、宮廷で行われた鎮魂祭儀の起源とされている。特に女帝である持統天皇の即位儀礼と深く関わっているという。アマテラスが女神になったのは、古代の宗教において中心となった巫女のイメージだけでなく、持統天皇のイメージもあわせられたのではないかといわれている。

　実は「アマテラスが女神であるとは明言されていない」という説もある。『古事記』ではアマテラスの言葉に女性が使う言葉や女性であるような表現が多いが、確かに「女神」などと断言する言葉はないようだ。『古事記』『日本書紀』ともに、当時伝わっていた神話を編纂した際にアマテラスが女性であるというイメージが付加された可能性を100％否定することはできない。『日本書紀』にはスサノオがアマテラスを「姉」と呼ぶシーンがあるが『書紀』のほうが『古事記』よりも成立があとである。そのため、『古事記』よりその色が強く出ていても不思議はないのである。あるいは男女両方の側面を持つという神秘性があっても面白いかもしれない。アマテラスが女神であるという通説に異論はないが、なんとも想像力のかき立てられる説である。

　ここでアマテラスの出番は一旦終わりだ。物語の焦点は乱暴者であるスサノオに移る。

スサノオのヤマタノオロチ退治

　あれだけ高天原を荒らした暴れん坊のスサノオが、地上に降りるとガラリとその姿を変える。彼は怪物殺しの英雄になるのだ。

　きっかけになったのは、出雲国は肥の河の河上で出会った国津神の老夫婦であった。この二人は毎年やってくる怪物――ヤマタノオロチに脅かされ、八人の娘を一人ずつ喰われてしまっていた。今年は最後に残ったクシナダ姫の順番なのだという。

　嘆き悲しんで泣く老夫婦と娘に義侠心を刺激されたのか、それとも娘の美しさに惹かれたのか。スサノオはクシナダを妻として差し出すかと問い、良い答えをもらうや早速怪物退治に乗り出した。八つの舟型の器に強い酒を準備させてヤマタノオロチがやってくるのを待ったのである。

太陽が消えると……

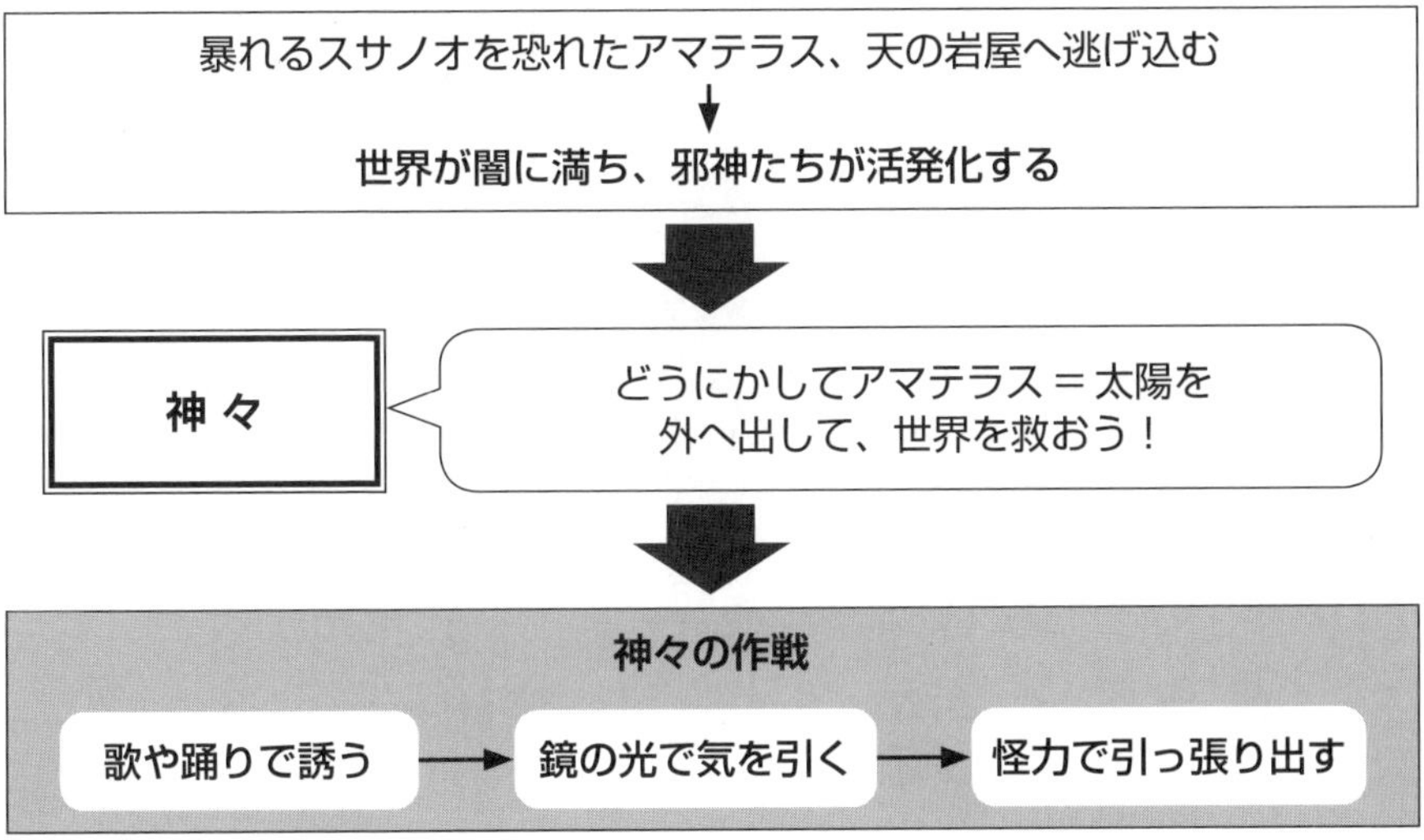
暴れるスサノオを恐れたアマテラス、天の岩屋へ逃げ込む
世界が闇に満ち、邪神たちが活発化する
神々
どうにかしてアマテラス＝太陽を
外へ出して、世界を救おう！
神々の作戦
歌や踊りで誘う
鏡の光で気を引く
怪力で引っ張り出す

いよいよ現れたヤマタノオロチは、その名前の通り八つの頭と八つの尾を持つ大蛇であった。その長さは八つの谷と八つの丘に渡り、その背には苔と檜と杉が生えていたというから、もはやほとんど山の如きであった。

対するスサノオも実は巨大な姿をしている（おそらく彼女を守るためか、クシナダを櫛に変えて自分の頭に挿しているのだが、その時に小さくしたという描写が『古事記』にはない。つまり人間大の櫛を挿せるほどデカイのだ）のだが、それでもヤマタノオロチは大きすぎるのか、正面からは戦わない。代わりの武器になったのが、用意させた酒だ。

酒好きのヤマタノオロチは酒の器に首を一つ一つ突っ込んで大いに呑み、酔っ払って、ついには寝入ってしまったのである。そこでスサノオは大蛇を斬り殺し山の如き怪物を退治してしまった、というわけだ。

ところがこの時、ちょっとした事件が起きた。スサノオは十拳の剣という武器でヤマタノオロチを斬っていたのだが、途中で刃が欠けてしまった。蛇の胴体に、一本の剣が入っていたせいである。スサノオはこれを高天原の姉、アマテラスに献上した。この剣こそ、のちに天叢雲《あめのむらくも》の剣あるいは草薙剣と呼ばれ、三種の神器に一つに数えられる秘宝であった。

その後、スサノオとクシナダは出雲に宮を築いて多くの神々を生んだ。この血筋から出雲系の神々が誕生し、さらには彼の末裔の中から次の物語の主人公であるオオクニヌシが現れることとなったのである。

高天原時代の乱暴者と、出雲時代の英雄。別人のようになったスサノオに何があったのだろうか。学術的には、二つの物語が習合されたのではないかと考えられているようだ。つまり、元は別人だった、と言うのである。

物語的には別の解釈もできる。高天原を追放されたことはスサノオにとってもあまりにショックなことで、反省して成長したのではないか。あるいは、反骨心が非常に強い男であるスサノオは、上から何か言われれば反発しなければ気が済まないが、下から頼まれれば気分良く請け負って危険な挑戦でもこなしてしまう――それだけのことかもしれない。どちらも、荒くれ者の英雄としていかにもありそうなキャラクター像ではある。

なお、彼が倒したヤマタノオロチもまた、さまざまな解釈ができる。有名なのは「多頭の蛇（龍）であるヤマタノオロチはいく筋にも分かれた川と、それがもたらす水害の象徴である」というものだが、「ヤマタノオロチは溶岩流のことだ」という説もある。どちらにせよ、それが荒れ狂ったあとに残された剣は川から採れる砂鉄か、それとも火山から現れた鉄鉱石か……。

自分の生まれた場所を追放された男が、遠い場所で人々を救い、治水工事を行ったり田畑を開いたり（スサノオと結婚したクシナダは稲の象徴であるという説もある）し、その知識で素晴らしい道具（武器）を作り出す。このように解き明かすと、まるで近年流行りの「なろう」系の物語のようだ。

やはり、ウケる話の基本パターンというのはいつの時代も大きく変わらずあるものである。

壮大な自然現象と神話

アマテラスは太陽、スサノオは海。どちらも、人間にはとても手が出せそうもない巨大な自然を象徴する

地上でのスサノオ

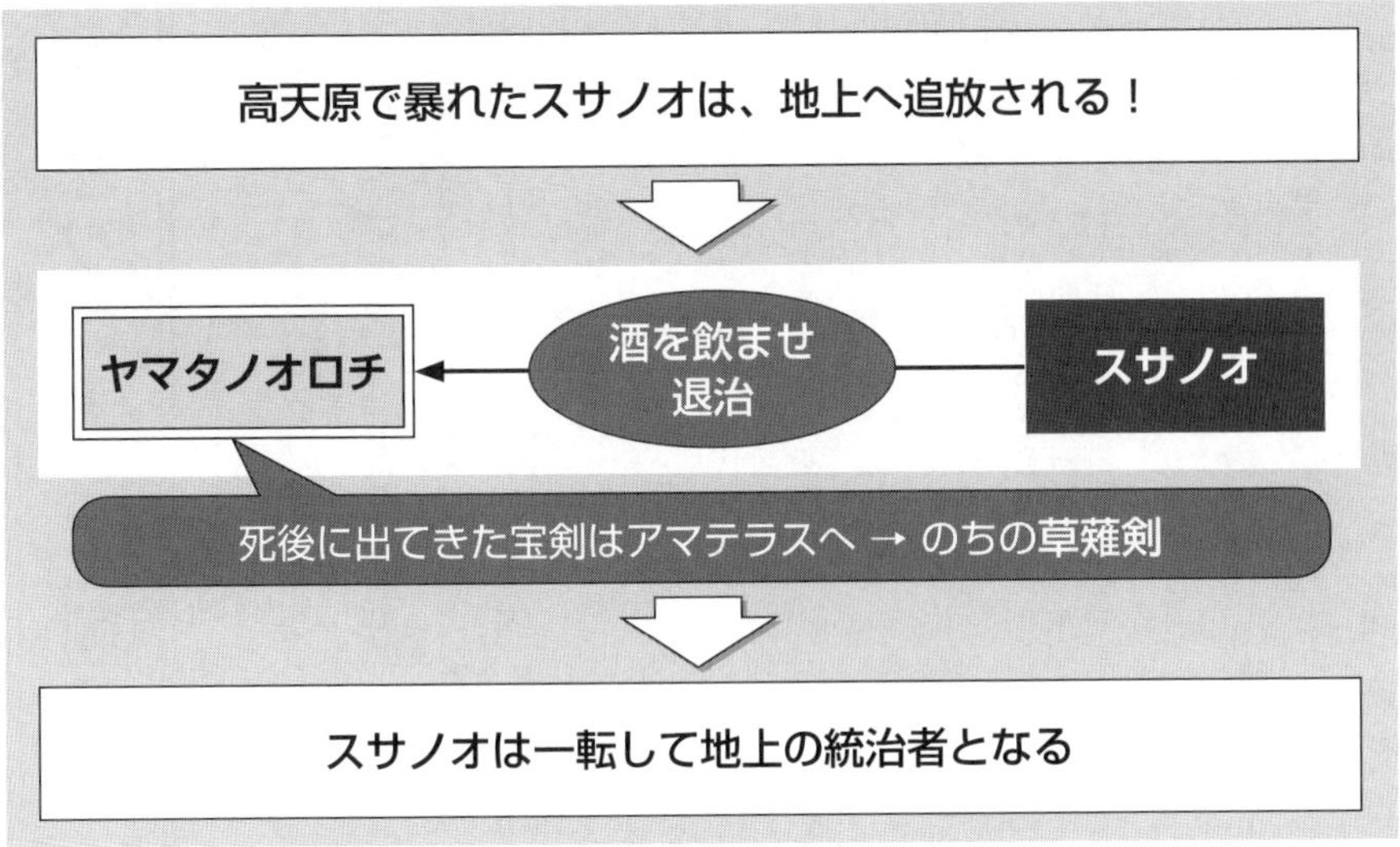
高天原で暴れたスサノオは、地上へ追放される！
ヤマタノオロチ
酒を飲ませ
退治
スサノオ
死後に出てきた宝剣はアマテラスへ → のちの草薙剣
スサノオは一転して地上の統治者となる

神である。そのためか、彼らが主役であるこの章で起きた事件は、どれも非常に巨大なスケールの出来事を想像させるものだ。

特に天岩屋（天岩戸）事件は恐ろしい。太陽（の神）が隠れてしまう——これはいったい何を意味しているのだろうか。季節の移り変わりという説を紹介したが、他にも太陽が月に隠れてしまう日食との関係も想像できる。夜のように暗くなった昼を見た古代の人々が、「アマテラスが姿を消したのだ」と考えても不思議ではないはずだ。

神話的な冒険を描くのであれば、「太陽神に何らかの異常があったから、それを救う」というのは、世界の危機を強烈に感じさせる大事件といえよう。アマテラスのように何者かに脅かされたのだろうか。それとも、人間を見限ったのか。誘拐される、殺される、というより直接的な危害を受けている可能性もある。

そして、太陽神を救うためにはいったいどこへ行けば良いのだろうか。空の上に閉じこもっているのか、地の下に追いやられてしまったのか。物語がいくらでも広がりそうである。

⑤オオクニヌシと国譲り

因幡の白兎

スサノオの子孫であり、のちに出雲大社の祭神となるオオクニヌシはオオナムジと呼ばれていた若き日、多くの兄弟神を持っていた（本書では分かりやすさのためオオクニヌシで統一する）。

彼らはまとめて八十神《やそがみ》と呼ばれるが、八十は「多く」という意味であって実際八十人の兄弟がいたというわけではない。日本のありとあらゆる物に宿る神々を「八百万神」と呼ぶのと同じである。

ある時、この八十神とオオクニヌシが、女神ヤガミヒメに求婚するために因幡《いなば》へと出かけた。しかしこの時、オオクニヌシは兄たちに袋を背負わされ、従者として旅に同行していた。

そこで一行は全身の皮をはがれて傷ついたウサギに出会う。八十神はこのウサギに「海水に浸かってから風に当たると治る」と嘘を教えた。その通りにしたウサギが痛みに苦しんでいると、最後についてきたオオクニヌシが泣いているウサギと出会い、事情を聞いた。

ウサギは隠岐の島から気多《けた》の岬まで渡りたいと思い、ワニザメに「私とお前の一族どちらが多いか数えてやろう」と騙して島から岬に一列に並べさせ、数えながらサメの頭を踏み、まんまと岬へ渡った。そして渡り終える時「お前たちは私に騙されたのだ」と真実を言ってしまったせいでサメの怒りを買ってしまう。サメに襲われ、着物（皮）をすっかり剝ぎ取られる。そして八十神に出会い、今度はウサギが騙されたのだった。

オオクニヌシはウサギに「河の真水で体を洗って、蒲の花粉をまきちらしてその上に寝ていれば治るだろう」と教えてやった。その通りにしたウサギは体を癒やすことができた。そしてウサギはオオクニヌシに「きっとあなた様がヤガミヒメを娶《めと》られるでしょう」と言った。これが因幡の白兎で、兎神とも呼ばれる。

このウサギのように陸上の動物が海の生物を騙すエピソードはインドネシアなどにも存在し、おそらくその方面から渡ってきた話が日本神話に根付いたのだろうといわれている。オオナムジ（オオクニヌシ）は医療の神として信仰されていたため、このような生き物を助けるエピソードが加えられたと考えられている。

このあと、ヤガミヒメは八十神の求婚を断りオオクニヌシと結婚すると告げる。それを聞いた八十神は、オオクニヌシを亡き者にしようと画策する。その結果、なんとオオクニヌシは兄弟神の手で二度も殺されてしまうのである。

しかし二度とも、母神が高天原の神々に助けを求めるなどして生き返らせている。二度目にオオクニヌシを蘇生させた際、母神は「ここにいては八十神によって滅せられてしまう」とオオクニヌシを逃がした。なおも八十神が追ってきたので、匿ってくれたオオヤビコという神がオオクニヌシに「根の国へ行きなさい。スサノオの神がよいように考えてくださるだろう」と言って逃がした。

前項で紹介した通り、地上に降りて出雲を統一したスサノオは、この頃には根の国にいた、ということになる。かつて根の国にいるイザナミを恋しがって泣いたように、スサノオは根の国と縁が深いと考えられていたわけだ。

オオナムジからオオクニヌシへ

オオクニヌシはオオヤビコの助言の通りスサノオを頼って根の国を訪れた。そこでスサノオの娘のスセリビメに出会い、互いに一目惚れしてすぐに結婚する。

二人は御殿で父神であるスサノオに報告したが、スサノオはすぐには彼を認めようとしない。ここから、神話最高神クラスによる、婿への試練が始まる。

スサノオはオオクニヌシを蛇のいる部屋に泊まらせた。スセリビメは夫のオオクニヌシに蛇を退ける領巾《ひれ》を渡し、「この領巾を三度振って払いなさい」と言った。オオクニヌシがその通りにしたところ、蛇が静まったので安らかに眠ることができた。

また次の晩は、ムカデとハチのいる部屋に泊まらされた。今度もスセリビメからこれらを退ける領巾をもらい、事なきを得た。

そしてスサノオは野原に射た矢を拾ってくるようオオクニヌシに命じ、オオクニヌシが野原に入ると火を放った。オオクニヌシはネズミに助けられて火の難を逃れ、矢を持ち帰ることができた。

スサノオは次に大きな部屋へオオクニヌシを呼び入れて、自分の頭のシラミを取るように命じた。オオクニヌシがスサノオの頭を見ると、そこにはシラミではなく、ムカデがいっぱいいた。そこでスセリビメがオオクニヌシに椋《むく》の実と赤土を渡した。オオクニヌシは椋の実をかみ砕き、赤土を口に含んで吐き出した。スサノオはオオクニヌシがムカデをかみ砕いて吐き出しているのだと思い込み、「かわいいやつだ」と思って眠ってしまった。

スサノオが眠ると、オオクニヌシはスサノオの髪を垂木に結びつけ、スセリビメを背負い、スサノオの宝物（生太刀《いくたち》・生弓矢《いくゆみや》・天《あめ》の詔琴《のりごと》）を持って逃げた。スサノオは目を覚まし部屋を壊してしまったが、垂木に髪が結びつけてあったので、それをほどいている間にオオクニヌシは遠くへ逃げた。

スサノオは黄泉比良坂まで追いかけてきて、はるか遠くのオオクニヌシへ「生太刀・生弓矢を使って兄弟たちを追い払い、大国主神となり、私の娘のスセリビメを正妻として、宇迦の山（出雲大社の東北にある山）の麓に宮殿を建てて住め」と言った。オオクニヌシはその通りにして成功し、さらにはたくさんの女神を娶って数々の子をなしたのであった。

オオナムジという名の神が「オオクニヌシ＝大国主」となるまでに受けるさまざまな受難は、古代の若者に課せられた成人儀礼における試練を語ったものと考えられている。スサノオの頭のシラミを取るシーンで椋の実や赤土を用いたのは一種のまじないである。オオナムジ（オオクニヌシ）は医療とまじないの神であった。

そしてスサノオのもとから逃げる際、三つの宝物を持ち出した。これらを手に入れたことで、オオナムジは葦原中国を治めるオオクニヌシとして新生するのだが、これはのちに天孫ニニギがアマテラスから三種の神器を与えられるエピソードと対になっている。

神器というアイテムはもちろん、この「三」という数字も、古代の日本では聖なる数字として考えられて

オオクニヌシの活躍

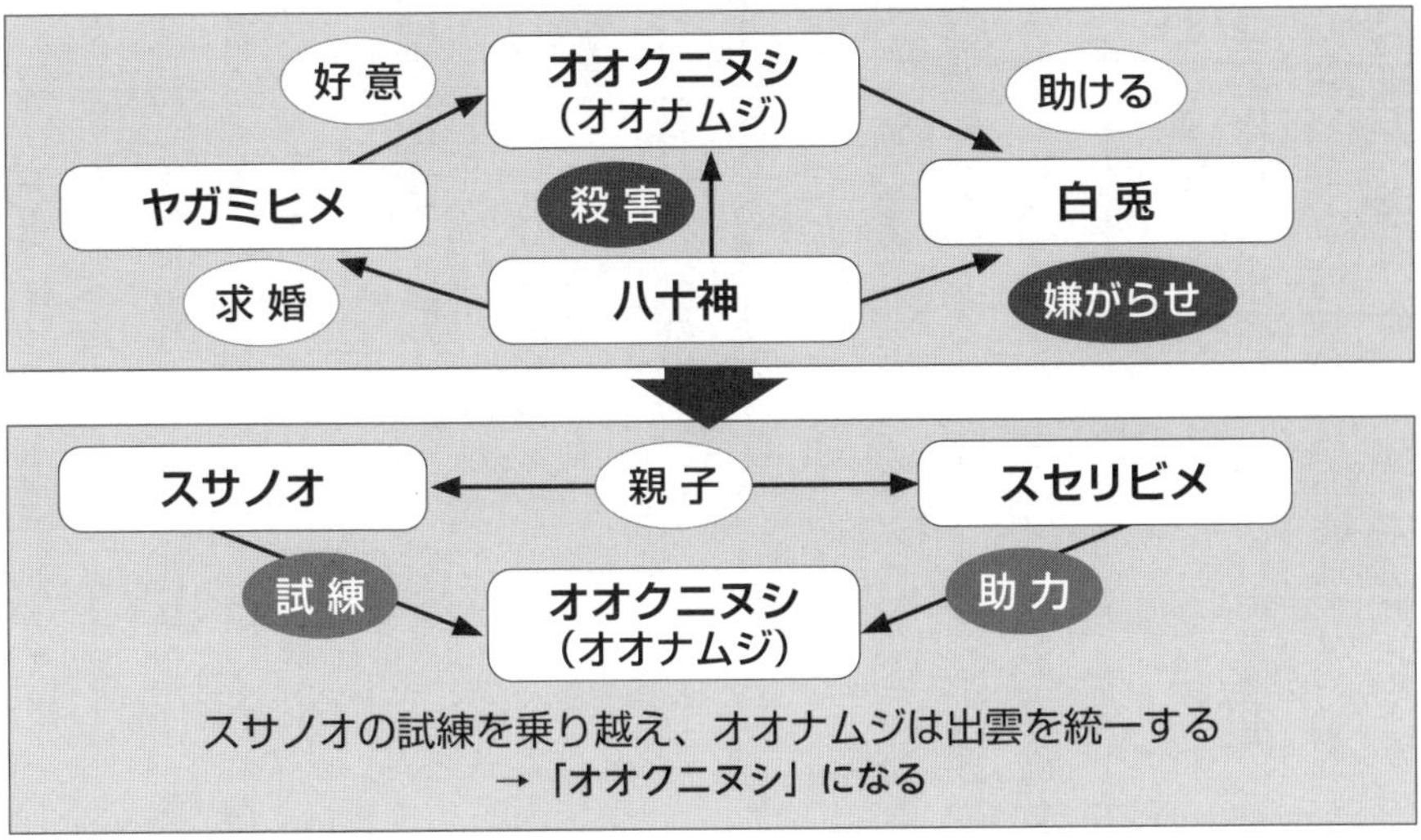
好意
オオクニヌシ
（オオナムジ）
助ける
ヤガミヒメ
殺害
白兎
求婚
八十神
嫌がらせ
スサノオ
親子
スセリビメ
試練
オオクニヌシ
（オオナムジ）
助力
スサノオの試練を乗り越え、オオナムジは出雲を統一する
→「オオクニヌシ」になる

いた。代表的なのは『竹取物語』だ。竹取の翁が見つけたかぐや姫は最初「三寸（約九センチメートル）」だったし、かぐや姫に求婚した貴公子は一般的に五人だが元は「三人」で、物語が伝わる過程で増やされたのだろうといわれている。

物語的な視点としては、オオクニヌシは自分の力よりも援助者の助けによって成功してばかりいるところがポイントであろう。このような構図は神話・民話にはよくあるが、現代エンタメと考えたらちょっと物足りない。誰もが助けたくなるようなオオクニヌシの魅力を掘り下げるか、そうでなければ彼個人の決断や機転、勇敢さなどが欲しいところだ。ヒーローには主体的に活躍してほしいものである。

ところで、これらオオクニヌシに関する一連のエピソードは『古事記』のものだ。『日本書紀』にも「大国主神」は登場するが、白兎を救ったものや、八十神やスサノオからの受難のエピソードは記されていない。

オオクニヌシはこの後、造化三神であるカミムスヒの子・スクナビコナという小人の神と出会う。カミムスヒの言葉に従ってスクナビコナと兄弟となり国造りを進めていく。やがてスクナビコナは海原の果ての常世国に渡る。一人になったオオクニヌシは「どうやって国を作ったらよいだろうか」と不安になったが、あらたに現れた神を三輪山に祀り、ともに国づくりを進めた。

葦原中国の平定

オオクニヌシの物語が一段落して、再び視点は高天原に戻る。

アマテラスは地上、すなわち「豊葦原《とよあしはら》の千《ち》秋長《あきのなが》五《い》百《ほ》秋《あき》の水穂国《みづほくに》」は自分の子であるアメノオシホミミが統治するべきであると考え、そのように命令した。

ところが、高天原から降りたアメノオシホミミは途中で天の浮橋に立って見ると水穂国は乱暴な神々がいてひどく騒がしい様子だった。アメノオシホミミはどうしたらよいものだろうかと、高天原に戻ってアマテラスに指示を仰いだ。

アマテラスは神々と相談して何人かの神を地上に遣わすが、何年経っても葦原中国は平定されず、遣わした神からも報告がない。何度目かでアマテラスはタケミカヅチという剣の神を遣わした。オオクニヌシに向かって剣を抜いて尋ねるシーンがあることから、武力でもって国譲りを迫ったということである。そうしてオオクニヌシもその子らも了承し、葦原中国は献上された。

『古事記』ではアマテラスと並んでタカミムスビの神を最高神としているため、このシーンでもタカミムスビとともに相談や命令をしている。しかし『日本書紀』ではアマテラスではなくタカミムスビを最高神としており、タカミムスビが主体の文章となっている。

二神の力比べ

タケミカヅチは葦原中国に降り立つと、波の上に十拳剣を突き立て、刃の上に座ってみせた。その上でオオクニヌシに「自分はアマテラスとタカミムスビに遣わされた者である。葦原中国はアマテラスの御子が治める国として御委任なさった国である。あなたの考えはどうか」と尋ねた。

オオクニヌシは「我が子コトシロヌシがお答えするでしょう」と言った。コトシロヌシは「アマテラスの御子にお譲りしましょう」と言った。

タケミカヅチは再びオオクニヌシに尋ねて「コトシロヌシはこのように言ったが、他に意見を言う子はあるか」と言った。するとオオクニヌシは「タケミナカタという子がおります」と答えた。

そのやり取りをしている間にタケミナカタが千人で引くような大岩を手にやってきて「私の国でひそひそ話をするのは誰だ。それでは力比べをしよう」と言ったので、タケミカヅチはタケミナカタに手を掴ませた。そしてたちまち手を氷柱に、それから剣の刃に変化させてしまったのでタケミナカタは恐れた。

次にタケミカヅチの番になると、タケミナカタの手を掴み、葦の若葉を掴むがごとく簡単に握りつぶして放り投げた。タケミナカタは逃げ出したが、タケミカヅチは追いかけていって、長野の諏訪湖まで追い詰めて殺そうとした。そして命乞いをして「父のオオクニヌシにもコトシロヌシにも背きません。この葦原中国は御子に奉ります」と言った。

このタケミナカタだが、『日本書紀』には登場しない。それだけではなく『古事記』の系譜にも記載がないため、のちに加えられたエピソードであろうといわれている。

またオオクニヌシがコトシロヌシの意見を求めたのは、コトシロヌシが託宣の神であるからだろう。

国譲りの条件

コトシロヌシ・タケミナカタ両神の承諾を得たタケミカヅチは、出雲のオオクニヌシのところへ戻ってきて「あなたの子どもたちは御子の仰せに従って背きませんと申した。あなたはどうお考えか」と尋ねた。オオクニヌシは「私の子どもも申した通り、私は背きません。葦原中国はことごとく献上いたします。ただし私の住むところは天つ神の御子が皇位をお継ぎになる立派な宮殿のように柱を太く立て、大空に千木を高々とそびえさせた神殿を造ってくださるならば、私は隠退しましょう。また私の子どもの神々は、コトシロヌシがお仕えしたならば、背くことはありますまい」と言った。その言葉の通り、オオクニヌシのために壮大な神殿が建てられ、オオクニヌシは国を譲った。オオクニヌシが神殿を要求し、それに隠退することは出雲大社の縁起と見ることができる。

これをもって葦原中国の平定が完了し、タケミカヅチは高天原に戻ってアマテラスに報告するのだった。

この一連の出来事は「国譲り神話」と言われ、アマテラスの子孫たる天皇家が、オオクニヌシの治めていた出雲を支配する根拠として語られている。――果たして、史実もこのように平和だったのだろうか。

そうではない、と考える人が多いだろう。激しい闘いがあり、出雲側でも内部対立があったことを神話が示している（コトシロヌシとタケミナカタはそれぞれ臣従派と徹底抗戦派を象徴している？）というのがいかにもありそうだ。

このように、神話において二つの勢力が出てきて、片方がもう片方を屈服させせたり従えさせたりしている時、そこに何らかの隠された秘密や真実があると考えるのは、定番の想像である。では、そこからどんなふうに話を広げようか。攻撃側が何か卑劣な策謀を行ったことを隠している？　防衛側はひそかに生き残りや財宝を隠した？　いくらでも想像が広がりそうなテーマではないか。

オオクニヌシの変化

最後に、オオクニヌシについて触れておきたい。若き日のオオクニヌシは偉大なヒーローである。しかし、国譲りの物語に登場する彼はまったく能動的な行動をせず、巨大な建物だけ造ってもらって退場してしまう。

この変化を、単に「英雄も老いる」ととらえてもいいだろう。どれだけ活力に満ちた人物も、歳を取れば昔のようには振る舞えないものだ。強大な敵に立ち向かう気力がもはやないとなれば、すべてを息子たちに託してしまうのは別におかしな話ではない……それにしてもあっさりしすぎているが、その決断力はある意味で「流石は（元）英雄」と言えよう。

ただ、神話から別の答えを見出すこともできる。実はオオクニヌシ、さまざまな神格・神話を寄せ集めて作られた神らしい。オオナムジ・オオクニヌシの他いくつもの名前を持っていることからもそれが分かる。つまり、ヒーローのオオクニヌシ（オオナムジ）と国譲りの頃のオオクニヌシはある意味別人（神）であるわけだ。

国譲り

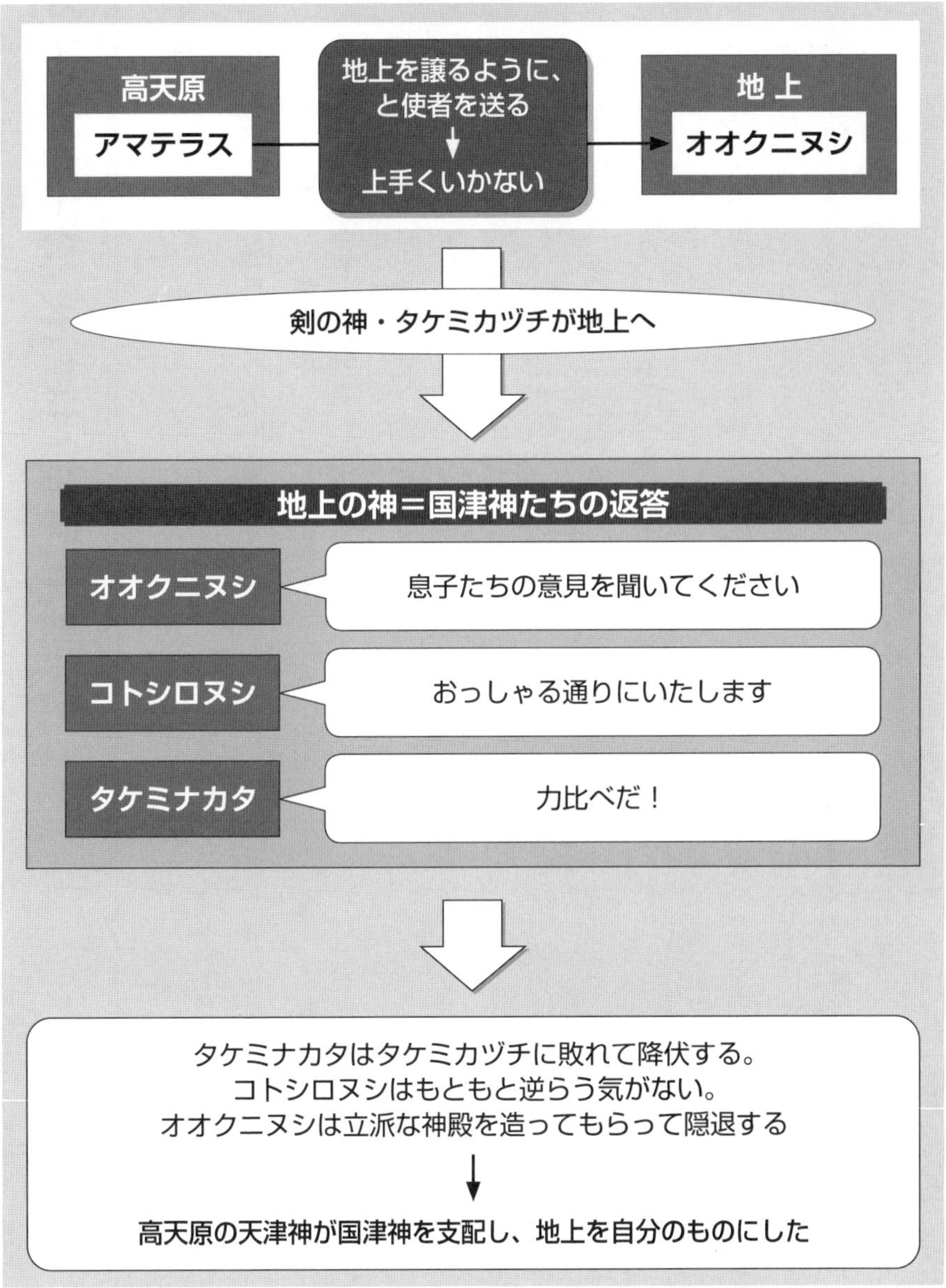
高天原
アマテラス
地上を譲るように、
と使者を送る
上手くいかない
地 上
オオクニヌシ
剣の神・タケミカヅチが地上へ
地上の神＝国津神たちの返答
オオクニヌシ
息子たちの意見を聞いてください
コトシロヌシ
おっしゃる通りにいたします
タケミナカタ
力比べだ！
タケミナカタはタケミカヅチに敗れて降伏する。
コトシロヌシはもともと逆らう気がない。
オオクニヌシは立派な神殿を造ってもらって隠退する
高天原の天津神が国津神を支配し、地上を自分のものにした

⑥天孫降臨、そして神武天皇へ

ニニギ誕生

タケミカヅチらによって葦原中国の平定は終わった。

アマテラスは子のオシホミミに「天下《あまくだ》って葦原中国を統治しなさい」と言った。オシホミミは「私が支度をしている間に子が生まれました。この子を下すのがよいでしょう」と答えた。そうして指名されたのはオシホミミがタカミムスビの娘と結婚して生まれた子で、名をニニギといった。

このニニギはアマテラスとタカミムスビにとって孫にあたるため「天孫」もしくは「皇孫」とも呼ばれる。「天孫降臨」の由来である。

ニニギの名前は『古事記』には「天邇岐志国邇岐志《あめにきしくににきし》天津日高日子番能邇邇芸命《あまつひこひこほのににぎのみこと》」と記されている。天地が豊かに賑わう意味や稲穂の豊かに実る意味が込められた名前で、穀物の神としての尊称である。

アマテラスが農業神としての側面を持つことは先に述べた通りだが、孫であるニニギのほうがその色が強いように思われる。高天原を治めるアマテラスに対して、天下って天皇家の祖先となったニニギのほうが、より地上の生活に寄り添った存在なのかもしれない。

天孫降臨

いよいよニニギが天下ろうとする時、上は高天原を、下は葦原中国を照らしている神がいた。何者か尋ねてみると「私は国津神のサルタビコです。天津神がおでになると聞いて、先導役として参じました」と答えた。

国津神とは高天原の天津神に対して、もともと葦原中国に住んでいた神のことをいう。サルタビコは伊勢あたりで信仰されていた太陽神であったという。

そしてニニギはアメノコヤネ、フトダマ、アメノウズメ、イシコリドメ、タマノオヤらを始めとする神々を従えて地上に下ることとなった。名を挙げたこの五

天孫降臨

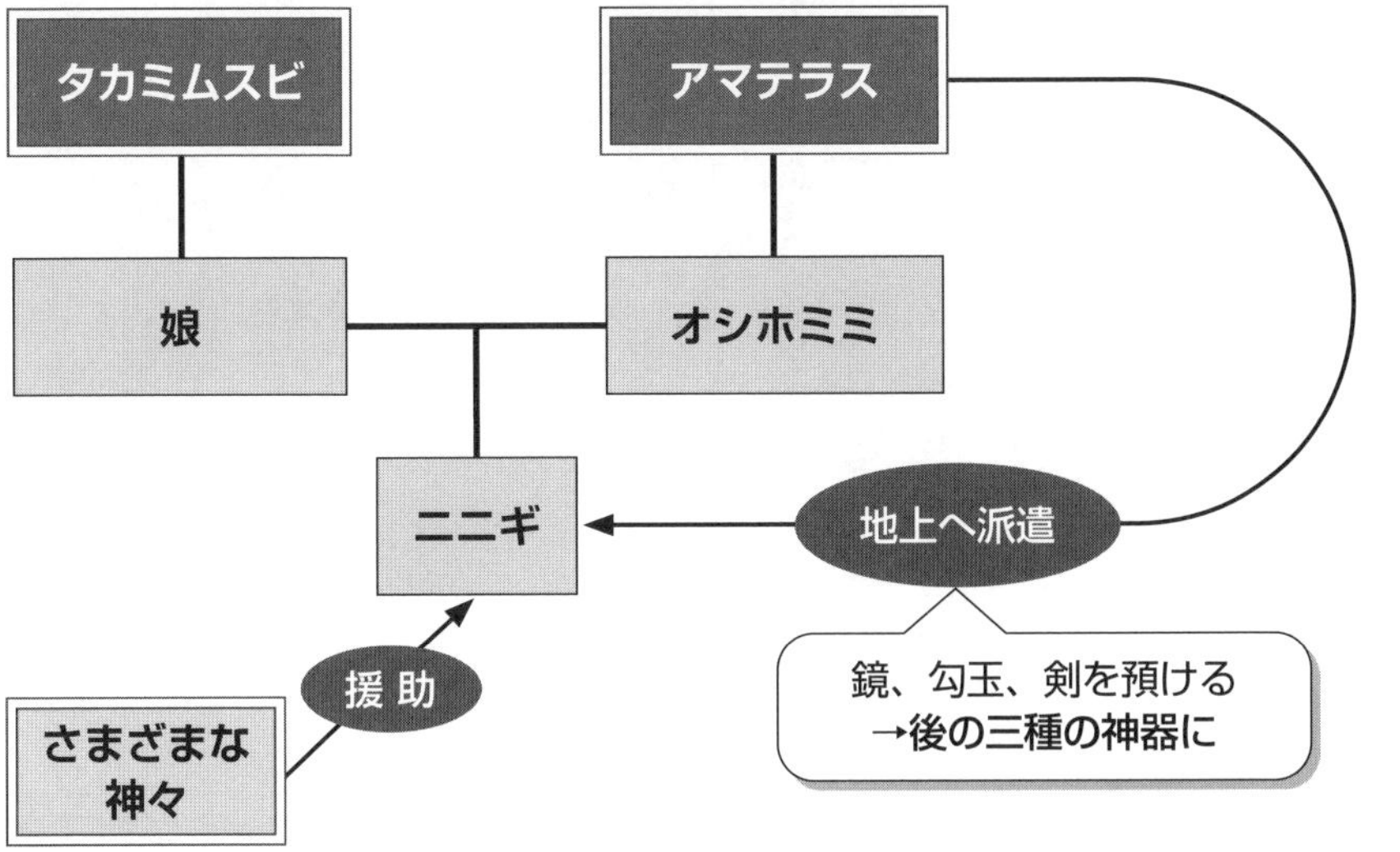
タカミムスビ
アマテラス
娘
オシホミミ
ニニギ
地上へ派遣
鏡、勾玉、剣を預ける
→後の三種の神器に
援助
さまざまな
神々

柱は、アマテラスがこもった天岩屋戸を開く時にも活躍した神々である。

さらにニニギはアマテラスから岩屋戸開きの時に造られた八咫鏡と八尺の勾玉、それにヤマタノオロチから得た天叢雲剣（草薙剣）も与えられた。そしてアマテラスに「この鏡は私の御魂として、私を拝むのと同じように敬って祀りなさい」と命じられた。

そうしてニニギは神器とたくさんの神々とともに今で言うところの九州の宮崎県にある、高千穂の霊峰に天下った。地上に降り立ったニニギは「この地は朝鮮と向かい合っており、笠沙《かささ》の御碕《みさき》にまっすぐ道が通じていて、朝日が差し、夕日が明るく照る国である。本当に良い土地だ」と言った。太い宮柱を建て、天空に高くそびえた壮大な宮殿を建てて住まった。

ニニギとコノハナサクヤ姫との結婚

地上に降臨したニニギは笠沙の御碕で美しい女性に出会った。女性はオオヤマツミという神の娘でコノハナサクヤ姫と名乗った。

ニニギはコノハナサクヤ姫を妻にしたいと願い、オオヤマツミに遣いをやった。オオヤマツミはそれを聞いてとても喜び、コノハナサクヤ姫とその姉のイワナガ姫も一緒に多くの献上物を持たせて嫁がせた。しかしイワナガ姫は容姿が醜かったので、ニニギはイワナガ姫を親のもとへ送り返してしまった。

オオヤマツミは「私の娘を二人とも嫁がせたわけは、イワナガ姫を娶れば天津神の御子はどのような時でもつねに岩のように永遠にゆるぎないだろう。コノハナサクヤ姫を娶れば花が咲き栄えるようにご繁栄になるであろうと誓約をして献上しました。イワナガ姫を返しコノハナサクヤ姫だけを留めたならば、天津神の御子の寿命は花のようにはかなくなってしまうでしょう」と言った。こうして現在に至る天皇家の寿命は永遠ではなくなったのだと説明している。『日本書紀』の一説では、送り返されたイワナガ姫の呪いで寿命が短くなったのだとしている。

姉妹が同時に一人の男性に嫁ぐなど、現代の私たちの感覚では驚くべきことだ。しかし古代の日本では天皇に姉妹が同時に嫁ぐ連帯婚はしばしば行われていた。異母兄妹や叔母・甥など血縁同士での結婚もよくあったため、姉妹が嫁姑の関係になる、などというケースもあったのである。

コノハナサクヤ姫の決意

こうして夫婦となったニニギとコノハナサクヤ姫だが、なんと一夜の契りでコノハナサクヤ姫は懐妊した。コノハナサクヤ姫は「天津神の子を秘密のうちに生んではならない」とニニギに出産時期が来たことを告げるが、ニニギは「ただ一夜の契りで妊娠するはずがない。これは私ではなく、他の男、国津神の子に違いない」と言った。

そこでコノハナサクヤ姫は「私の子が国津神の子であるならば無事に生まれず、もしも天津神の子であるならば無事に生まれるでしょう」と言って、戸口のない産屋を作った。その中に入ると戸口を土でふさぎ、火を放ってお産をした。そして火が燃え盛る中、コノハナサクヤ姫は三柱の神を無事出産した。

コノハナサクヤ姫の宣言もまた誓約である。火の中で無事に出産することで、コノハナサクヤ姫は自身の潔白を証明したのである。

ニニギの結婚

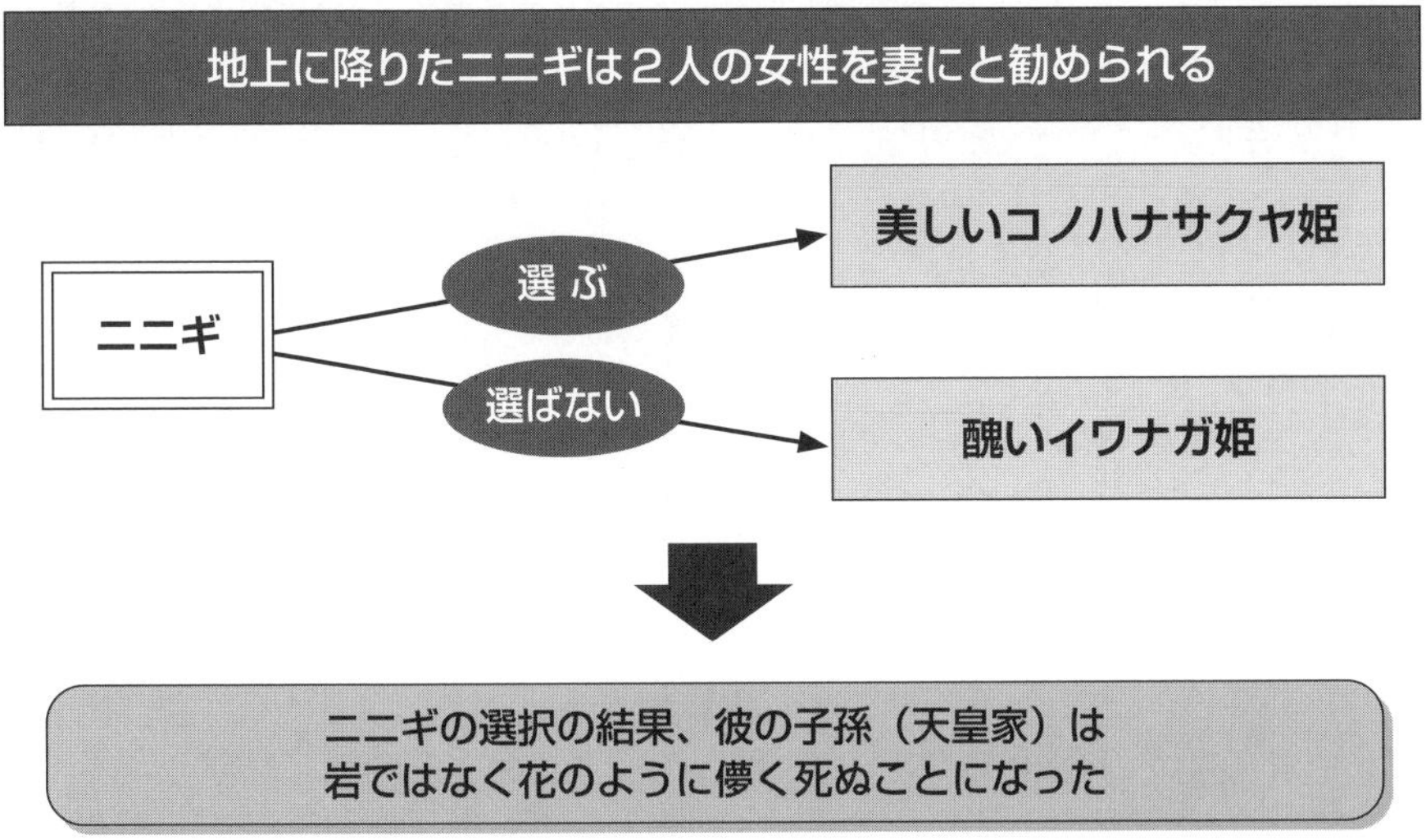
地上に降りたニニギは２人の女性を妻にと勧められる
ニニギ
選ぶ
選ばない
美しいコノハナサクヤ姫
醜いイワナガ姫
ニニギの選択の結果、彼の子孫（天皇家）は
岩ではなく花のように儚く死ぬことになった

『日本書紀』では子は四人で、出産時でなく生まれた子らとともに室に入り火をつけたが、難を逃れて室から生還したというエピソードがある。しかもニニギは潔白を証明した妻に「私は元からわが子であることを知っていた。しかし一夜で懐妊したとあっては疑う者があるだろうと、敢えて疑うようなことを言ったのだ」と言ったという。これを「この見通しはさすが天孫だ」と見るか「自分の失言への言い訳のようだ」と受け取るかは、キャラクターがどう描かれているかによるだろう。

兄弟の争い

コノハナサクヤ姫が生んだ三人の子のうち兄の海幸《うみさち》彦《ひこ》（漁夫、漁師）と弟の山幸彦《やまさちひこ》（狩人、猟師）が山幸彦の願いでそれぞれの道具を交換して使ってみることにした。しかし山幸彦が海幸彦の漁具を使っても一向に魚は釣ることができなかった。それどころか兄の釣り針を海で失くしてしまった。

すると海幸彦が「海の物も山の物もそれぞれ自分の道具でなくては得られない。今は道具を返そう」と言った。山幸彦は釣り針を失くしたことを兄に打ち明けたが、海幸彦は「返せ」と弟を責めた。山幸彦は自分の剣を砕いて五百本の釣り針を作って償おうとしたが、海幸彦は受け取らなかった。今度は千本作って償ったが、海幸彦は「元の釣り針を返してくれ」と言った。

山幸彦が海辺で嘆き悲しんでいると、潮流の神シオツチがやってきて、泣いているわけを尋ねた。事情を聞いたシオツチは山幸彦を海神《わたつみ》の神殿へ導いた。

シオツチに教えられた通りに行動した山幸彦は、海神の娘トヨタマ姫と出会った。トヨタマ姫は山幸彦に一目惚れし、二人は結婚。山幸彦は海神の国で過ごすことになった。

そうして三年が経った頃、山幸彦は兄の釣り針を失くしてここへ来たことを思い出した。その事情を知った海神が海の魚たちを集めて釣り針を探し出した。

『日本書紀』の一説によると山幸彦は郷里を恋しく思って帰ることになっている。

海神は釣り針を山幸彦に渡す際「この釣り針を兄君にお返しになる時、呪文を唱えて手を後ろに回してお渡しなさい。兄君が高い土地に田を作ったらあなたは低い土地に、兄君が低い土地に田を作ったらあなたは高い土地にお作りなさい。私は水を支配する神ですから、三年間、兄君の田は凶作になって苦しむことでしょう。もしそのせいで兄君があなたに攻め入ってくるようならば、この潮満珠《しおみつたま》を出して潮水に溺れさせ、兄君が許しを請うならば潮干珠《しおひるたま》で助けなさいませ」と潮満珠と潮干珠を渡した。

ワニザメに送られて地上に戻った山幸彦は、海神の言う通りにした。海幸彦は凶作のせいで貧しくなり、荒々しい心を起こして山幸彦に攻め入ってくるようになった。山幸彦は潮満珠で海幸彦を溺れさせ、その兄が許しを請うたので潮干珠で助けた。

こうして悩み苦しめられた海幸彦は、弟に頭を下げて「あなたの守護人となってお仕えしましょう」と言った。こうして兄弟の争いは終わったのである。

トヨタマ姫の出産と本性

山幸彦の子を妊娠したトヨタマ姫は、出産時期になったので夫を追って地上にやってきた。トヨタマ姫

山幸彦と海幸彦

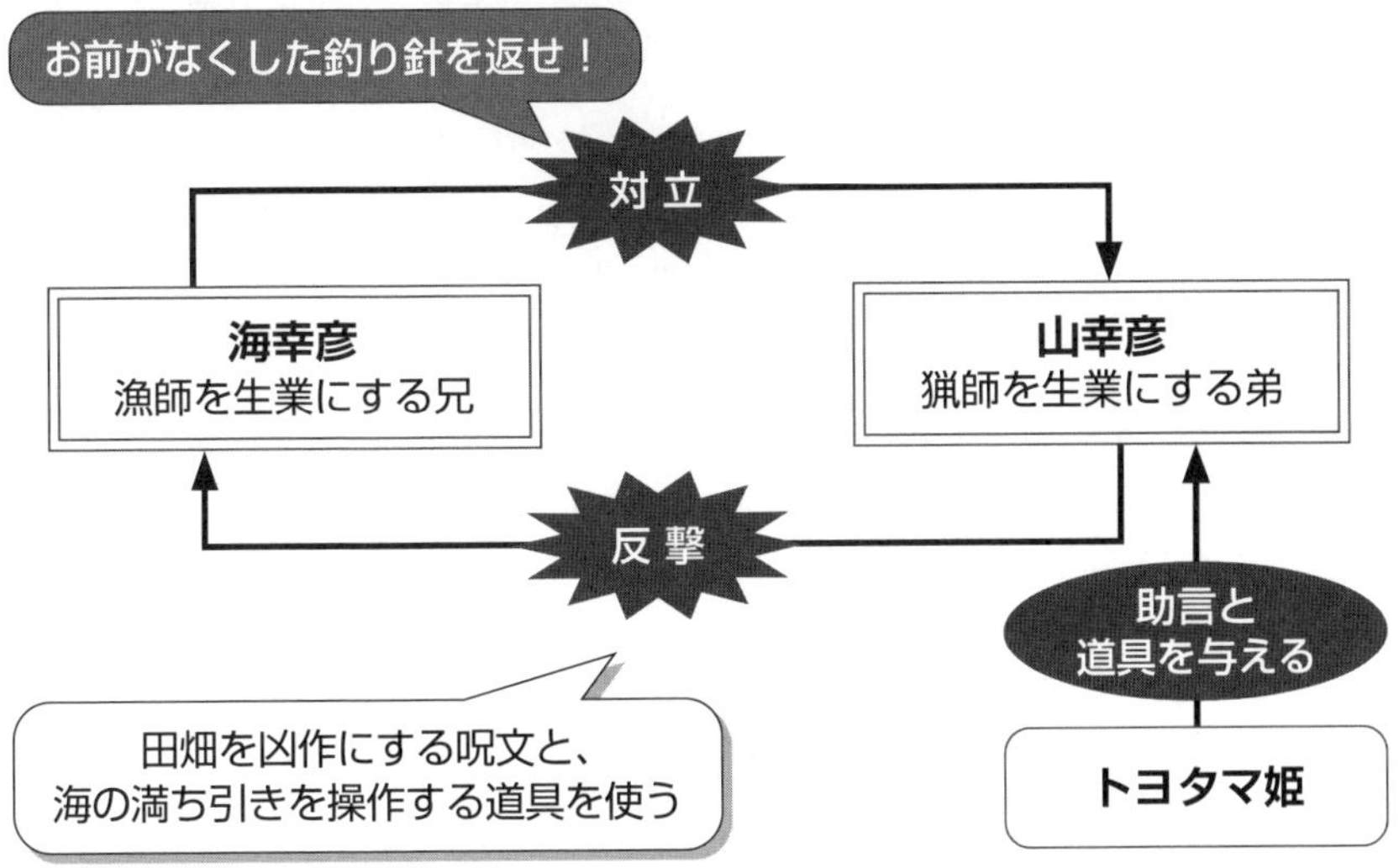
お前がなくした釣り針を返せ！
対立
海幸彦
漁師を生業にする兄
山幸彦
猟師を生業にする弟
反撃
助言と
道具を与える
田畑を凶作にする呪文と、
海の満ち引きを操作する道具を使う
トヨタマ姫

は「天津神の子を海に生むべきではありません」と言って、海辺に産屋を建てた。そして「異郷の者は出産の時になると本来の体になって生むのです。ですから私の姿を見ないでください」と夫に頼んで産屋に入った。

それを不思議に思った山幸彦は、お産が始まるとこっそりのぞき見た。すると姫は大鰐（サメ）に変化して、陣痛に苦しみ身をくねらせていた。山幸彦は驚き恐れ、逃げ出してしまった。

夫がのぞき見していたことを知ったトヨタマ姫は「子が生まれたらいつでも海中の道を通って来るつもりでいたのに、私の姿を見てしまうとは」と言って、海の果ての道をふさいで海神の国に帰って行った。

子を置いていったトヨタマ姫だったが、やはり恋しく思い、妹のタマヨリ姫を養育者として遣わした。そして山幸彦の子とタマヨリ姫はのちに結婚する。

『日本書紀』の一説では山幸彦が地上に戻る前に妊娠を夫に次げ「産屋を建てて待っていてください」と頼んでいるシーンが描かれている。出産を控えたトヨタマ姫は、タマヨリ姫とともに地上にやってきた。そして夫に正体を盗み見られ、「恥をかかされた」と子をタマヨリ姫に託して海に帰っていくのである。

他にも、正体を見られたトヨタマ姫は一度は子とともに海神のもとへ帰るが、天つ神の子を海原に置いてはおけないと言ってタマヨリ姫に地上へ送らせるというエピソードもある。

トヨタマ姫の本性がサメであるというのは、海神の本性がサメであるということである。竜神や蛇神が水神であると考える信仰に通じるものがある。実際『日本書紀』にはトヨタマ姫の本性を竜としている説話もある。

そして「見ないでください」と頼まれたにもかかわらず夫がそれを破って本来の姿を見てしまうのは、「禁室型説話形式」という。イザナギ・イザナミについて紹介したエピソードはもちろん、『鶴の恩返し』などの昔話でもよく知られるパターンだろう。

山幸彦・トヨタマ姫の子とその叔母であるタマヨリ姫が結婚して生まれた子の一人がカムヤマトイワレビコ。神話は彼こそが九州の地を発って東へ軍を進め、大和の地に王権を立てた英雄であると語る。すなわち、のちの第一代神武天皇《じんむてんのう》である。彼から天皇の物語が始まるのだ。

神々の血を引く一族

本項で紹介した一連の物語は、天皇家のルーツをたどるものだ。太陽神にして日本神話の主神といえるアマテラス、創造を象徴する別天津神タカミムスビ、花の化身たるコノハナサクヤ、ワニ（サメ）のトヨタマ。彼や彼女ら、神々の末裔たる天皇家はそれだけ特別な、天下を支配するのにふさわしい存在だということになる。

単に皇祖神アマテラスの末裔だということだけでなく、そこに多種多様な不可思議な存在、あるいは地上の外の血（トヨタマがやってきた海の下は異界であり、常識の外である）まで入っているというのは、日本という国が単一民族という一般的なイメージとは裏腹に多様性に立脚していることの証拠にもなるだろう。

さて、「神の血を引く王家」を設定するとしたら、どんなバリエーションがあるだろうか。その神話における主神以外が王家のメインの始祖、というのは

特別なルーツ

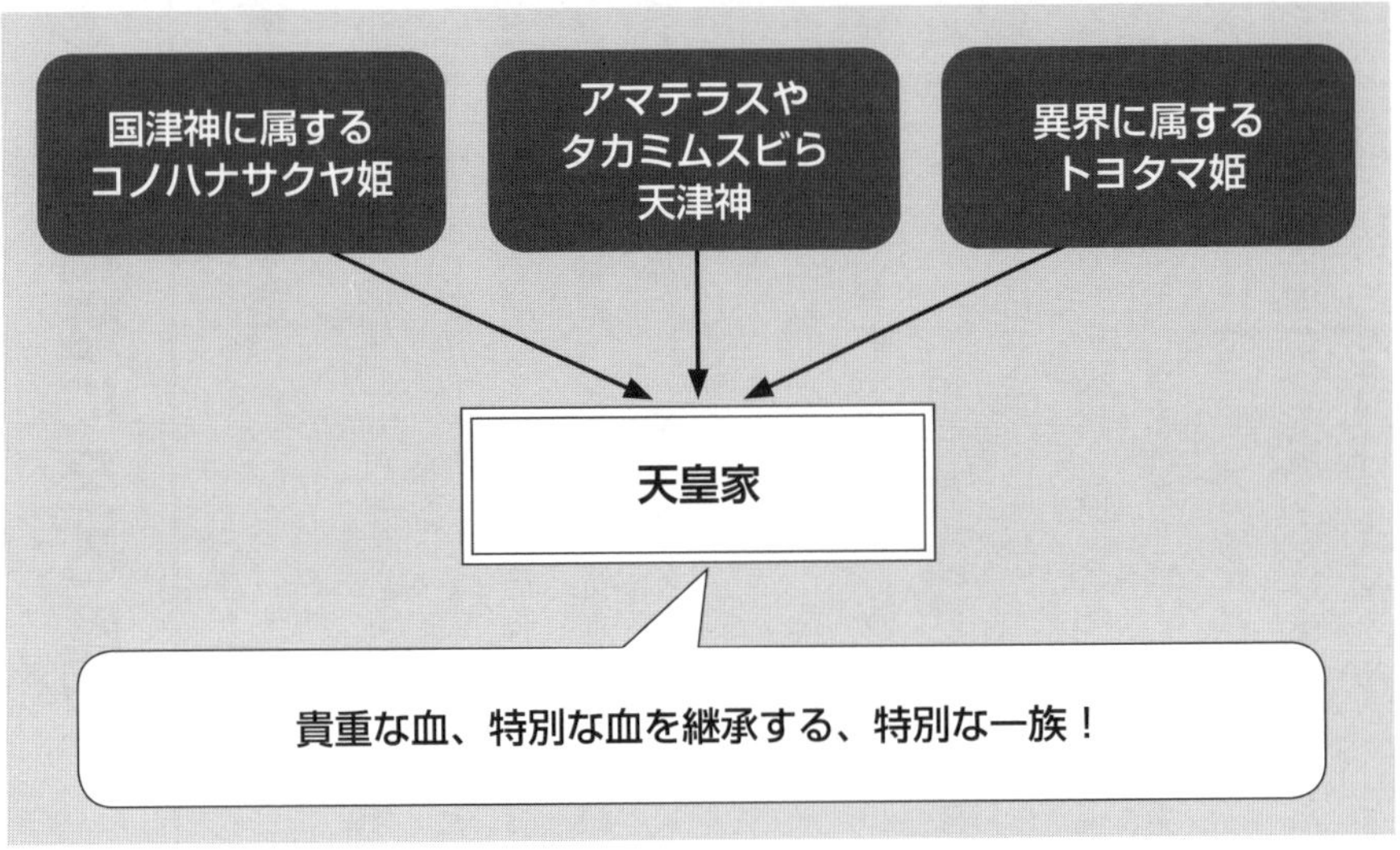
国津神に属する
コノハナサクヤ姫
アマテラスや
タカミムスビら
天津神
異界に属する
トヨタマ姫
天皇家
貴重な血、特別な血を継承する、特別な一族！

ちょっと考えにくい。逆説的になるが、「天下を取った王が祀る神こそが神話の主神になる」はずだからだ。

始祖の神がイコール最初の王として設定されることもあれば、王の祖先が神として設定されることもある。前者の例は史実ではあまり見られない。王をイコール神にしてしまうのは説得力に欠けるのだろうか。

だが、神や怪物や魔法が身近にあるファンタジー世界では始祖の王こそ神であるというのも十分にあることだろう。それだけ特別な力を持つ人物であったということだ。特に、王家に特別な力があり、それが血統によって継承されるような場合は、いよいよ「このような血筋の先祖はきっと神か、そうでなくとも特別な人に違いない」と信じられるだろう。それは信仰になって国家をまとめるだろうが、もし違う真実が明らかになってしまう場合には、国が崩壊しかねない。

また、いくつもの勢力を従わせて成立したような国なら、始祖神や最初の王は神話の中で何人もの妻を迎えているかもしれない。その妻が従わせた国の象徴であるわけだ。オオクニヌシのパターンである。参考にしてほしい。

⑦大和朝廷に至る歴史

神武東征・大和平定

別天津神の出現から始まった日本という国の物語は、いよいよ神話と伝説の結節点へやってきた。日本国に繋がる大和朝廷の歴史が、ニニギの孫たるカムヤマトイワレビコ、のちの神武天皇による東征から始まるのだ。なお、この項では分かりやすくするため「神武天皇」で統一する。

彼はかつて祖父が高天原から降り立ったという高千穂で、兄のイツセと「天下の政を執り行うのにふさわしい土地はどこだろう」と相談し、「やはり東の方に都を求めて行こう」と日向から出発した。

船で瀬戸内海を通り、難波に上陸。この時登美《とみ》（現在の奈良県）のナガスネビコの軍勢と戦い、イツセがナガスネビコの矢を受けた。そこでイツセは「私は日の神の子として、日に向かって戦うのはよくなかった。そのせいで重傷を負ったのだ。日を背にして敵を討とう」と言って、今度は南の方から回った。紀伊国に至って雄々しく振る舞ったが、彼はそこで亡くなってしまった。

『日本書紀』によると神武天皇は十五歳で皇太子となった。四十五歳の時に言うには「タカミムスビとアマテラスがこの国を我々の祖先のニニギに授けた。それから一七九万二四〇〇年あまりになるのに、遠い所の国ではまだ王の恵みが及ばず、相争っている。東の方に治めるのに良い土地がある」と皇子や舟軍を率いて出発したという。

神武天皇は南に回っていき、熊野村（現在の和歌山県）に到着した。するとそこで大きな熊がわずかに姿を見せたかと思ったら、神武天皇も兵士たちも皆眠ってしまった。熊野のタカクラジという者が夢でアマテラスとタカミムスビのお告げを聞き、タケミカヅチの太刀を神武天皇に献上するために現れた。すると神武天皇は目を覚ます。そしてその太刀を受け取ると同時に熊野の荒ぶる神（熊がその化身だったと考えられる）は自然に倒されてしまった。眠っていた兵士たちも正気を取り戻した。この太刀は霊剣フツノミタマである。

タカミムスビの命令で天上より三本の足を持つ烏の八咫烏が遣わされ、神武天皇は烏について進んだ。

宇陀《うだ》（現在の奈良県）という所まで来ると、一行はエウカシとオトウカシという兄弟に出会った。

エウカシは「神武天皇にお仕えしましょう」と言ったが、弟のオトウカシは「兄は軍勢を準備して迎え撃とうとしましたが、軍勢が集まらなかったのでお仕えすると嘘をついて、罠を仕掛けた御殿にお連れしようとしています。それで私がお迎えに参ったのです」と言った。

そこで他の神々が怒ってエウカシに「神武天皇にお仕えするために造った御殿に、まずきさまが入ってみろ」と言った。追い詰められて御殿に入ったエウカシは、自ら仕掛けた罠のせいで死んでしまった。なお、オトウカシは神武天皇の部下になったようで、『日本書紀』ではその後も登場する記述がある。

神武天皇はそこからさらに進んだ。忍坂というところの大室に着くと、土蜘蛛という大勢の武人が待ち受けていた。そこで神武天皇は彼らにご馳走を振る舞った。たくさんの料理人を用意したが、この一人一人に太刀を身に付けさせ「合図をしたら一斉に切りつけよ」と命じた。この策略も見事にあたって、土蜘蛛を撃退することができたのだった。

こうして神武天皇は荒ぶる神々を平定し、服従しない人々を撃退し、大和国に宮を築いて、天下を治めることとなった。その後神武天皇は一二七歳で崩御したと『日本書紀』には書かれている。

伝説にいわく、神武天皇は武勇、知略、人徳、神々の加護によって東征を成功させた、という。果たしてこれらの活躍のどれが真実で、どれが創作なのか。隠された秘密があるのか、ないのか。想像の予知があって楽しいところである。

例えば「三本足の烏」というなんともファンタジックな存在である八咫烏に注目してみよう。真に神の使いなのか、それとも何か別の存在の名前がのちに「三本足の烏」として語られるに至ったのか――。

「クニ」の分立と古墳時代

——以上が神武天皇の東征神話であり、大和朝廷成立の神話である。しかし、今これを信憑性のあるものとして語る人は多くない。あくまで神話は神話であり、大和朝廷は別の形で成立したと考えられている。

そこでここからは、先にも少しだけ触れたが、あらためて大和朝廷の始まり、ひいては日本という国の始まりを見てみよう。

日本における国家の誕生は弥生時代、日本人が稲作をするようになったあたりまで遡れるだろう。このことをきっかけに、日本に階級社会が生まれた。というのも、農業に必要不可欠な治水・灌漑を個人や一集落のみで行うのは困難だからだ。集落間の共同作業が求められ、自ずとそれらをまとめるリーダーが必要だったのである。すると、単に役割分担にとどまらない、「命令する人・される人」の階級が生まれるのだ。

こうして地域集団をまとめる首長が現れ、他の集団と交易をした。同時に地域集団の間で耕地や水などをめぐって争いが起こるようになる。村は塀で囲まれ、城へ進化していき、人々は同じ人間と戦うすべを覚える。そうして戦いに勝利した者が他の集団を支配して国を作っていくわけだ。

中国の歴史書『漢書』によると、紀元前一世紀頃、倭人の社会は百あまりに別れ、漢が朝鮮に置いた都市に定期的に使者を送っていたという。また『後漢書』にも五七年に倭の奴国王が光武帝《こうぶてい》に使者を送り「漢委奴国王《かんのわのなのこくおう》」の金印を授けられたことはよく知られている。つまり紀元前一世紀頃には、日本に小国が多数存在していたことになる。

これらの小国群のうち、西日本に分布するクニたちは二世紀後半から三世紀初頭にかけて大いに争い、長く戦乱の時代を形成した。いわゆる「倭国大乱」の時代である。

やがて古墳時代が到来する。古墳とはご存じの通り、古代の豪族の墓である。ここで言う豪族とは当初、小国を治めていた者たちのことだったはずだ。

この古墳を作ることを特徴とする日本の古墳文化は、三世紀末もしくは四世紀初めに始まったとされており、奈良時代及び平安時代の一部にも存在した。ただし歴

神武東征

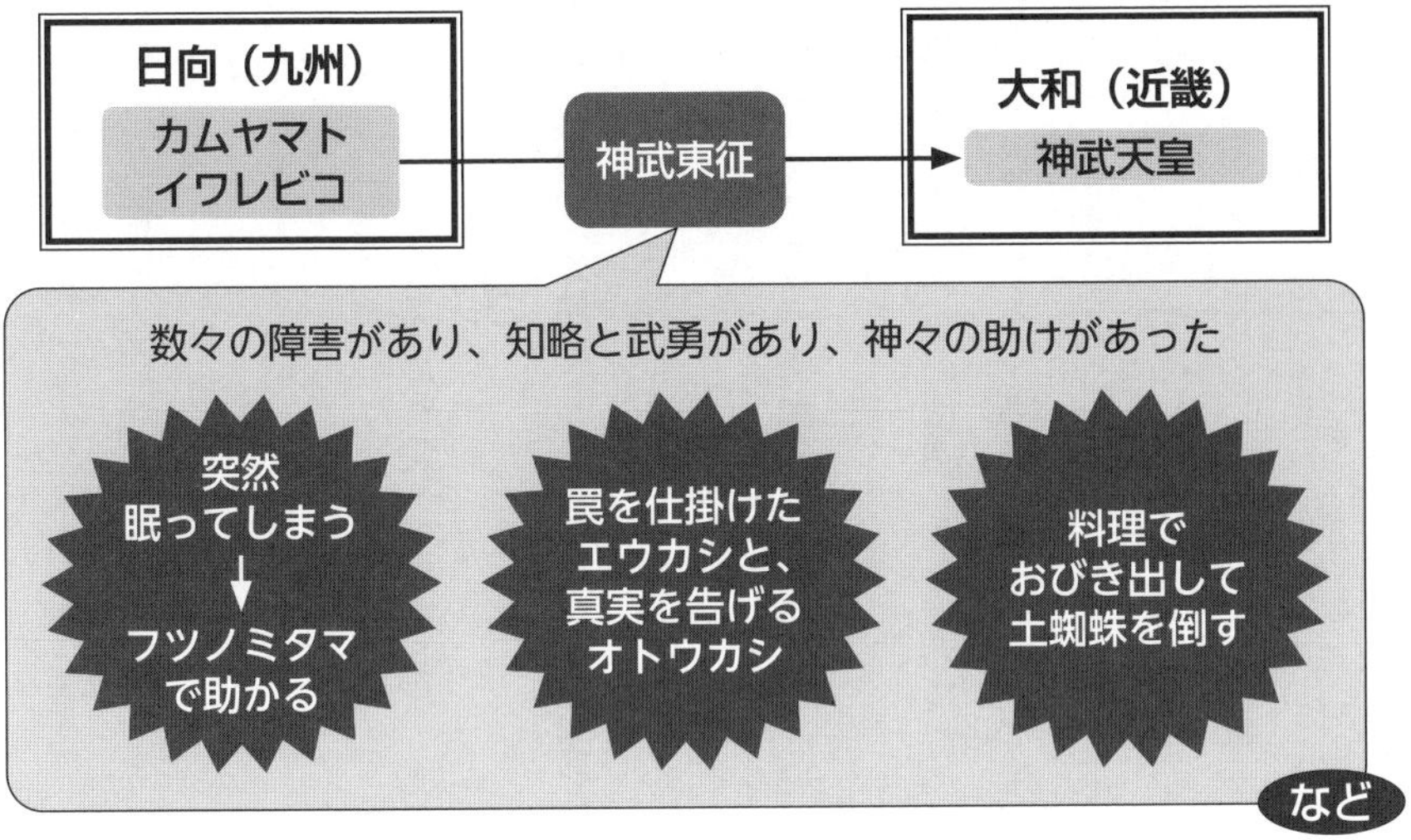

日向（九州）
カムヤマト
イワレビコ
神武東征
大和（近畿）
神武天皇
数々の障害があり、知略と武勇があり、神々の助けがあった
突然
眠ってしまう
フツノミタマ
で助かる
罠を仕掛けた
エウカシと、
真実を告げる
オトウカシ
料理で
おびき出して
土蜘蛛を倒す
など

史区分としての「古墳時代」は、奈良時代や平安時代とは区別され、弥生時代と重なるものである。

また北海道や沖縄には古墳は築かれなかった。これらの地域では弥生時代以降も稲作は行われていない。そのためこの時代について北海道は「続縄文時代」、沖縄は「沖縄貝塚時代」と呼ぶ。ただしこの時代の北海道と沖縄を「日本」と呼ぶかは、少々疑問も残る。

大和朝廷成立はいつなのか？

古墳を作るような国が相争い、吸収合併を繰り返し、やがてもっとも強力な国が現れて西は九州から東は関東地方まで（東北地方は長く蝦夷と呼ばれる人々の支配下にあった）を統一し、国家と言えるような規模を獲得する。

その勢力基盤は大和地方にあったため、勢力としての名にも土地の名が冠せられた。これが大和朝廷（大和政権、大和王権などとも）であり、彼らの神話がここまで紹介してきた物語である。おそらくそのルーツは九州にあり、かつて祖先が東に移って大和に基盤を築いて発展したという歴史をのちに脚色したのが、神武東征伝説という建国神話なのであろう。

さて、この統一はどの時期の出来事であろうか。

国家成立という観点で考えても、「成立」をどう定義づけするかで変わってくるが、大きく分けて二つの要素を挙げることができる。

①統治組織の成立状況（役人や軍隊などの組織、統治制度の成熟度合いを重視）

②領地領域（制度は未熟でも、支配が及ぶ範囲を重視）

これらを踏まえた上で、大和朝廷、大和国家はいつ成立したかについて、大きく三つの説がある。

まず三世紀説。二世紀末の倭国大乱を、邪馬台国のヒミコが女王となることで平らげた。この時点で未熟ながらも政治的組織や制度が認められるという説だ。ヒミコの生没年は厳密には分かっていないが、『三国志』の「魏志倭人伝」によると三世紀前半に活躍した人物である。彼女と彼女の国である邪馬台国については後ほど詳述する。

五世紀説と倭の五王

次に五世紀説。中国の『宋書』に讃《さん》・珍《ちん》・済《せい》・興《こう》・武《ぶ》の五人の王たち（倭の五王）が登場する。この王たちは五世紀、五代にわたって宋王朝との外交を続けた。この時期の日本に役人組織や軍隊組織が生まれていることを重視した説である。ただし彼らがどの天皇であるかは諸説あり、定かではない。

このころの天皇について「大王《おおきみ》」と呼んだことが碑文などから明らかになっている。「天皇《すめらみこと》」の呼び方が成立したのは七世紀で、それまでは大王の称を使っていたようだ。その後も和歌などで天皇を指して「大君」という言葉は引き続き使われていた。

当時の大和朝廷は、世襲の大王＝天皇を頂点としておき、諸国の豪族たちがやはり世襲で先祖代々の土地を継承しながら天皇を支えるという政治体制をとっていた。このような状況では天皇の力は限定的なものにならざるを得ず、しばしば豪族たちによる反乱、あるいは彼ら同士の対立に苦しめられたことだろう。

実際、四世紀末の景行天皇の皇子とされる伝説の英

大和朝廷の始まり

弥生時代

村が発展して小国が各地に誕生し、争い始める
→２世紀末には「倭国大乱」が発生する

古墳時代

豪族の墓「古墳」を作る文化のあった時代
→大和地方に大和朝廷が出現する

飛鳥時代

九州から関東までを統治する大和朝廷の勢力拡大
→中国から律令を導入し、国家としての体裁を整えていく

雄ヤマトタケルは、大和朝廷勢力範囲外の敵対勢力と戦ったのみならず、国造《くにのみやつこ》（地方を管轄した役人）に罠にはめられて殺されそうになっている。

このような状況下であるから、天皇を継承する血筋においても度々対立があり、時に血なまぐさい争いにまで発展した。

例えば、允恭《いんぎょう》天皇の死後には皇太子の木《き》梨軽《なしのかる》皇子が即位するはずだったのに、「実の妹と性的な関係があった」ということで人々に背かれてしまった。支持を集めたのは弟の穴穂《あなほ》皇子で、彼は兄を追い詰め、自殺へ追い込んで安康《あんこう》天皇として即位する。

ところがその安康天皇も眉《ま》弱王《よわのおう》という皇族に殺されてしまい、代わって立ったのがさらに弟の雄略《ゆうりゃく》天皇。彼はライバルになりうる皇位継承候補者を皆殺しにして己の支配を盤石なものとした。加えて、葛城氏や吉備氏などまだまだ強い力を持っていた諸豪族を叩いてその力を弱めるなど、王権を強化した天皇として知られている。ただ、言うことを聞かない部下や民を処罰するなど気性が激しすぎる面も目立ち、「大悪天皇」なる不名誉な名も残ってしまっている。

この安康天皇・雄略天皇は倭の五王の「興・武」に該当すると考えられている。

また、雄略天皇によって殺し尽くされたかと思われた継承候補者のうち幼い兄弟は生き延びていた。そして、雄略天皇の子・清寧天皇の時代に発見された彼らは皇族として迎え入れられ、仁賢天皇・顕宗天皇となっている。

七世紀説と律令国家

最後に七世紀後半説。中国から輸入された国家統治のためのルールである律令制が整った時期をもって、ようやく国家が成立したと考える説である。

律令というのは大まかに言えば法律のことだ。律が刑法、令がそれ以外の行政上必要な法律。つまり律令制とは、法律とこれに基づく役人たちによって国家を動かしていくということだと言って良いだろう。豪族たちがそれぞれの領地を支配する地方自治的な政治体制から、中央から派遣される役人たちが行政を行う中央集権的な政治体制へ移行したのである。逆に言えばそれまで日本にははっきりとした法律はなかった、ということになる（聖徳太子の十七条憲法は精神的なスローガンに近い）。

学説はさまざまあるが、日本では七世紀末から八世紀半ばにかけて律令は施行された。誰もが歴史の授業で一度は耳にしたであろう「大宝律令」の施行開始は八世紀になったばかりの七〇一年である（律は翌七〇二年から）。

大宝律令が制定されたのは文武天皇の時だが、実際にはそれ以前から律令制定のための試行錯誤が続けられていた。大化の改新を主導した天智天皇と、その弟の天武天皇、天武天皇の皇后で跡を継いだ持統天皇夫妻らの時代を経て、天武・持統夫妻の孫である文武天皇の治世でようやく制定に漕ぎ着けたのだ。

この時期に起きた大事件かつ律令国家の誕生に大きな影響を与えた出来事として、壬申の乱がある。のちに天武天皇となる大海人皇子と、天智天皇の子である大友皇子が天皇の座をめぐって激しく争ったのだ。

壬申の乱には大きく分けて二つの背景事情がある。一つは、天智天皇の態度が二転三転したことだ。もともとは弟に後を譲ることにしていたのに、やがて息子を寵愛してこちらを後継にしようとする。天智天皇が晩年になって「太政大臣」という他の大臣の上に立つ役職を作り、大友皇子をここに据えたのも、その計画の一環であろう。ところがそれから間もなくして天智天皇は病に倒れると、今度は病床に大海人皇子を呼んで「皇位を譲る」と言ったのだ。

言われた大海人皇子は兄の真意を掴みかねる。彼は出家して吉野山へ入ってしまった。と言っても、文字通りに俗世から離れたわけではない。実質的には吉野山の大海人皇子と、当時の近江京に陣取る大友皇子(天智天皇は病死)が睨み合う状況になってしまった。

両者が対立することになったもう一つの事情は、それぞれを支持する勢力の対決がある。旧来から大和朝廷を支えてきた有力豪族たちが大友皇子を支持した一方で、大海人皇子は中央の中小豪族や地方豪族の支持を集めた。つまり、この争いは単に叔父と甥の権力争いでなく、既得権益を持つ者たちと現政権では浮かび上がれない者たちの対峙という構造も備えていたのだ。

戦いが始まったのは天智天皇の死から半年後である。先手を取った大海人皇子は東国の兵を味方につけた。一方の大友皇子はなかなか味方を集めることができなかったが、それでも政府権力を握っているだけに十分な兵力を動員する。両者互角の戦力をぶつけ合った結果、最後には援軍を用意できた大海人皇子が勝利。大友皇子は自決し、大海人皇子が天武天皇となった。

天武天皇及びその皇后で天皇の死後に即位した持統天皇らは、律令制による中央集権国家造りを進めていくことになる。そのような大胆な改革を彼らができた背景として、既存勢力に頼らない基盤を持っていたという事情があったのはいうまでもない。

重要なのは、大和朝廷(ひいては日本という国)が順風満帆に発展して国家が成立したのではなく、戦乱や内紛の時代を経て、紆余曲折ありながらやがてその形を作るようになった、ということだ。

その中で起きた数々のアクシデントは本書に掲載したものもしなかった者も含めて実に多種多様で、『古事記』『日本書紀』他に記録されている。これらは物語創作を志す者にとって大いに役立つものだ。兄弟の争い、豪族の策謀、そして苦難からの逆転など、ドラマチックな物語を描くヒントを探し出してほしい。

⑧ヒミコの神秘と統治体制

邪馬台国の女王

倭国の女王・ヒミコ（卑弥呼）は、古代日本を代表する有名人の一人だ。彼女と、彼女の治めた邪馬台国《やまたいこく》のことは、古代中国の歴史書、『三国志』の『魏志倭人伝《ぎしわじんでん》』にわずかながら記されている。三国時代で有名な魏の国に使者を送り、「親魏倭王《しんぎわおう》」に任命されているからだ。

ヒミコは鬼道（呪術）によって国を治めた女性であった。彼女が活躍した時期、日本（中国から見れば「倭国」）はいくつもの小国が立って混乱状態にあり、もともと立っていた男性の倭国王はこれを収めることができなかったようだ。その中で諸国の王によって選ばれたのが邪馬台国のヒミコだった――とされる。

その政治体制が安定していたとはとても思えない。狗奴国《くなこく》というライバルがいたのは間違いないし、魏に使者を送ったのも大国の権威を借りて自らの力を高めたかったから（つまりもともと強くない）だと推測される。さらに、強大な力で自ら即位したのではなく周囲から選ばれているということは、周囲の意見に行動を左右されざるを得ない。

それでも彼女が生きている間、倭国大乱はある程度収まっていたようだ。それはもともと彼女が基盤にした邪馬台国の力であり、またヒミコ自身のシャーマニックな能力によるものであったろう。

ヒミコは奇妙な暮らしをしていた人であった。夫は持たず政治については弟が補佐をし、千人の女性が仕え、男性が一人だけ食事や女王の言葉を取り次ぐために出入りしていた。女王になってから会った人間はほとんどいなかったという。これらも、シャーマンに必要な神秘性を高めるためのものではなかったか。

ヒミコは狗奴国と戦う中で死んだ。彼女亡きあと男の王が即位したが、再び国は荒れた。十三歳のイヨが女王となると国は平定された。このイヨはヒミコの養

ヒミコと邪馬台国

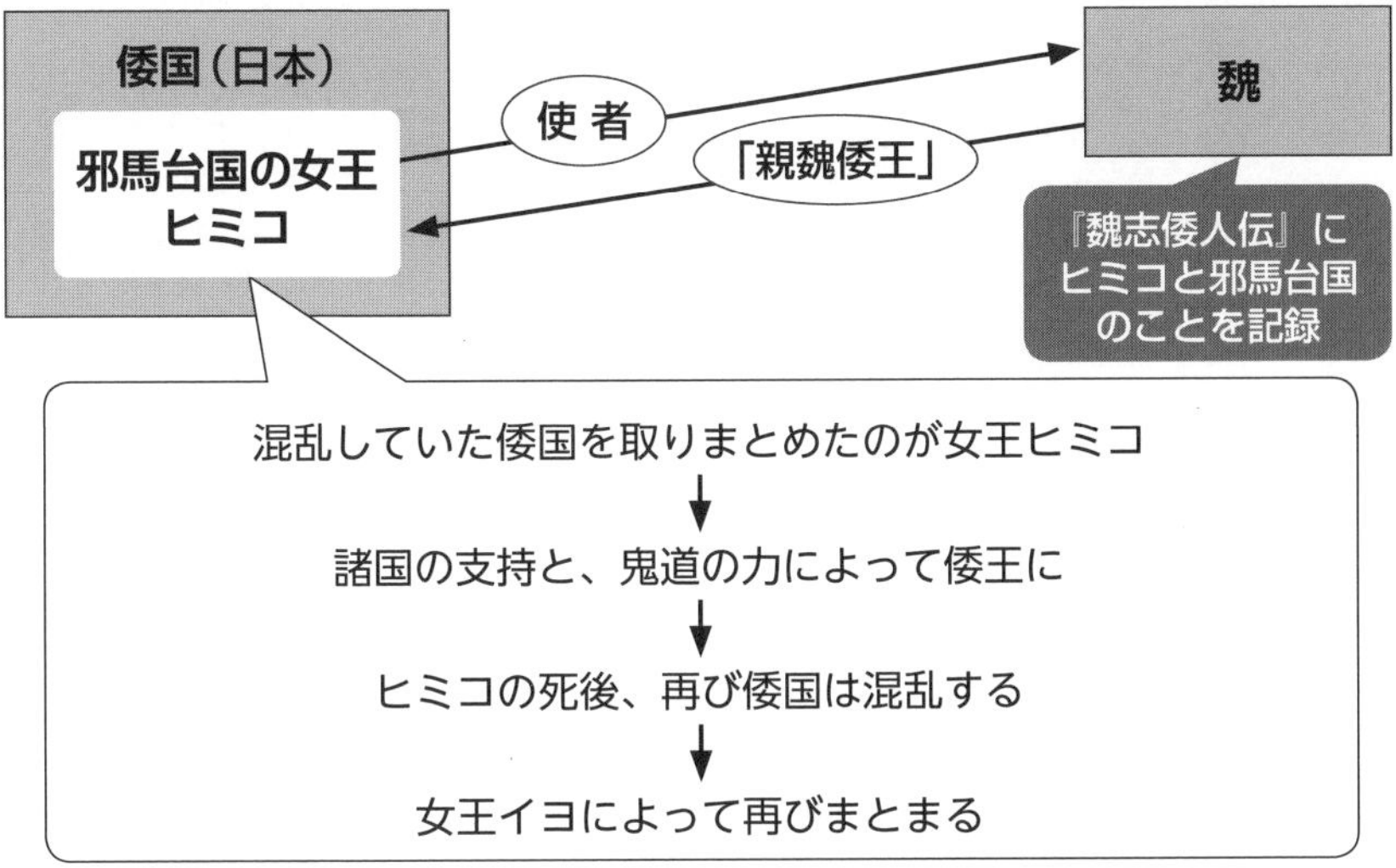
倭国（日本）
邪馬台国の女王
ヒミコ
使 者
「親魏倭王」
魏
『魏志倭人伝』に
ヒミコと邪馬台国
のことを記録
混乱していた倭国を取りまとめたのが女王ヒミコ
諸国の支持と、鬼道の力によって倭王に
ヒミコの死後、再び倭国は混乱する
女王イヨによって再びまとまる

女もしくは親戚筋の娘だったという。しかし、イヨがその後どうなったのか、邪馬台国や倭国の行く末がどうなったかはよく分からない。大和朝廷に移行したのだとも考えられるし、大和朝廷に滅ぼされたのだと見ることもできよう。

　ヒミコと邪馬台国について研究は多数進められているものの、その多くは謎に包まれたままである。鬼道を操ったシャーマン的人物として有名であるためか、ヒミコはヤマトタケルの伝説に登場して彼に草薙剣を授けるなど尽力した叔母、ヤマトヒメではないかという説もある。

ヒミコの人物像

　ヒミコも邪馬台国も史料はごく少ない。魏と国交する上で文字外交が成立していたと見られるが、国内に当時の記録はないのが惜しまれる。『風土記』にもヒミコと思われる人物の記述もあるが、同時代史料ではないためか、これまでの研究において触れられることは多くない。

　「邪馬台国」という国名も本来は「邪馬《やま》壹国《いちこく》で、

「大和《ヤマト》」と関連づけるために国内で「邪馬台国」と表記されたとの説もある。またヒミコ本人の名前の読み方についても「ヒメコ」や「ヒミカ」など諸説ある。

年齢については『魏志倭人伝』で登場した際「既に長大だった」と書かれていて、老婆のイメージを持つ人も多い。ヒミコを取り扱った作品でも、そのように描かれることもある。だがしかし、同時期の文書や史実と照らし合わせて、三十代半ばではなかったかと推察される。三十代半ばと言えば女盛りだろう。

古代の人間はそうそう長命ではなかったし、江戸時代でさえ十代で結婚するのが当たり前で、二十代で年増と言われたのだ。日本と中国という違いはあれど、年齢感にそう違いがあったとも思えない。そのため年齢は「長大」だったのだ。こういった年齢観や表現は、その時代や世界の価値観を形成する上でしばしば重要になってくる。

ヒミコはどのような女王だったのか

ヒミコはなぜ王になり、どのような存在だったのだろうか。以下はヒミコに限らずその後の女帝たちも含む女性首長に対する説であるが、一部を紹介する。

一つは中継ぎ説。大和朝廷でも女帝は存在しているが、それは天皇になるべき皇子がいないなどの理由から「中継ぎ」としての女帝即位であった。そのため実際の政治は男性が摂政として行うケースが多かった。有名なところでは推古天皇と聖徳太子がそれに当たる。ヒミコの前と後の王はどちらも男性であるため、ヒミコも中継ぎではないかとする説がある。

一つはヒメミコ制説。祭祀的、つまりシャーマン的能力を持つ女性と軍事・政治を受けもつ男性が共同政治を行う形態をヒメミコ制という。ヒミコは鬼道によって国を治めたとあるから、シャーマンの役割を持っていたのは間違いないだろう。弟が補佐したことも『魏志倭人伝』には書かれているから、弟が行政を取り仕切ったのではないかというのである。

このヒメミコ制についての研究はもちろんヒミコのことだけでなく、大和朝廷の王たちについても論じられている。実は男王の場合でも祭祀を司る女性副王が存在し、男性が即位できない場合に本来副王となるべき女性が即位したのが女帝であるというのである。残念ながら女性副王の存在は史料にないため、あくまで「いたかもしれない」説であることを名言しておく。とはいえ斎王制度に通じるものを感じる。

そして本格的女帝説。つまり中継ぎでも共同統治でもなく、実権を持ち、女王として確立された存在だったという説だ。古代の祭祀は政治に密接に関わっており、政治と分けるべきではないという姿勢である。実際、祭祀的部分は女性が担うことが多かったしそういったイメージを持たれがちだが、祭祀は男女ともに行うものだった。ヒミコの弟もあくまで補佐にすぎなかったのではないかというものである。

とはいえやはり男女の役割の違いというものはあるようで、古墳調査によると女性兵士がいたことは考えにくい。男の王が戦場に出ることはあっても、女性であり、屋敷の中で会う人間も限定されていたヒミコが戦場に出たことはないだろう。

以上に挙げた三つはあくまで説の一部である。もちろんこれらを否定する説もあるし、「中継ぎ」でありながらも「本格女帝」であったという説もある。ヒミコも独身だったが、その後の女帝たちも未婚、あるいは未亡人で独身だった。子を生んだ女帝はいない（即位以前は除く）のである。彼女たち全員が子を生めなかったというのは年齢的に見ても考えにくい。あくまで男性、もしくは男系天皇を望まれていたとするならば、彼女たちが子を生まなかったのは政治的思惑によるところが大きく、実権は持っていたがやはり中継ぎだったと結論づけることもできるのである。女帝が二代続くことは稀で、ヒミコのあとに即位したのも男性だった。

女王ヒミコが王としてどのような存在・立場であったのか、邪馬台国や大和政権ではなく本人にフォーカスを当てた研究は少ない。史料が少なく困難であるためだ。

邪馬台国はどこにあったのか？

また、邪馬台国の話をするならその所在地について語らないわけにはいかない。この国がどこにあったのか、実は今でも確定してはいないのだ。有力説は畿内大和と九州北部。どちらにも確定できないのは、邪馬台国（及びヒミコ）について語っている『魏志倭人伝』の記述に問題があるせいだ。
邪馬台国の使者がたどってきたであろう順路について の記述を素直に受け取り、朝鮮の帯方郡から一万二千里にその国があったとすると、所在地は九州のはるか南の彼方になってしまうことになる。そんな場所に邪馬台国があったなら、とてもではないが倭国大乱を収めて諸国を治めることなどできようはずがない。

もちろん、創作においてはなんらかのファンタジックだったりSF的だったりする要素を用意し、南の果てにある邪馬台国が古代日本を支配したと考えることもできよう。

例えば「ヒミコは自在に動く島（船）を用いていて、そこに邪馬台国の人々を住まわせていた」というのはどうか。これは神話においてタケミカヅチとともに高天原から地上に降りてきた神アメノトリフネの名で呼ばれていたものだ。『魏志倭人伝』に記された在所はその時たまたまアメノトリフネがいた場所であって、実際には各地に移動することができる。それゆえ、日本の各地を支配するのも可能であった、というわけだ。

力ある女王の統治

ヒミコのようなシャーマニックな女王によって治められた国というのは、別に古代日本に限らず、非常に魅力的なモチーフだ。エスニックな雰囲気が強く、いかにもファンタジー的な舞台設定と言えるだろう。

主人公が女王の味方になるなら、彼女のために奔走し、国を守ることになるだろう。主人公はそもそも女王の部下であったり、彼女の理念に賛同したり、あるいは「神や幽霊や妖怪で、女王の術に縛られて協力している」という展開もアリだ。こちらのパターンなら、神秘のベールに包まれた女王の真の姿を描いていきたい。

逆に、敵対する流れならどうか。呪術を操る邪悪な女王と戦うのが王道であろう。彼女をまったくの敵として描くなら、その残酷性を強調したいところだ。敵対する者たちを苛み、術のために他者を平然と生贄に捧げる、悪辣な人物である。快楽主義的、利己主義的に描写するとそれっぽいのではないか。

別の方向性もある。他者から悪とみられるような振る舞いはあくまで国を治めるため、民を守るためであり、けっして楽しみのためになしているのではない、というパターンだ。あるいは敵対勢力の流した噂によって実像が歪められているのかもしれない。

彼女が真に特別な能力を持っているか、持っているならどんなものか、というのも重要だ。彼女のキャラクター性にも、その国がどんな統治体制でどんな特色を持っているかについても、深い関係があるからだ。

ヒミコのケースなら、「鬼道」の正体に迫りたい。鬼というとどうしても角が生えた人型の異形を連想するが、このようなイメージはヒミコの時代の日本にはおそらくなかった（詳しくは後述する）。「鬼」は古代中国では霊を意味する。ヒミコの使った鬼道もここから来ていると考えるなら、霊に関係する術——東北のイタコのように霊を己に憑依させたり、霊と話したり——なのか。あるいは国を治めるのに有効だったというなら、大規模な攻撃や天候操作などの魔法かもしれない。もちろん、一切合切がハッタリの可能性もある。幻であったとしても、人々に信じさせることができれば凄まじい力になるのである。

なお、実際の歴史においては、社会的な制度としての母権制、つまり「女性が権威・権力を掌握し社会的にも高い地位を持っている社会」は実在しなかったのでは、と考えられている。母系社会（権力や財産が母系をたどって継承される社会制度）は広く存在するのだが、その時も実は権力自体は男性が握っており、代々女王が世襲されるという社会は見当たらないようなのだ。古代日本でもヒミコのような女性首長、あるいは男女の首長が並び立つような集団はあったようだが、結局のところ男性首長が立つようになっていった。

とはいえ、これはあくまで現実の話、また社会制度の話だ。エンタメの世界では女系かつ母系、つまり「母から娘へ政治権力や財産が継承される社会」があっても構わない。説得力を与えたいなら、女性が得意とする分野の作業が重要な意味を持っていたり、女性だけが特別な能力を持っている世界にすると良い。また、そのような要素がなかったとしても、「たまたま後継の男性がいなかった」「たまたま特別な能力を持っている女性がいた」などの理由で、女性のリーダーがいること自体はおかしくない。

⑨神仏習合

神と仏

神といい、仏という。人間とは違う、不可思議な存在の呼び名だ。この二つが本来別物であると言われたら、あなたは驚くだろうか。それとも「何を当たり前のことを」と思うだろうか。

勝手な推測だが、多くの人は「言われてみればそうだけど考えたことがなかった」と思うのではないか。そのくらい、私たち日本人は神と仏をごちゃ混ぜにすることに慣れすぎているのだ。

「神仏」と当たり前のように並列して語るし、「神も仏もあるもんか」と言ったりもする。この時、神と仏の違いを意識している人はほとんどいないだろう。ふわっと「不思議な存在」としか思っていないはずだ。

念のため書いておくと、仏という言葉にはいろいろな意味があるが、ここでは「仏陀」のことで、これは仏教の開祖である釈迦に代表される「悟りを開いた人」のことを指す。神のように奇跡を起こすこともあるだろうが、しかし厳密には神とは別の存在と考えるべきだ。

にもかかわらず私たちが神と仏をごちゃ混ぜにするのはなぜか。そこには千年をはるかに超える「神仏習合」の歴史があるのだ。

神道とは

神道とはすべての物に神が宿るというアニミズム的な日本の民俗信仰だ。他の宗教と違って「〇〇教」という言い方はしないし、教祖や経典、具体的な教えも存在しない。『古事記』や『日本書紀』などの古典が重要な位置を占めている。

「神道」という言葉はもとは中国で道教を指す言葉として使われていたが、日本のそれとは関係がない。日本では『日本書紀』にその語が見えるが、その意味合いは宗教としてのそれとは少々異なる。外国から来

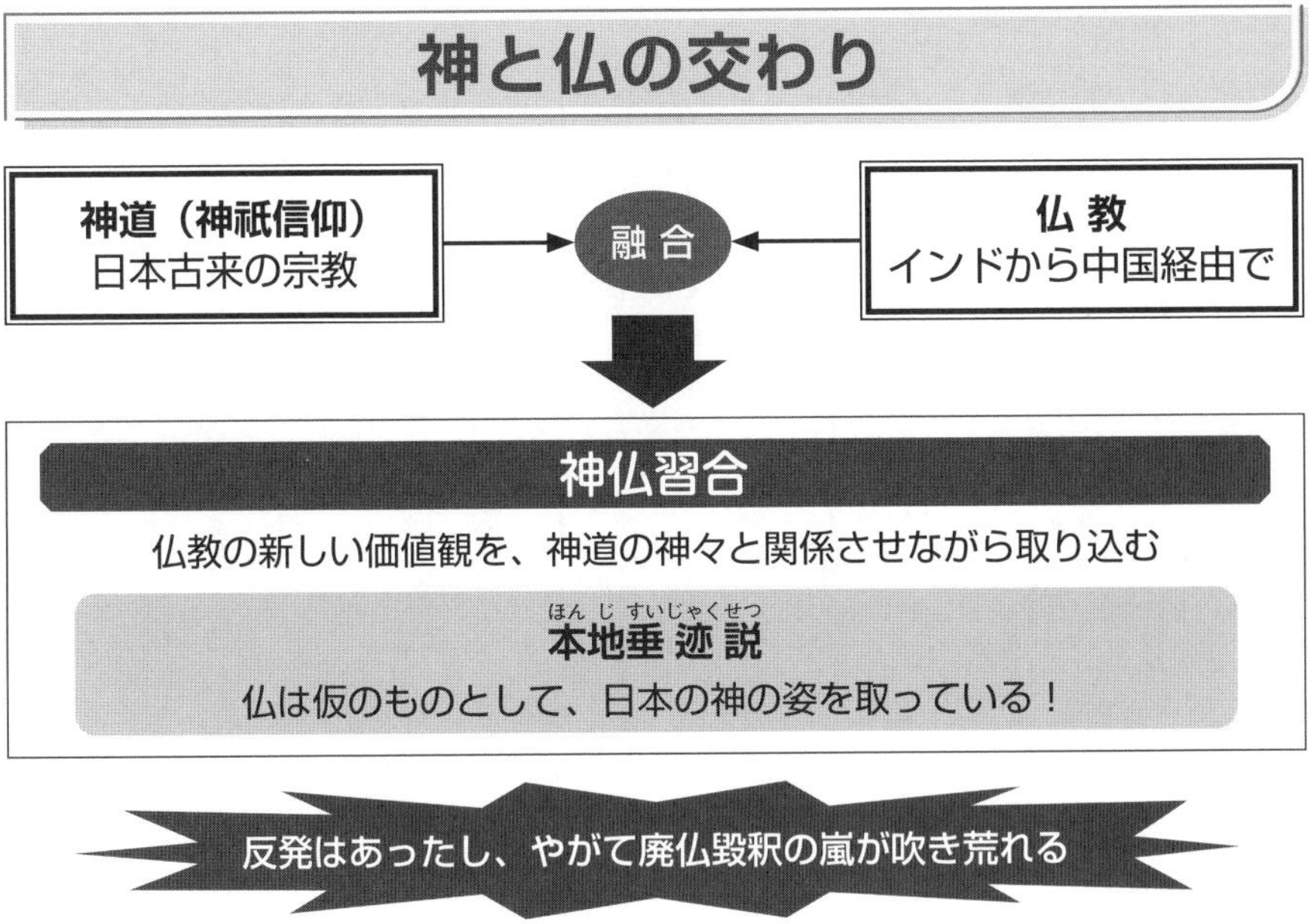

神と仏の交わり
神道（神祇信仰）
日本古来の宗教
融合
仏教
インドから中国経由で
神仏習合
仏教の新しい価値観を、神道の神々と関係させながら取り込む
本地《ほんじ》垂迹《すいじゃく》説《せつ》
仏は仮のものとして、日本の神の姿を取っている！
反発はあったし、やがて廃仏毀釈の嵐が吹き荒れる

た仏教と日本土着の民族信仰や固有信仰らと区別するために用いられたようだ。

神道が「宗教」らしくなってくるのは中世頃のことである。鎌倉時代の伊勢の神宮祠官たちにより学問的な研究が始まり、「神道」という語は伝統的な固有の民族信仰や道徳を指すようになった。儒教・仏教などの影響のないこの信仰を「純神道」「古神道」「皇道」などともいった。それらを「神道」と統一して呼ぶようになったのは意外にも新しく、明治中期のことである。

また日本の神は元来姿を見せない。自然界の中に存在するが姿はないものであった。神社のご神体も鏡や剣などだ。神像が造られるようになったのは、仏教の仏像に影響を受けてのことである。

異国の宗教だった仏教

葬式や法事といえば僧侶を招き、数珠を持ってお参りをするというイメージを抱く日本人は多いだろう。子どもの頃、食事の際に手を合わせて「いただきます」「ごちそうさま」を言うようにしつけられた人も

多いかもしれない。合掌は仏教由来のポーズだ。仏教を信仰していたり教えを守ったりしているつもりがなくとも、日本人の生活の中に深く根付いている。そんな仏教だが、発祥はご存じの通り、日本ではなくインドである。

仏教が朝鮮を渡って公式に日本へ伝来したのは、五三八年といわれている。『日本書紀』では五五二年としているが、五三八年説が通説となっている。仏教を積極的に取り入れた人物として有名な聖徳太子の生年が五七四年であるから、その三十年あまり前のことだった。五三八年以前になんらかの形で既に伝来していたであろうと読み取れる文書が存在するが、その時期について明確かつ信憑性に足る史料はない。そのため仏教が大和朝廷に伝えられたことをもって「仏教公伝」と呼ぶ。

もちろん仏教は最初から日本人に受け入れられたわけではない。当初は外国の宗教で、『日本書紀』によれば仏を「他国神」「隣国客神」などと呼んで明らかに区別している。他国の神である仏を信ずるべきか否かで激しい論争もあった。仏を崇めることは日本の神々の怒りを買うとして排除されそうになったこともあった。

神仏習合とは何か？

これら日本古来の信仰（神祇信仰）と異国から伝来した仏教とが合わさり日本独自の儀礼などを生み出した宗教現象のことを「神仏習合」という。

海外にもこういった別々の宗教が混ざり合って違う思想や信仰が生まれる現象は見られるが、日本は千年以上にわたって複雑な混交を繰り返し、神仏両方ともに日本文化に密接な関わりを持っている。

神仏習合が行われた理由についてはさまざまな説があるが、政治的理由を無視できない。仏教によって国家体制を整えようとした結果、神祇信仰と仏教が混交されることとなり、むしろ日本固有の神々が仏教の教えに取り込まれる形で独自の新しい信仰を作り上げた。

例えば本書第三章で紹介する修験道は、密教の影響が非常に強いものの、日本古来の神と仏教の仏を並べて信仰する、神仏習合的性質が強い宗教である。

神仏習合の思想や信仰が具体的に見えるものとして、

神宮寺の出現がまず挙げられる。自らが救われたいと願う神のための寺院であり、その縁起は神の願いによるものが多く、神願寺ともいう。奈良時代にあたる七一五年、藤原《ふじわらの》武智麻呂《むちまろ》という貴族の夢に気比神《けひのかみ》が現れ、「神である苦境から救われるため仏道に帰依して修行をしたい」と願った。このように神が仏教に帰依し解脱することを「神身離脱」という。そして気比神の願いを受けて武智麻呂が創建したのが現在の福井県にある気比神宮寺である。神宮寺としてはもっとも古いものである。

また菩薩号が与えられた神を祀る神宮寺も出現する。この場合「菩薩宮」という呼称が用いられ、八幡宮などがその代表的な例である。七八一年に八幡神に菩薩号が与えられている。八幡神を祀る神宮寺として京都の石清水八幡宮や鎌倉の鶴岡八幡宮が有名であろう。

本地垂迹説

神仏習合思想の代表的なものとして、本地垂迹説が挙げられる。

これは仏・菩薩がこの世の人を救うために仮に姿を現すという思想で、仏・菩薩を本地（真実の身）、神を垂迹（仮の身）としている。アマテラス（天照大神）は大日如来と同一視される。

そして垂迹神のための神宮寺も存在する。アマテラスを祀る伊勢神宮もいくつかの神宮寺を持っていた。また奈良の東大寺を建立する際、聖武天皇は伊勢神宮に遣いをやって神意を問うた。そして「天照大神は大日如来であり、本地は盧舎那仏《るしゃなぶつ》である」というお告げがあり、大仏建立に至ったという。盧舎那仏、つまり東大寺の大仏はアマテラスの本来の姿であるというのである。そのため東大寺は伊勢神宮の神宮寺的な側面も持っている。また東大寺が国分寺の頂点として崇められるのは、神社の最高位である伊勢神宮と対照されるためである。

神仏習合の過程として、

①神は人間と同じく仏の救いを求めている。

②神は仏教の力や功徳によって菩薩の地位へ昇っていく。

③菩薩から仏の地位へ高められ、神と仏が同じ存在と

なる（神仏同位）。

という三段階を経て、違う存在であった日本の神と仏教の仏・菩薩が混ざり合うのである。

習合を嫌う人々

神社と寺院、神道と仏教は違うものであるという姿勢を取った人々ももちろん存在する。

例えば仏教の浄土宗及び浄土真宗がそれである。浄土宗の開祖・法然《ほうねん》は専修念仏といって阿弥陀如来ただ一仏を拝むという教義を展開し、弟子の親鸞《しんらん》が開いた浄土真宗にもそれが受け継がれた。阿弥陀如来以外の神や仏は拝まないのである。この考えは当時「霊神に背く失《とが》」として非難された（のちに本願寺は神を拝んでも結局は本来の姿である阿弥陀如来を拝むことになると容認するようになる）。

そして神社側も、伊勢の神宮寺が移転させられたり、仏教用語を嫌うなど仏教を避ける傾向がみられた。特に神道の儀式に関わる潔斎《けっさい》の時には仏事を避けたという。

神仏分離・廃仏毀釈

このような長く密な歴史にもかかわらず、現在の寺院と神社は別個に存在する。神仏分離が行われたのだ。本書の範疇から外れる近代の出来事ではあるが、神仏習合の結末を見届けるため、ちょっとお付き合いいただきたい。

一八六八年、江戸時代が終わり明治時代になったその年、明治政府は神仏分離令を出した。神武天皇の頃にたち返るという名目で始まった神道国教化政策の一環である。この政策はこれまでの神仏習合の思想と合致しない。そのためこの矛盾を解消するために神仏分離令が出された。

仏像を祀っている神社はそれを取り払ったり、釣鐘など仏教の道具を取り外すよう命じた。神宮寺に仕えた社僧やそれらの長であった別当は還俗の上、神主などになって神道に転向させられた。

この法令は過激な神仏分離に留まらず、全国的に廃《はい》仏毀釈《ぶっきしゃく》運動を引き起こした。廃仏毀釈とは仏教寺院や僧侶を排そうとする思想や運動のことである。特に国学者や神道家の勢力が強い地域での仏教弾圧はすさまじかった。

例を挙げると、近江の日吉社が起こした事件がある。日吉社の神主は神仏分離令が出ると、延暦寺に本殿の鍵の引き渡しを要求した。しかしこの申し入れに延暦寺側が応じなかったため、神主は神威隊という集団を組織して各殿内に押し入った。その際仏像や経典、仏具など仏教的な物をすべて焼き払ったり撤去したりしてしまったという。このような動きは各地に起こり、多数の仏像や寺が破壊され、貴重な文化財が失われた。

もちろんこれら仏教弾圧とも取れる廃仏毀釈運動は明治政府の意図したところではなく、何度も神仏分離は廃仏毀釈でないことを強調している。

それでも廃仏毀釈運動が燃え盛ったのは神道側による攻撃というだけではなかった。江戸時代、人々は必ずどこかの寺に檀家として登録されなければならないことになっていて、寺院は身分証明をする役所のような存在になっていた。この特権に甘んじる寺院は多く、人々から恨みを買っていたのである。廃仏毀釈運動は積年の怒りが爆発した現象でもあったのだ。

複数の宗教が混ざり合う

神仏習合は神道と仏教という二つの宗教がそれぞれの形を残しつつも溶け合い、混ざり合うことだった。そうしてお互いに影響を与え合い、変質し、しかし対立する部分もあった。あなたの作る物語の中で、そのような宗教は存在するだろうか。

例えば、侵略者によって植民地化された地域で、侵略側の宗教が受け入れられる中で現地の神や悪魔を取り込んで変質した宗教。優れた技術や知識を持つ人々が故郷を追われ、現地の人々に受け入れられ、自分たちの知識を教える際に便宜的に作った物語が現地の神話とも影響し合って生まれた宗教。混じり合って生まれた新たな宗教。いろいろと考えられる。

混ざった結果として生まれた（本来の価値観で見ると）奇怪な神や儀式。普通ではあり得ないような特別な呪術や魔法。変質した宗教と旧来の宗教が互いに敵視することもあれば、融和して共存することだってあるだろう。独自の味を持った世界を作りたい時には、なかなか面白い設定であるはずだ。

⑩日本神話と世界――インドの神、仏教の神

比較神話学、世界神話学

この章ではここまで、日本の神話・伝説の数々を中心に紹介してきた。その日本神話の中に、実は他の国や地域の神話とよく似ている、と指摘されるエピソードが多くあるのをご存知だろうか。このように、神話を比べて研究する学問を「比較神話学」と呼ぶ。

例えば、ニニギノミコトがコノハナサクヤ姫を選んでイワナガ姫を選ばず、結果として人間の寿命が短くなった話。インドネシアによく似た神話があり、総称してバナナ型神話と呼ばれる。

イザナギが死んだ妻イザナミを連れ戻すべく根の国へ赴いた話は、ギリシャ神話においてオルフェウスが妻を求めて冥界で冒険する物語と類似する。オルフェウス型神話だ。

釣り針をめぐる海幸彦・山幸彦の対決に類似するエピソードも、東アジア、東南アジア、太平洋といった各地によく似た話が伝えられていて、釣針喪失譚などと呼ばれる。

さて、どうしてこのように類似する神話が存在するのだろうか。

一つの考え方は、人間が持つ普遍的な「物語のパターン」ともいうべきものがあり、それを反映しているからこそいくつかの神話は類似するのではないか、というものだ。ユング派の心理学では、これを人間が生まれながらに持つ普遍的無意識の働きによるものとする。

これは物語においていろいろと活用のしがいがありそうだ。例えば、人間の意識が繋がっていると考えてみると、それを行き来して地球の反対側にいる誰かと心を通わせることもできるのではないか。神話的人物や事件がそのキーであるため、精神的世界において人は神話的ヒーローの姿になる……というのはどうだろう。

神話は似ている？

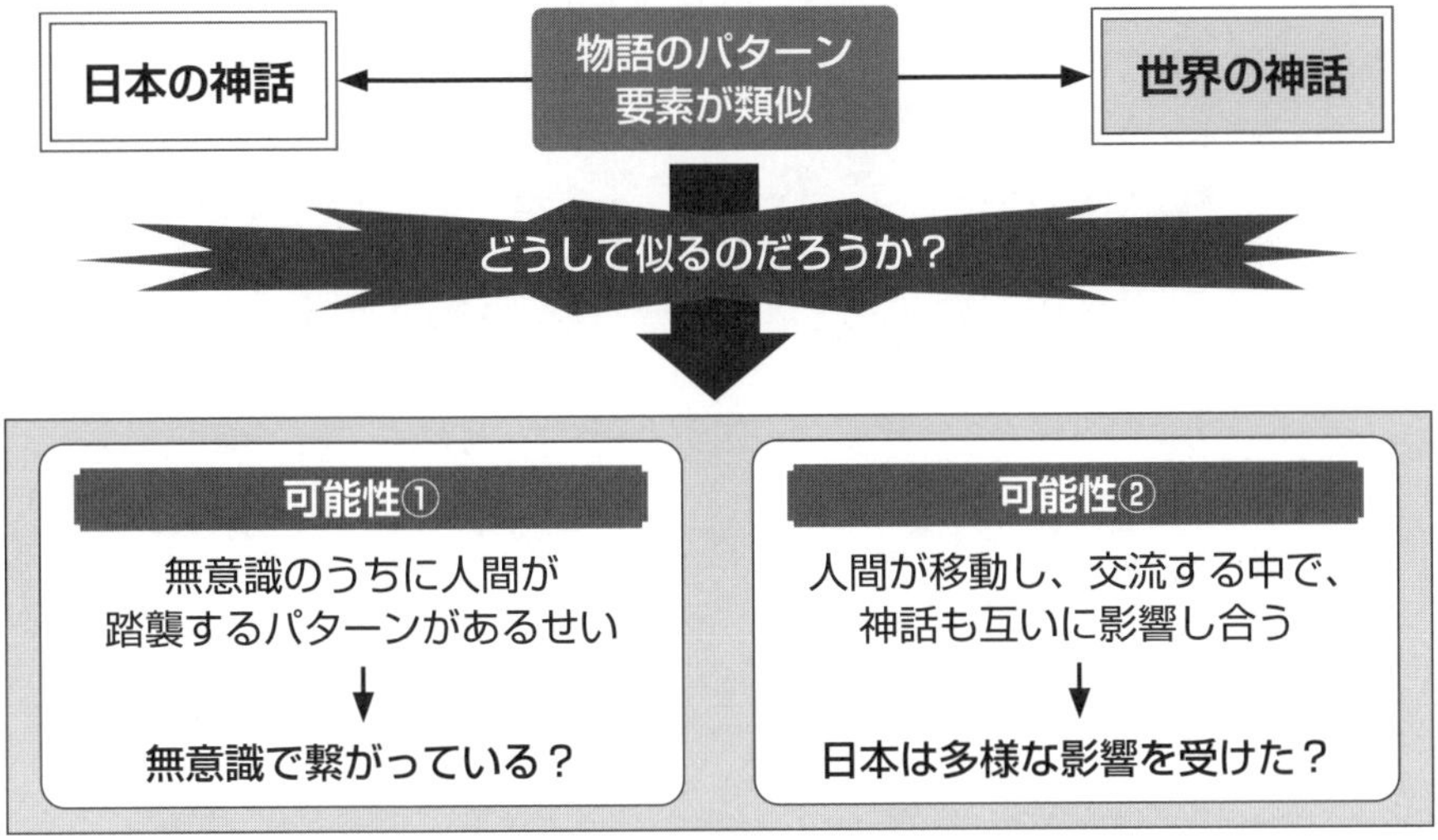
日本の神話
物語のパターン
要素が類似
世界の神話
どうして似るのだろうか？
可能性①
無意識のうちに人間が
踏襲するパターンがあるせい
無意識で繋がっている？
可能性②
人間が移動し、交流する中で、
神話も互いに影響し合う
日本は多様な影響を受けた？

あるいは、人々が特定の神話的エピソードを共有したのは、普遍的無意識ではなく何かもっと別に超常的存在、それこそ神なり宇宙人なりといった存在が精神的な干渉をしてきた結果なのではないか、というのも考えられる。

もう一つの考え方は、古代において民族が移動し、あるいは交流によって文化が伝わる中で神話も影響し合い、その結果として似たのではないか、という考え方だ。

近年提唱されている「世界神話学」においては、世界の神話のルーツが、ストーリー性が強くて天地の創造が語られるなどいくつかの共通する要素が見られる「ローラシア型神話」と、ストーリー性が弱くて世界は最初からある「ゴンドワナ型神話」という、二つに分けられると考えられる。

名前は大陸移動説に由来し、かつて存在した超大陸パンゲアが分かれた時、一つはローラシア大陸（後のユーラシア、北アメリカ）、一つはゴンドワナ大陸（アフリカ、南アメリカ、南極、オーストラリア、インド、アラビア半島、マダガスカル島）になったというところから来ている。なお、これらの大陸があったのは人類発祥より前のことであるため、そのものが神話発祥の地というわけではなく、あくまでグループとしてまとめる際の比喩的な言い方であるようだ。

日本はローラシア型神話に分類するが、ゴンドワナ型神話の影響が見られるという意見もあるようだ。旧石器時代に日本へやってきた人々の神話であり、「洪水」「土の中で誕生する」「動物と人間の共存」などの要素になって日本神話、あるいは各地の伝説などに残ったとするわけだ。

インドからきた神々

一方で、明確に「他所から来た」ことが分かっている神々もいる。それは仏教における天部の神々だ。

彼らは仏教においては仏法を守る護法の神として位置づけられ、日本でも大いに親しまれた存在である。例えば、映画『男はつらいよ』シリーズで主人公の寅さんが「帝釈天《たいしゃくてん》で産湯をつかい〜」と啖呵を切るのは、天部の代表的な神の一柱、柴又で帝釈天を祀る日蓮宗経栄山題経寺のことだ。

だがルーツをたどると、彼らはもともとインド神話の神々なのである。

インド神話は一般にベーダの神話と叙事詩・プラーナ聖典の神話に大別される。叙事詩・プラーナ聖典はヒンドゥー教系の神話である。ヒンドゥー教はインド国民の約八十パーセントの人が信仰するといわれ、インドの文化においてなくてはならない存在だ。

仏教もまたインドで誕生した宗教ではあるが、現在ではその信仰者はごくわずかとなっている。とはいえ同じ国で発祥した宗教思想であるため、仏教とヒンドゥー教両方に登場する神も多い。そして日本で知られるインドの神々はヒンドゥー教から仏教に取り入れられ、仏教とともに日本に伝来した。ベーダ神話やヒンドゥー教の神が直接日本に渡ってきたことはないようだ。

次にインド神話から仏教に取り入れられ、日本でも知られる神々をいくつか紹介する。インド神話の性質を受け継ぎながらも、信仰によって独自に姿を変えている神もいるのが面白い。

◇**帝釈天《たいしゃくてん》=インドラ**

仏教守護の神で、四天王（北：多聞天《たもんてん》、東：持国天《じこくてん》、南：増長天《ぞうちょうてん》、西：広目天《こうもくてん》）を従える。仏教では梵天とともに護法の善神とされ、梵天と合わせて「釈梵《しゃくぼん》」と呼ばれる。十二天の筆頭で東方を守護する。

インド神話では、阿修羅と戦って降伏させたと伝えられている。雷神の性格を持つ英雄である。

◇**吉祥天《きっしょうてん》=ラクシュミー**

容姿が美しく衆生に福徳を与える女神とされている。梵語では「幸運・偉大・女神」の意味の名を持つ。毘沙門天（多聞天）の妃（一説では妹）とされることもあり、彫刻でならべて造立されることがある。

インド神話においては主神ヴィシュヌの妻とされ、仏教と同じく福徳を司る。

◇**弁財天《べんざいてん》=サラスヴァティー**

日本では「弁天様」と呼んで親しまれている女神。

インド神話では河川の神、水の女神、豊穣の女神であったが、のちに言葉の神となったため、学問・芸術の守護神として崇敬された。妙音天（楽器を手にした音楽神）、弁才天（学芸知識の神）、弁財天（財宝神）などとされることもある。日本においては七福神の一つとしても信仰された。

河川や水の女神であることから、弁財天のお堂は湖の近くや海辺に祀られることが多い。

多くは豊満な女神像として表現され、十五童子を伴ったものや宇賀神の蛇身を頭頂に置くもの、八幡宮の琵琶を持つ裸形像などがある。

◇**大黒天《だいこくてん》=シヴァ**

七福神の「大黒様」として親しまれている大黒天は、日本では招福や家内繁栄、富をもたらす神として、エビス神とともに各家に飾られていることが多い。

インド神話では破壊神としてのシヴァの一形相ともいわれている。その後仏教に取り入れられたが、性格や姿について、仏典などによりかなり差があるのは、信仰の変遷に関係するという。

ある仏典では戦いの神とされ、加護と引き替えに人間の血肉を求めた恐ろしい神として描かれている。しかし別のものでは寺院の食厨の神として祀られているのだ。日本には後者の姿が伝来し、広められたと考えられる。

◇荼枳尼天《だきにてん》＝ダーキニー

原形は夜叉神の一種。大黒天の眷属ともいわれる女神。

神通力で六カ月前に人間の死を察知する力を持つ。人血骨肉を喰う異様な姿で描かれることもあるが、日本では稲荷神と同一視され、狐の背に乗り、剣と宝珠を持つ像が多く造られた。

◇金比羅《こんぴら》＝神獣クムビーラ

クムビーラは鼻の長いワニが神格化された神といわれる。日本では蛇型の水神。薬師十二神将の宮毘羅《くびら》大将と同一。宮毘羅大将は神将形で右手に大刀を持ち、強い性格を表す焔髪《えんぱつ》で描かれる。

クムビーラはガンジス川を司る女神の乗りものであったため、金比羅権現となり海上守護の神として信仰された。香川県の金刀比羅宮が有名である。

◇韋駄天《いだてん》＝カールッティケーヤ

インドではシヴァ神の子とされる。

四天王中の南方増長天の八将の一尊といわれる。経典にはその姿について述べていないが、甲冑・鎧をつけて立ち、合掌する両手で宝棒を横に捧げ持った姿で描かれた。この姿は鎌倉時代に中国から伝えられたと考えられている。

韋駄天は仏涅槃《ぶつねはん》の時に仏牙を盗んで逃げた鬼を追いかけて取り返したという伝説があり、修行者が魔障（修行を邪魔する悪魔）に惑わされようとする時には速やかに助けてくれる神だという。速く走ることを韋駄天走りというが、この伝説から来ている言葉である。

◇梵天《ぼんてん》＝ブラフマー

古代インドの最高原理である「梵」を神格化した神。バラモン教では主神であったが、その後のヒンドゥー教ではシヴァ神やビシュヌ神に次ぐ存在となった。

仏教では帝釈天と並んで仏法の守護神とされる。

◇毘沙門天《びしゃもんてん》＝クベーラ

姿を変える神々

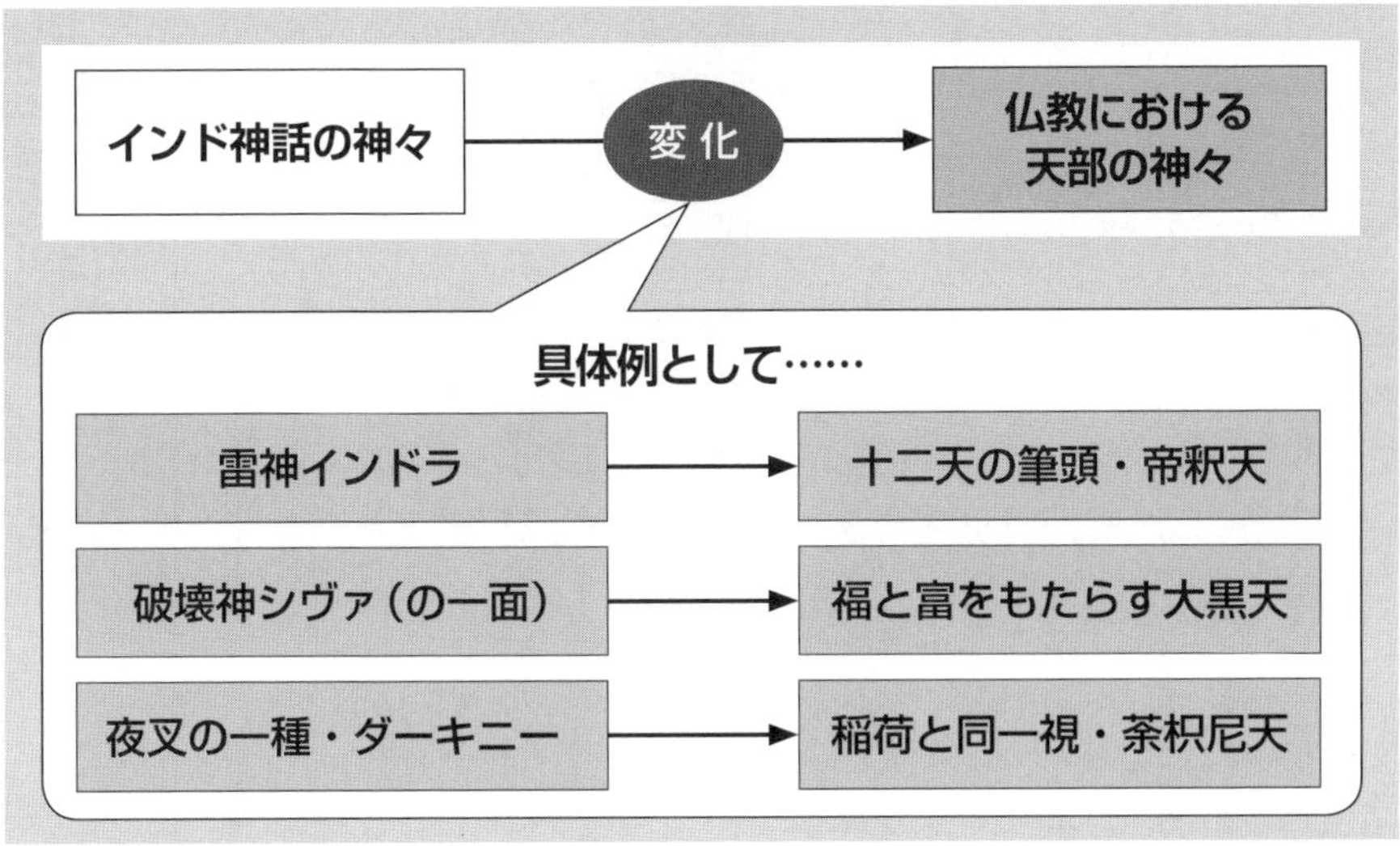

インド神話の神々
変化
仏教における
天部の神々
具体例として……
雷神インドラ
十二天の筆頭・帝釈天
破壊神シヴァ（の一面）
福と富をもたらす大黒天
夜叉の一種・ダーキニー
稲荷と同一視・荼枳尼天

四天王の一人多聞天と同一。もとは悪霊の主であったが、ヒンドゥー教では財宝、福徳を司る神となった。夜叉や羅刹を率い、帝釈天に仕えて北方を守護する。仏教でも多数の夜叉を率い、護法の善神という。

像は甲冑《かっちゅう》を身に着け、憤怒の相をし、左手に宝塔、右手に宝棒または鉾を持ち、二匹の鬼の上に立つ姿だ。

日本では古くから単独でも信仰され、七福神にも加えられている神である。

これらの「複数の神々のルーツが同じ」構造、あるいは「今の姿とルーツの姿が別にある」神々のあり方を現代的なエンタメに取り込むと、なかなか面白いことになる。

例えば、ある神と契約している能力者が、その神の別の側面を引き出すことで多様なスタイルを使い分けてバトルをすることができる。あるいは「他の能力者は一柱の神の力しか引き出せないが、そのキャラクターは神の原型と契約しているので複数の神の力が使える」などというのもありかもしれない。自由な発想を広げてみよう。

⑪その他の神

本書ではここまで、『古事記』『日本書紀』の記紀神話の本筋に従って、さまざまな神々を紹介してきた。強いもの、弱いもの。主役を務めるもの、脇を固めるもの。成長するもの、失態を見せるもの。それぞれに個性的かつ人間臭い神々が登場するのが日本神話の特徴といって良いだろう。

ただ、きちんと紹介できなかった神も少なからずいた。本書記述上の理由もあるが、そもそも彼らが神話の本筋に関わらなかったりするという事情もある。しかし魅力的なキャラクターやエピソードも多いので、ここで紹介する。

ヒルコ

国生みの項で紹介した通り、イザナギとイザナミから最初に生まれたのは体がグニャグニャで蛭のような子どもであった。ゆえに名をヒルコ（蛭児、蛭子、水蛭子）という。

葦の船に載せられて流されたヒルコは、以後記紀神話には登場しない。だから彼あるいは彼女がどうなったのかは分からない。

このヒルコの物語は、親や先祖の何らかの失敗、背負った業がゆえに異常な生まれをしたと信じられ、それゆえに捨てられた子のことを表しているのではないかと言われている。この子を捨てることで業が精算され、厄落としが成立する。すると家は繁栄する――実際、ヒルコを捨て、やり方を改めたイザナギ・イザナミは国生みを成功させ、多くの神々の父母となったわけだから、成功したといえるだろう。

しかし現代的価値観で見ると、これはちょっと承服しかねる。自分ではない人の失敗を背負わされて追放され、あとは皆幸せです、ではたまらない。ヒルコが、あるいはヒルコ的ポジションの誰かが実は無事生き延び、復讐のために戦いを挑むのは、多くの読者にとって共感を覚え、応援したくなる展開ではないか。

そこまでではなくとも、「ヒルコはその後どうなったのだろう」と考える人はそれなりにいたらしい。海から流れ着いたヒルコが七福神の一つである恵比寿神になった（蛭子と書いて「えびす」と読むことも）という話の他、ヒルコの漂着話はそれなりに見つけることがある。

あるいは、ヒルコには真の姿、真の名があったのだという見方もある。彼は本来「日る子」、つまり日の男神であったというのだ。もしその姿になることができたならば、彼はどんな神になるのだろうか。

ツクヨミ

三貴子の一柱で、イザナギが黄泉から戻って禊をした際に右目から生まれた神がツクヨミである。彼は「月読」の名の通り月の化身であり、父イザナギに夜の国を治めるように命じられた。

――これだけ聞くとツクヨミは、アマテラスやスサノオに匹敵する記紀神話の主役として大活躍しそうなキャラクターに見える。ところが、彼の出番は驚くほど少ない。夜の国を託されたあとは物語から姿を消してしまい、本筋には基本的に関わってこないのだ。

そのため、情報も非常に少ない。『古事記』『日本書紀』からは性別さえも分からないのだが、とりあえず男だということになっている。

数少ないエピソードとして、『日本書紀』に次のような話が掲載されている。イザナギによる三貴子の分治の時、ツクヨミは「アマテラスとともに天を治めよ」と命じられた。その後ツクヨミはアマテラスに「地上にウケモチという神がいるそうだから、行ってみてきなさい」と命じられた。ウケモチは食物の神だ。そうしてツクヨミはウケモチを訪ねた。ウケモチが陸に向かうと口から米が、海に向かうと口から魚が出てきた。そして山へ向かうとまた口から今度は獣たちが出た。これをそろえて、ウケモチはツクヨミをもてなそうとした。しかしツクヨミは「口から吐き出したいやしいものを私に食べさせようというのか」と怒り、ウケモチを斬り殺してしまった。これを聞いたアマテラスは「お前は悪い神だ。もうお前と会いたくない」と言って、アマテラスとツクヨミは昼と夜とに別れて交代に住むようになった、という。昼と夜が交互にくる自然現象を説明した神話である。

このエピソードを見ると、少々怒りっぽい神のように思われるが、どこかで見たことはないだろうか。そう、アマテラスに追放されたスサノオである。実は『古事記』にも同様のエピソードがある。高天原を追放されたスサノオが地上でオオゲツヒメに食物を乞う。そしてオオゲツヒメがやはりその体から食材を出して調理し始めたのを見て、「穢した物を食べさせようとしている」と怒って殺してしまうのである。

これまでにも述べてきたように、後世ではアマテラス・ツクヨミ・スサノオをして「三貴子」と呼んでいる。しかしもともとは太陽神アマテラスと月神ツクヨミの組み合わせだったところに、スサノオが加えられたと考えられている。アマテラスが伊勢、スサノオが出雲と、それぞれ別系統の祖神であることを見ても納得である。だとすると、この食物の神殺害はもともとツクヨミのエピソードだったが、スサノオの暴虐さを強調するために、ツクヨミからスサノオの説話に変わっていった可能性も出てくる。

いずれにせよ、最高神のアマテラスはともかく、スサノオのキャラクターが強いため、ツクヨミがことのほか存在が薄くなっている、というのは説得力のある説ではないか。

さて、史実的には以上のように解釈ができるわけだが、物語的にはやはり「仮にも三貴子の一角がこの登場具合はいかにも寂しい」と思えてしまう。この思考をさらに一歩進めれば、「これだけ出番がなく影が薄いのは、何か秘密があるのではないか」となる。ツクヨミに秘密を設定するとしたら、何だろうか。

例えば、神話に語られないということは、とんでもないことをやらかしたのではないか、と考えることができる。あのスサノオを凌駕するような恐るべき事件——それこそ高天原や葦原中津国、黄泉までもを滅ぼすような——を起こしたがため、神話において本来語られるべき記述が削られてしまった、というのはどうだろうか。

何しろ、ツクヨミは岩屋に隠れただけで世界を闇に包んでしまったアマテラス、たった一人で高天原を混乱させたスサノオと同格の神なのだ。しかも、彼の象徴は「月」であり、領地は「夜」だ。月はしばしば狂

さまざまな神々①

ヒルコ

国生みで最初に生まれ、しかし失敗として流された神
↓
七福神・恵比寿神に？　　真の姿は太陽の神？

ツクヨミ

三貴子の１人なのに、なぜか神話にほぼ姿を見せない神
↓
スサノオの話が実は彼のもの？　　いろいろな秘密が想像できる

フツヌシ

刀剣の神であり、ものが切れる時の音を示す名前の持ち主
→記述が史料により変わる。それは滅びた氏族の神だったから？

気を連想させるし、夜は人の恐れと怯えの対象になるものである。どんな真の顔が隠れていてもおかしくはないのだ……。

フツヌシ

フツヌシは刀剣の神であり、「フツ」がものがぷっつりと切れる時の音を示している。彼にまつわる話はいろいろとややこしい。

葦原中国平定で紹介したタケミカヅチは『古事記』ではイザナギがカグツチを斬った時に生じた神である。だが『日本書紀』にはタケミカヅチはこの時生まれた神の子孫だとも書いてある。

さらに『日本書紀』によると、同じくこの時に生まれた神・イワツツノオとイワツツノメが結婚して生まれた子がフツヌシであり、タケミカヅチとともに中国平定を成し遂げた神とされている（カグツチを斬った時に滴った血から生まれたのがフツヌシという話もある）。

実は『日本書紀』の一説において、中国平定を命じられたのはフツヌシの方が先で、タケミカヅチがそれ

を見て自ら名乗りを上げたため、フツヌシに次いで命じられたという。

しかし『古事記』にはフツヌシは登場しない。タケミカヅチが生まれた際にタケフツ・トヨフツという異名が述べられており、タケミカヅチとフツヌシを同一視する見解もある。

とはいえ『日本書紀』や別の史料も含めてみると、やはり平定神は本来はフツヌシであり、タケミカヅチはあとから加えられたとみられる。それが先に紹介したように、タケミカヅチが活躍するエピソードへと移行していったと考えられる。

どうしてそうなったのか、といえば人間たちの権力争いが原因であるようだ。フツヌシのルーツと思われ、『日本書紀』にも神武天皇を救う剣として登場するのがフツノミタマという神剣であり、これは古代よりの豪族の一つ、物部氏が石上神宮《いそのかみじんぐう》で管理していた。しかし物部《もののべ》氏は没落し、その後藤原氏が隆盛を迎える。彼らがタケミカヅチを祀ったがため、神話の中でフツヌシがタケミカヅチに立場を譲ることになったのではないか、と考えられているのだ。

サルタビコ

サルタビコ。今でも三重の伊勢にある猿田彦神社で「猿田彦大神」として祀られる彼が、天孫降臨の際に道案内を買って出た国津神であることは、先に紹介した通りである。

この神の姿は『日本書紀』によると「鼻は七握、背は七尺あり、目は八咫鏡のようで、輝いているところは赤ほおずきに似ている」としている。こうした容貌のため、しばしば天狗と同一視される。とはいえ「サルタビコ＝天狗」とした古い史料はないという。

天孫はサルタビコが何者かをアメノウズメに尋ねさせた。天岩屋戸を開くために舞歌った女神である。この時正体を尋ねられたのが縁でサルタビコはアメノウズメと結婚したと考えられている。そして、現在の三重県に鎮座することになる。

『古事記』によると、サルタビコは漁をしている時に貝に手を挟まれて溺れてしまった。この出来事の際、海の底に沈んだ時、海水が泡粒となって上がる時、そしてその泡がはじける時と三つの御魂が生じたという。

さて、このサルタビコ、もともとアメノウズメと深い関係があったのではないか、と考えられている。アメノウズメは猿女という滑稽な歌舞・演劇を演じた者たちのルーツとされるが、サルタビコもまた猿の名から猿女と関係が深いと考えられる。おそらく、元は兄・妹として伊勢を支配していた彼らが、大和朝廷の先祖がこの地にやってきた時に服属し、巫女・シャーマンとしての才を持つアメノウズメが伊勢を離れ大和へ連れて行かれた話が、天孫降臨にまつわる話として残ったのではないか。

アマツミカボシ（アマノカカセオ）

意外に思うかもしれないが、実は日本神話には星のエピソードが少ない。

ギリシャ神話などは星座にまつわるエピソードがてんこ盛りである。また、中国の道教神話にも星の化身たる神が数多く登場し、その信仰は日本にも入ってきている。北極星は玄天上帝、北斗七星と南斗六星は生死を司る神といった具合だ。

ところが日本神話ではほとんど星が登場しないのである。「日本の農夫たちは夜早く寝たので星に興味がなかった」などという説もあるが、夜の空に浮かぶ星々に古代の人々が名をつけていたという話もあるので納得しがたい。もしかしたら、古代さまざまにあった神話が『古事記』『日本書紀』としてまとめられる中で、何らかの事情で星にまつわる話はふるいにかけられてしまったのかもしれない。

その中で唯一登場する星の神がアマツミカボシ（アマノカカセオ）だ。

彼は『古事記』には登場せず、『日本書紀』の葦原中国平定でタケミカヅチらに成敗される悪しき神として描かれている。

一説では最後まで抵抗した神だというし、もう一説ではミカボシは天つ神で「最初にミカボシを倒して、それから葦原中国を平定しよう」と試みられたのだとも言う。

ミカボシは星の神ではあるが、単に星全般を司るのではなく、特に金星のことであろうという説が有力だ。宵の明星・暁の明星である金星は、昼間に見えることがある。そのため太陽の光＝アマテラスに抵抗する存在であるという説だ。

宵も暁も、昼と夜の曖昧な時間だ。さらに昼間にも見ることができるという金星は、確かに不気味なイメージを持たれていたのかもしれない。実際、キリスト教神話に登場する堕天使ルシファーはもともと金星を象徴する存在である。この二人の反逆者のイメージを重ねても面白い。

アマツミカボシの存在は創作に活用する上でも非常に魅力的だ。反逆者の神、それも国津神ではなく天津神であったとなると、どうしてそんなことになったのか、最後はどうなったのか、と気になる。

スサノオ以後にも同じように地上に降り立った天津神がいて、その中の一柱がアマツミカボシだったということなのだろうか。同じ天津神のタケミカヅチと戦ったということはよほど地上に愛着があったということなのか（タケミカヅチ以前のアマテラスの使者たちはだいたい地上で骨抜きになってしまっているし）、それとも高天原でアマテラスや他の天津神と対立し、スサノオのように追放されてしまったのか。いろいろと想像が広がりそうな神である。

イスケヨリヒメ

神武天皇の皇后。またの名をヒメタタライスケヨリヒメ、『日本書紀』ではヒメタタライスズヒメとされている。

三輪山の神である国津神オオモノヌシがセヤダタラヒメという美しい女性を気に入った。そして丹塗りの矢に化けて厠《かわや》を流れ、セヤダタラヒメの陰部をついた。セヤダタラヒメは驚き走り回って、その矢を持ち帰った。矢を置くとたちまち立派な男性になった。そして二人は結婚し、生まれたのがイスケヨリヒメだ。元はホトタタライススキヒメといったが、「ホト」を嫌って改名し、イスケヨリヒメとなった。「ホト」は女陰のことであるが、鍛冶の炉の中心「火窪」が連想されているという。

こうしたストーリーを「丹塗り矢型神話」といい、『山城風土記』にも同様の説話がある。娘が川遊びをしていると、丹塗り矢が流れてきた。これを取って床に刺しておくと、娘は妊娠して男児を生んだ。この丹塗矢はホノイカヅチという神であった。

さまざまな神々②

サルタビコ

天狗のような姿をした、天孫降臨を助けた国津神
→神話でもアメノウズメと関係があるが、背景にも結びつきが？

アマツミカボシ（アマノカカセオ）

タケミカヅチによって討伐される天津神
↓
天津神がなぜ討伐？　星の神という希少性

イスケヨリヒメ

神武天皇の皇后であり、オオモノヌシの娘
→誕生の背景には、「父親が矢に変身した」話がある

このホノイカヅチもオオモノヌシも、ともに雷の神である。雷神は鍛冶職人の間では火の神として信仰されている。セヤダタラヒメにもイスケヨリヒメ（ヒメタタライスケヨリヒメ）にも「タタラ」という言葉が入っている。タタラは製鉄や鍛冶の時に使われる大型の風を送る道具だ。そのため、イスケヨリヒメの誕生説話の背景には、鍛冶や鉄器の文化があったと考えられている。

『日本書紀』ではコトシロヌシの娘で、丹塗り矢の説話はない。イスケヨリヒメは三人の神を生んだ。

夫の死後、神武天皇とアヒラヒメとの間に生まれた皇子タギシミミの妻になった。タギシミミは三人の異母弟たちを殺そうとしたので、母であるイスケヨリヒメが悲しんで子どもたちに歌で窮地を知らせた。タギシミミの計画を知った子どもたちはタギシミミを殺そうとする。しかし兄たちは殺すことができず、末弟のカムヌナカハミミがタギシミミを殺すことができた。兄は「私は兄であるけれども、上に立つべきではない」と言って弟に天皇位を譲った。このカムヌナカハミミが二代の綏靖《すいぜい》天皇である。

⑫海の向こうとの関係

日本は島国だ。だから大陸国などと比べると政治・経済・文化は国内止まりで展開しがちになり、外との関係は少なくなる。

では、日本はまったく孤立しているのか？　そんな馬鹿な話があるわけがない。頻度は多くないながらも海の外との交流はしっかりと存在し、その影響が日本を良くも悪くも大きく動かしてきたのだ。ここでは日本と海外の交流について、いくつかのエピソードを紹介する。

オオクニヌシとスクナビコナの出会い

稲（米）とその耕作。漢字。そして仏教――大陸から中国あるいは朝鮮を通じて入ってきた文化と技術、物品は実に多種多様で、のちの日本文化に与えた影響は計り知れない。その交流の痕跡らしきものが、記紀神話にも残っている。

オオクニヌシの項で紹介した、海の彼方からやってきたスクナビコナがそれだ。海の彼方からやってきて、農耕や医療、鳥や獣の害を退ける方法などを教えてくれた神であり、大陸からの渡来人を連想させる存在だ。

彼は先に述べたように親神の指の間からこぼれるほどの小人だった。オオクニヌシが出会った時、スクナビコナはガガイモの実の船に乗って、蛾の皮を衣服として着て海からやってきた。オオクニヌシが尋ねても名乗らず、オオクニヌシは蝦蟇《がま》の助言を受けて案山子《かかし》に尋ねることにした。すると案山子が「カミムスヒの神の子でスクナビコナの神でしょう」と言った。そしてカミムスヒに尋ねると、「その通りだ」と答え、カミムスヒに命じられてオオクニヌシはスクナビコナとともに国造りをするのである。しかしスクナビコナは海の彼方の常世の国に渡ってしまった。

海からやってきてまた海の彼方に去る神は、沖縄の穀霊信仰と通じるものがある。海のどこかに存在するという異郷ニライカナイから、豊穣がもたらされると

スクナビコナ

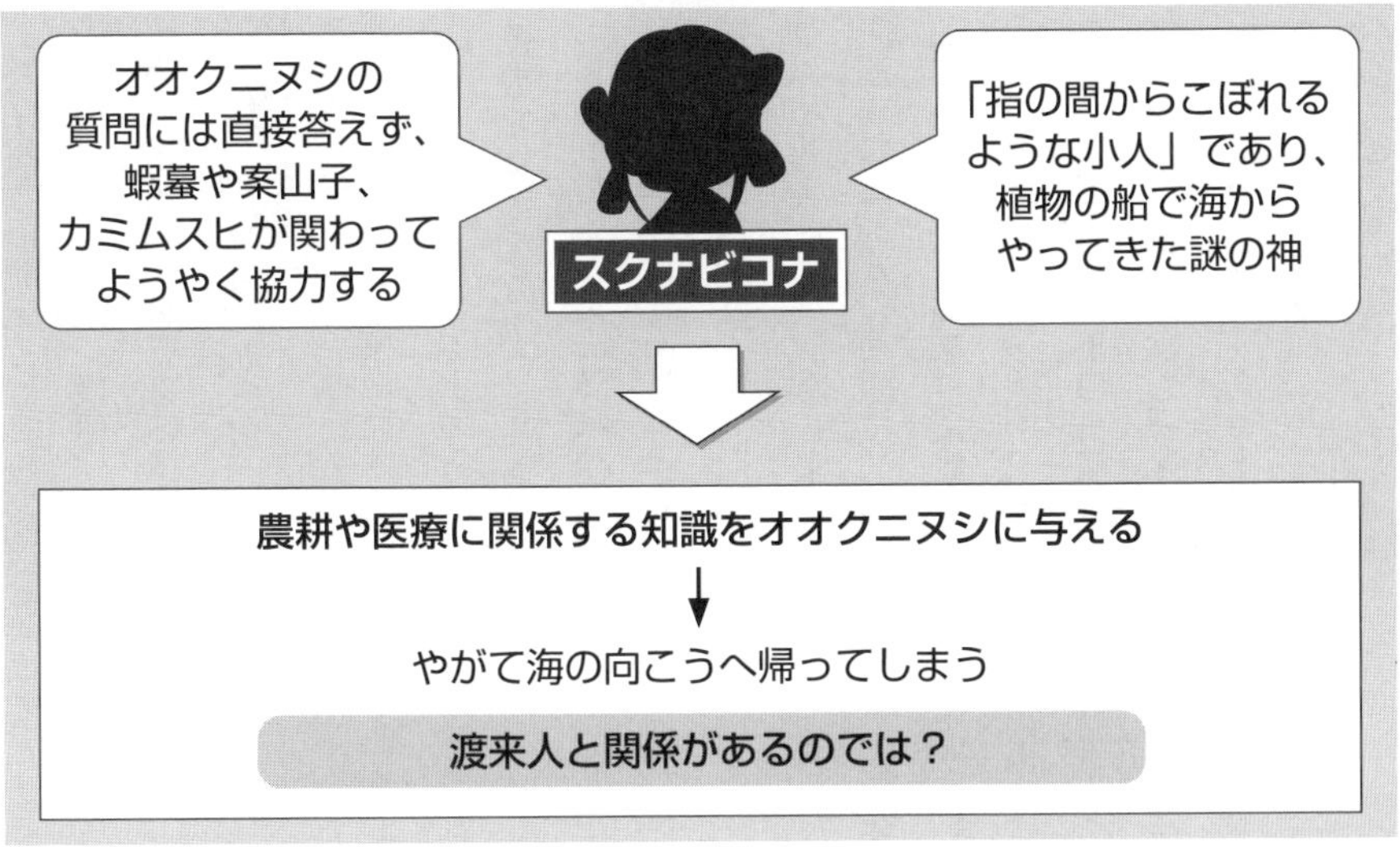
オオクニヌシの
質問には直接答えず、
蝦蟇や案山子、
カミムスヒが関わって
ようやく協力する
スクナビコナ
「指の間からこぼれる
ような小人」であり、
植物の船で海から
やってきた謎の神
農耕や医療に関係する知識をオオクニヌシに与える
やがて海の向こうへ帰ってしまう
渡来人と関係があるのでは？

いうものである。スクナビコナの正体を教えたのが蝦蟇と案山子であったのも、農耕に関係の深い神であることを表している。案山子もまた田の守り神である。

さて、このスクナビコナは、海の彼方の「常世国《とこよのくに》」の神であり、そこへ去ったのだと言われている。では、常世国とは何か。琉球諸島の伝承に残る神々の世界「ニライカナイ」とも同一視されるその場所は、もともと「海の彼方にある異世界」として認識されていたようだ。

しかし、やがて中国の神仙思想が入ってくると、常世国は神々や仙人が暮らす理想郷と見なされるようになる。人々は常世国に不老不死や若返りの夢を投影した。例えば、垂仁天皇は使者を常世国へ送り、非時香菓《ときじくのかくのみ》という長寿の薬（正体は橘であるとか）を求めたという話が残っている。

このように海の向こうにユートピアや現実には存在しない奇跡・神秘を求める神話・伝説は世界各地に見られるものだ。中国の神仙思想では東の海、つまり日本の方角に蓬莱島という仙人の住処があるとされたし、アイルランドの神話にも海の彼方の国の不思議な物語がある。特に日本の歴史では実際に海を渡ってさまざまな技術や道具、価値観、事件、災いが持ち込まれた。海に神秘的なイメージを見るのは当然であろう。

遣隋使《けんずいし》・遣唐使《けんとうし》

神話から伝説、そして歴史の時代へ移行していく過程でも、たびたび大陸から人々がやってきた。彼ら渡来人は技術や文化をもたらし、その一部は日本に定着した。また、日本から大陸へ使者が送られたことがあったのも既に紹介した通り。中でもよく知られているのが遣隋使と遣唐使だ。

遣隋使は七世紀、推古天皇の時代に日本から隋（中国）に派遣された公式の使節だ。遣隋使として小野妹子《おののいもこ》が有名である。十年あまりに渡って計六回派遣された（この数え方には諸説ある）。その後隋が滅び、唐が興ったあとは遣唐使にその事業が引き継がれた。

当時は航海技術も保存食も未発達で、渡海は命がけだった。食事は米を蒸して乾かした携帯・保存用の食糧と生水のみ。航行中重病にかかれば、異国に置き去りにされることもあった。

難破・漂流することも珍しくなかった。例えば奈良時代の官吏・阿倍仲麻呂《あべのなかまろ》は唐に留学していた。しかし帰国しようと乗った船が漂流してしまう。苦難の末に唐に引き返すことはできたものの、それから仲麻呂が日本に帰国することはできず、生涯唐朝に仕えたという。

また小野妹子の子孫で小野篁《おののたかむら》という官吏が遣唐副使に任じられたが、二度難破して失敗。三度目の航海では漏水した船を上官に押しつけられそうになった。篁は病と称して乗船せず、罰として島流しにされた。ただでさえ命がけ、それも二度も遭難しているのである。とはいえ朝廷の命令に背くほど嫌だったというのは、当時の航海がそれほど過酷であったということだろうか。余談だが、小野篁は昼は現世で朝廷に仕え、夜は地獄の閻魔大王に仕えたという伝説が残る人物である。いくら命がかかっているとはいえ朝廷の命令に背くというのは当時の官吏にはあり得ないことだったろうし、かなり破天荒な人物だったようだ。

当時の中国との外交・貿易は、「朝貢《ちょうこう》」という形で行われた。対等ではなく、中国王朝の影響に入ること

文化や技術の交流

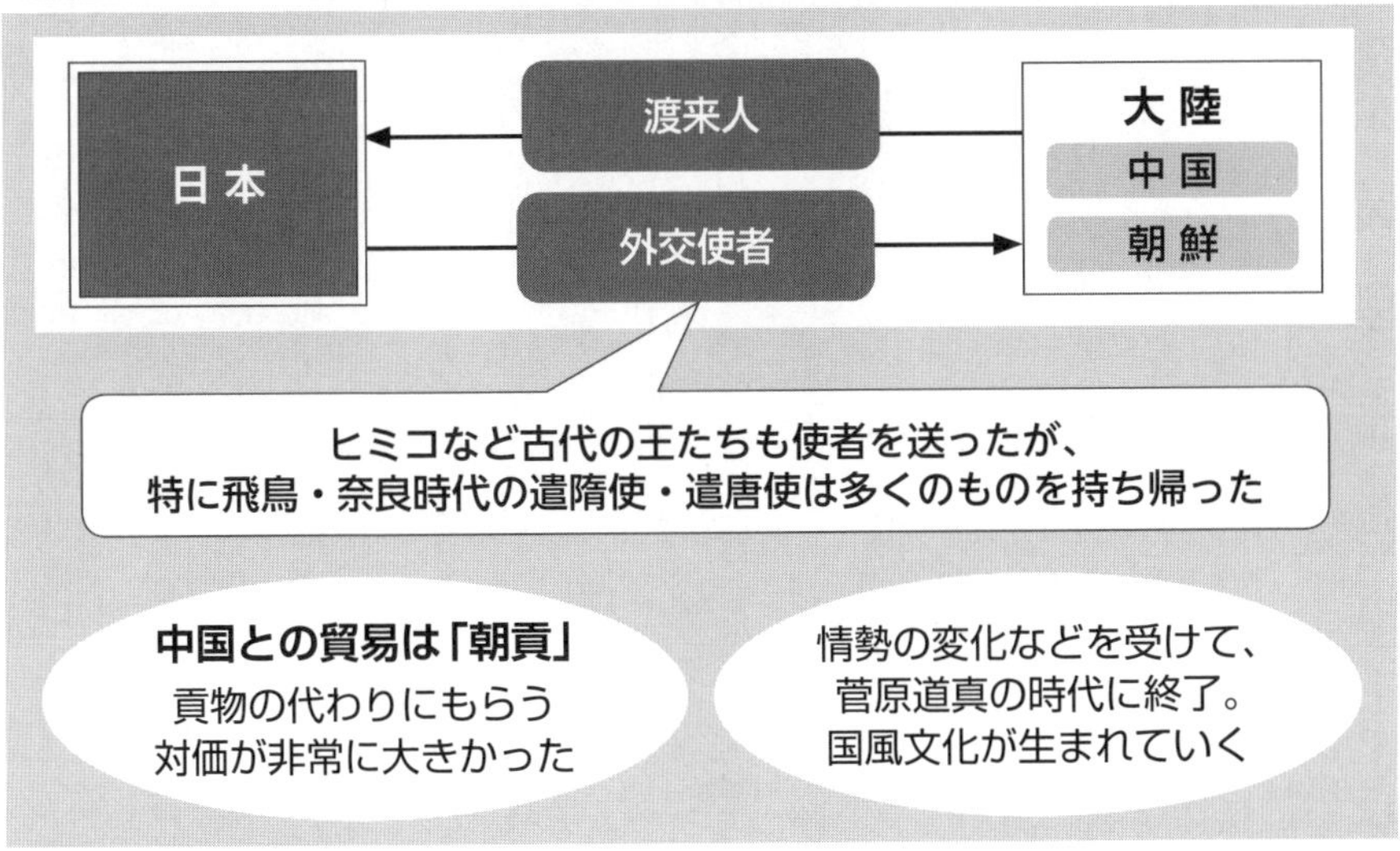
日本
渡来人
外交使者
大陸
中国
朝鮮
ヒミコなど古代の王たちも使者を送ったが、
特に飛鳥・奈良時代の遣隋使・遣唐使は多くのものを持ち帰った
中国との貿易は「朝貢」
貢物の代わりにもらう
対価が非常に大きかった
情勢の変化などを受けて、
菅原道真の時代に終了。
国風文化が生まれていく

を前提に、日本（を始めとする使者を送った国）は貢ぎ物を差し出し、中国の側は贈り物を下げ渡す、というものだ。この時、交換する物品の価値はたいてい中国側の方が高い。それによって上位者の位を示しているわけだが、流石に中国側に負担が大きく、回数を制限することもあったという。

遣隋使・遣唐使は中国の制度や文化を日本に取り入れるために重要なものであった。日本は国家を形成する上で中国王朝を模倣しようとしたのだ。それは制度や都の建造に大きく生かされている。

その後、八三八年を最後に朝廷の財政難や唐の衰退などの理由から遣唐使は中断される。しかしその一方で、平安時代前期から唐人や新羅人の商人との貿易で経済が潤い始めた。

八九四年に菅原道真が大使に任命されたが、彼は唐の情勢悪化や新羅海賊などを理由に停止を要請した。これが承認され、遣唐使は廃絶された。その役目が終わった、ということであろう。

遣唐使はおよそ二十回の任命があり、うち十六回が実際に渡海したといわれている。

神功皇后の海外遠征

ここまでは平和な外交交渉、民間の文化交流のエピソードを紹介した。しかし、国と国の関係がそれだけで終わるはずもない。戦争、対立の歴史もまたあったのである。

仲哀《ちゅうあい》天皇の皇后である神功《じんぐう》皇后はシャーマンの力を備えた巫女的女性として描かれている。『古事記』や『日本書紀』ではオキナガタラシヒメと表記されているが、ここでは神功皇后で統一する。

仲哀天皇は九州の筑紫で、朝廷に背いた熊襲国を討伐しようとした。そのため琴を弾いて神託を求めた際、皇后が「神がかり」となった。神霊が憑依することを「神がかり」という。神は「西の方に国がある。その国には金や銀などの珍しい宝物があるから、その国を服属させてあげようと思う」と言った。『日本書紀』では神は「熊襲は荒れて痩せた土地であるから、この国より勝っている新羅国を従えなさい。そのために私を祀り、お供えをしなさい」と告げた。

しかし天皇は「西に国など見えない。海が広がるばかりだ」と琴を弾くのをやめてしまった。すると神は怒って「そなたはこの国を治めるべきではない。黄泉国へまっすぐ向かいなさい」と言った。神を恐れた大臣が天皇に「琴をお弾きなさいませ」と勧めた。天皇は琴を弾き始めたが、しばらくすると琴の音が途絶え、明かりをつけると既に死んでいた。『日本書紀』では熊襲討伐に失敗し、その後急に病没したことになっている。

天皇を殯宮《ひんきゅう》に移し、大臣は再び神託を乞うた。すると神（神功皇后）は先日と同じように答えた。そして「皇后のお腹の子が国を治めるのが良い」と言った。またその子が男児であることも教えた。大臣が神に名を尋ねると「アマテラスの御心である」と言い、「本当に西の国を求めようとするならば、天津神、国津神すべてに供え物をし、私の神霊を船に祀り、海を渡りなさい」と言った。

神功皇后は神託の通りに軍勢を整えて海を渡った。魚たちは大小問わず背に船を背負って渡った。追い風が盛んに吹き、船は波に従って進んだ。その船が立てる波が新羅の国へ押し寄せて、国の半分にまで達した。

神功皇后

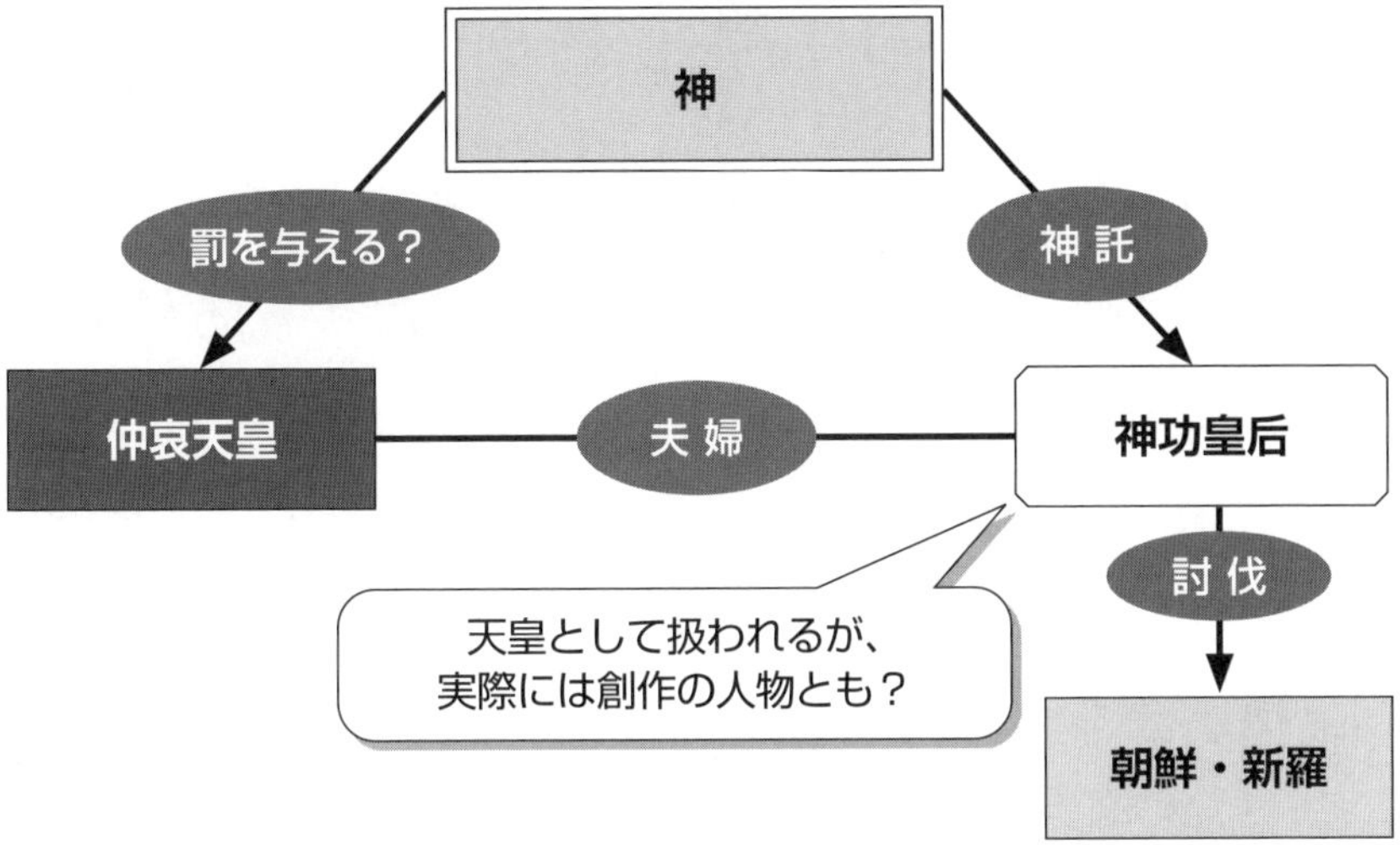
神
罰を与える？
神託
仲哀天皇
夫婦
神功皇后
討伐
天皇として扱われるが、
実際には創作の人物とも？
朝鮮・新羅

新羅の王は恐れて「天皇に従い、御馬飼となって、毎年船を並べて、船の腹が乾くことがないよう貢ぎ物をお贈りしましょう」と言った。

こうして新羅は馬飼《うまかい》、百済は屯倉《みやけ》と定めた。神功皇后は杖を新羅の王の家の門に突き立て、住吉三神を国の守護神として祀り、海を渡って帰還した。

しかし船が着く前に子が生まれそうになったので、石を裳《も》の腰につけて出産をおさえて、筑紫の国に帰ってからその子は生まれた。

四世紀末から五世紀初頭の頃、大和朝廷が朝鮮に軍隊を送り、新羅を制圧したことは史実である。しかし神功皇后が実在の人物であったかというと、疑わしいとする説が一般的であり、史実を神話化したものではないかと考えられている。

神功皇后は推古天皇を始めとする飛鳥から奈良時代にかけての女帝たちをモデルとして造られた存在ではないかといわれている。仲哀天皇が急死するエピソードも、斉明天皇が朝倉山で急死した事実が影響しているという。

『日本書紀』には神武から持統までの天皇の名をタ

イトルとした記事が存在する。その中で唯一、天皇と同様にその名をタイトルとされ、説話が書かれている稀な女性が神功皇后である。仲哀天皇亡き後、生まれた男児が天皇になるまでの称制であったためだろうが、複数の女帝たちを反映しているためとも取れはしないだろうか。なお『古事記』は神武から推古までの天皇について書かれているが、神功皇后は仲哀天皇の項に含まれている。

『日本書紀』では『古事記』には見えない神功皇后の人柄がうかがえる。新羅遠征の際、神功皇后は身重でありながら斧鉞《おのまさかり》を持って兵士たちに「敵が少なくても侮ってはいけない。敵が多くてもくじけてはいけない。暴力で婦女を犯すのを許してはならない。自ら降参する者を殺してはいけない。戦いに勝てば必ず褒美がある。逃げる者には処罰がある」と言った。そして降伏した新羅王を殺そうと言う者があった時も「神の教えによって国を授かろうとしているのである。降伏を申し出ている者を殺してはいけない」と言った。斧鉞を手にするあたりは男勝りともとれるが、慈悲深さや婦女に言及しているところはまさに女性らしいといえるだろう。

混迷する東アジア情勢と日本の動き

東アジアの世情不安が日本の政治を大きく左右していたこともある。それは六世紀から七世紀にかけてのことだ。

この頃、中国では漢の滅亡から三国時代を経て長く続いていた戦乱の時代が隋の出現によってようやく収まり、かと思いきや隋がわずか二代で滅んで唐が立っていた。一方の朝鮮では、日本が長く影響力を持っていた任那《みまな》（あるいは加羅《から》）が滅亡し、北の高句麗、西の百済、東の新羅の三国が睨み合う状態だった。唐はこのうち高句麗を一度攻撃している。

これらは海を隔てた大陸の話とはいえ、いつ日本にとっても余波が及ぶか分からない。実際、任那が滅んだことで大陸への影響力は低下していたのだ。さらなる情勢の変化に備えて、国内の状況を整えなければならない——中大兄皇子が当時の政府を牛耳っていた蘇我一族を打倒し、「大化の改新」と呼ばれる政治改革を始めた背景には、そのような焦りがあったともされ

白村江の戦い

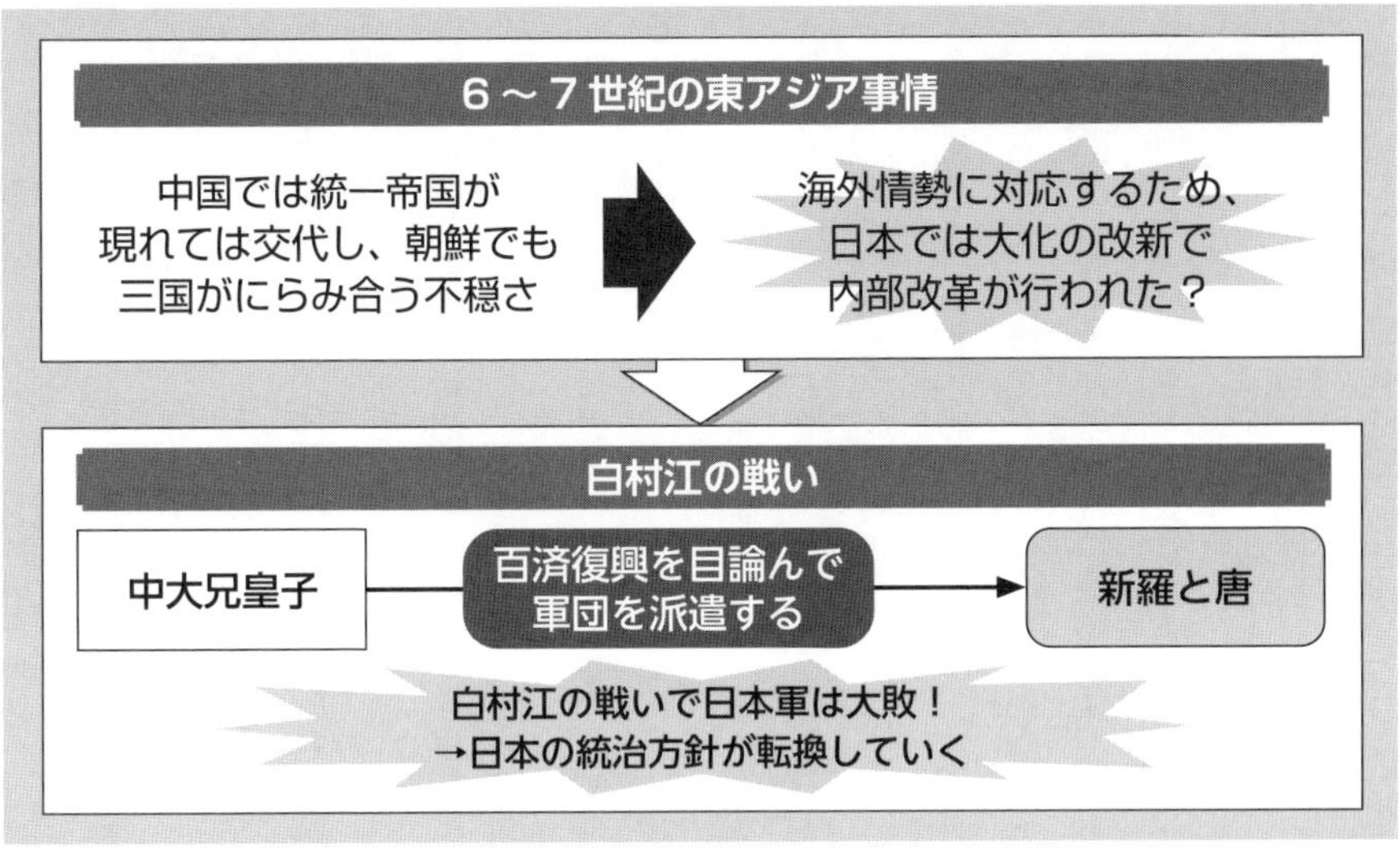
6～7世紀の東アジア事情
中国では統一帝国が現れては交代し、朝鮮でも三国がにらみ合う不穏さ
海外情勢に対応するため、日本では大化の改新で内部改革が行われた？
白村江の戦い
中大兄皇子
百済復興を目論んで軍団を派遣する
新羅と唐
白村江の戦いで日本軍は大敗！
→日本の統治方針が転換していく

ている。幕末期、列強諸国のアジア進出に危機感を覚えた諸藩と志士たちによって革命が起き、明治維新が成立したことと似た構図と言えるかもしれない。

中大兄皇子らの危機感は、比較的日本と交流が深かった百済が、唐と新羅の連合軍によって滅亡した際、頂点に達したはずだ。ついには百済復興を大義名分にして、朝鮮に大軍を送り込むことになる。だが、この時は神功皇后の時のようにはいかなかった。日本軍は白村江の地で大敗を喫するのである。やがて高句麗も滅ぼされ、朝鮮は唐の影響下にある新羅によって統一される時代を迎える。

一方、完全に朝鮮への影響力を失った日本はどうしたか。九州に砦や山城など防衛拠点を次々と設置して新羅や唐による侵攻に備える一方で、盛んな外交交渉によって唐との友好関係を作っていった（遣唐使もその一環と言える）。律令を整備して中央集権的国家を作っていったのも、旧来の国家体制ではいざという時に対応できないことを懸念したからであったろう。世界情勢は日本の歴史にも大きな影響を与えていたことが分かってもらえるのではないか。

コラム(2)「古事記と日本書紀」

『古事記』と『日本書紀』。あわせて「記紀」と呼ばれるこの二つの書は、ほぼ同時期に書かれた日本の歴史書である。日本の神話や古代史について触れる時には真っ先にこの二冊の名前が挙がる。しかし、人によっては「なぜ似たような時期に同種の本が作られたのか」と思うかもしれない。

この二冊はセットのように見られがちだし、内容にも被っているところは多いのだが、一方で違っているところもかなりある（詳しくは前述）。そのような違いはなぜ生まれたのか。そもそも、それぞれはどのように成立したのか。このコラムで紹介する。

『古事記』は語り部の稗田阿礼《ひえだのあれ》が暗記していた内容を七一一年から翌年にかけて、役人の太安万侶《おおのやすまろ》らが取りまとめたものだ。もともとの内容はといえば、諸家に伝わる歴史がバラバラであることから天武天皇がまとめ、整理したものであるという。神話時代の上巻、神武天皇から始まるまだ神話の匂いが残る中巻、そして推古天皇に終わる歴史時代を書いた下巻に分かれる。

対する『日本書紀』は舎人親王《とねりしんのう》によって七二〇年に完成したものだ。いつ頃作り始められたかは定かではないが、これもまた天武天皇の頃を始まりとする見方もある。全三十巻のうち最初の二巻が神話時代で、以後各天皇ごとに区切りながら歴史を追い、持統天皇時代までを記す。

神話的、物語的な性質が強い『古事記』は天皇家のルーツを語ろうとする本とされ、その背景には天武天皇が壬申の乱で甥と天皇の座をめぐって戦ったことがあると考えられている。己の正当性のため、改めて天皇家の歴史を整理する必要があったわけだ。そのためか、『古事記』は長く注目されることなく、表舞台に出るには江戸時代、国文学者本居宣長《もとおりのりなが》による研究を待たねばならなかった。一方、『日本書紀』は律令国家・日本のフォーマルな歴史として作られたものであり、こちらこそが長く主流として受け継がれていく。

このような性質の違いを意識しながら両者を読み比べると、気づくことは多いのではないか。

第二章
古代日本の人々

縄文、弥生、古墳、飛鳥、奈良、そして平安。古代日本の各時代を生きた人々はどう暮らしたのか。そこにどんな思いがあり、どんな常識があり、どんな生活があったのか。それらをしっかりと知ることは、あなたの作品に生き生きとした魅力を持たせることに他ならない。彼らの暮らしを想像してみてほしい。

⑬文化、暮らし、技術、道具①古墳時代

地に足の着いた人間たちを主役とする生き生きとした物語を作りたいなら、どうしても「彼らはどのように暮らしているのか」を描かないわけにはいかない。そのためには、彼らの食べ物、着物、住居、普段使う道具なども重要だ。

　この項では古墳時代を中心に、そこに至る縄文・弥生の各時代にも目を配りながら、創作に役立ちそうな情報を押さえていきたい。

古墳

　古墳時代とは主に前方後円墳が盛んに作られた時代を指し、三世紀末頃から七世紀頃までのことをいう。弥生時代とも重なる。

　奈良時代及び平安時代の一部にも古墳は作られたが、時代区分としてはそれらと分けられているのは先に述べた通りである。

　古墳は既に紹介した通り、豪族が作り上げた墓だ。こんもりとした丘のような形をしており（「墳」という言葉に「土を盛り上げた墓」の意味がある）、その大きさが彼らの威厳を示したものとされる。また、墓の中に遺骸と一緒に収められた副葬品もまた、彼らの強さ豊かを示したことであろう。

　形は種々さまざまで、もっとも有名な鍵穴型の「前方後円墳」だけでなく、「方墳」「円墳」「帆立貝形古墳」「前方後方墳」などがある。これらの形は地域や時代による流行り廃りがあったようで、中には土を盛り上げず台地に横穴を掘るなどして作る「地下式古墳」「横穴墓」などもあった。

　かつての古墳は土が綺麗に整地され、土の流出を防ぐために石が置かれ、また焼き物の埴輪《はにわ》などもずらっと並べられて、見るからに神聖な場所だと分かるものだったと思われる。

　だが、時を経た今の古墳はそうではない。有名な仁《にん》徳天皇陵古墳《とくてんのうりょうこふん》（大仙陵古墳《だいせんりょうこふん》）のように保護されている

古墳とは

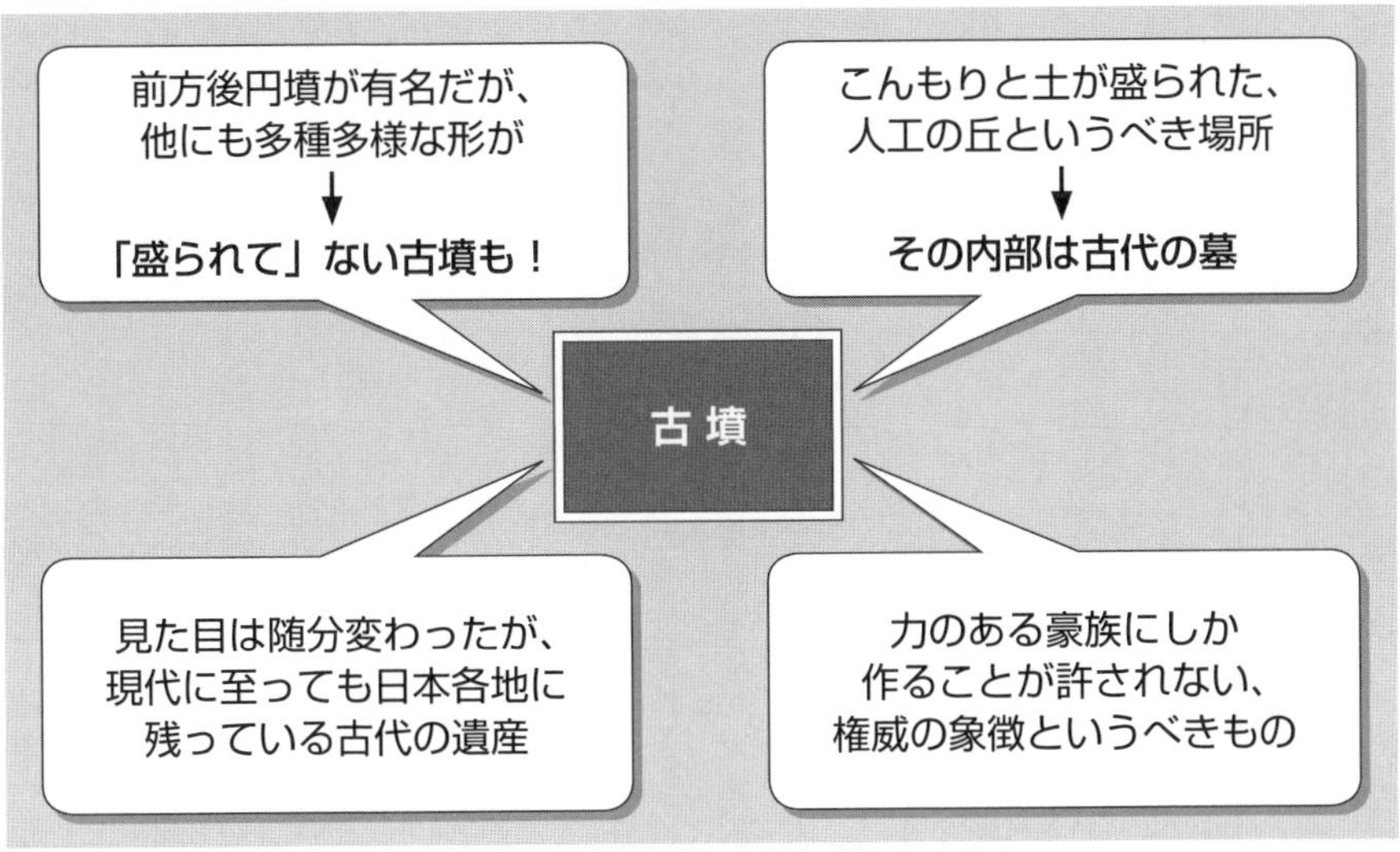
前方後円墳が有名だが、
他にも多種多様な形が
「盛られて」ない古墳も！
こんもりと土が盛られた、
人工の丘というべき場所
その内部は古代の墓
古墳
見た目は随分変わったが、
現代に至っても日本各地に
残っている古代の遺産
力のある豪族にしか
作ることが許されない、
権威の象徴というべきもの

ところは緑の丘のようになっている。古墳であることを忘れ去られ、ただの丘のようになっているところももしかしたらまだあるかもしれない。しかし間違いないのは、古墳は「土を使った構造物」というその性質ゆえ、壊れにくく、時を経て今なお残っている古代の遺物でもある。

――もしかしたら、神秘の力を今なお残している古墳も、この世界のどこかにあるのかもしれない。それは古墳そのものの力なのか？　あるいはその内部に眠る死者か、副葬品の力なのか？　古墳で秘められた力に出会ってしまった人はどうなるのか？　想像力を刺激するアイディアが浮かんでくるのではないか。

縄文、弥生、古墳の衣服

この時代の衣服はどうだったのか。

縄文人は獣皮や鮭の皮などを衣にしたと言われてきたが、一方で植物を織って布にする技術があったとも考えられてきている。「いうほど野蛮でも無知でもなかったのでは」というのは近年の縄文時代研究で見えてきたことで、興味があれば是非調べてほしい。

これが弥生時代になると苧《からむし》や大麻《たいま》などの繊維を布にし、衣服としたことがはっきりと分かっている。ただ、衣服の形は現在私たちが身につけている複雑なものではなく、貫頭衣と呼ばれるもっとも単純な形だった。一枚の布を二つに折って首を通す穴を開けたものだとも、二枚の布を折って首の穴があるよう縫い合わせたものだともいう。つまり、大きな袋のようなものだ。

古墳時代になると、「衣」という上着に、男性なら袴（現代でいう乗馬ズボンに似ている）、女性なら裳（スカートに近い構造）を穿く基本スタイルが確立する。この組み合わせは古代どころか室町時代、つまり中世の終わりまでほとんど変化しなかった。

食生活

稲作の始まりは以前は弥生時代と考えられていたが、近年は縄文時代後期であるとされるようになってきた。

そこで作られていた米は現代の米とは異なり、赤米という玄米の種皮に赤い色素を持つ米だった。古代米ともいう。これを蒸して食べた（強飯《こわいい》）か、木の実などを混ぜて雑炊のように食していたと考えられている。その他、麦、アワ、ヒエ、大豆などの穀物類や果樹なども日本に入ってきていた。

近代に至るまで日本人が肉類を好まなかったのは有名だが、この頃はまだ肉を食べる習慣があった。獣なら鹿、猪、兎、鳥なら雉《きじ》、山鳥、鶉《うずら》などを狩り、その肉を食べていた。獣肉の調理法は塩焼き、膾《なます》（生肉の細切りを酢で調味）、そして保存食の干し肉だ。

牛や馬などはいなかったと『魏志倭人伝』にはある。地域により種類は違いつつ鶏や豚などの家畜は存在したようであるが、食用ではなく神聖な動物として扱われたようだ。

主菜は魚である。海や川にいる魚介類は今の時代とそれほど変わらない。鯛《たい》、鯖《さば》、鯵《あじ》など海の魚や、鮎《あゆ》、鮒《ふな》、鯉《こい》など川や湖の魚である。鮑《あわび》、栄螺《さざえ》、蛤《はまぐり》など貝類も喜ばれた。これらを煮たり、焼いたり、膾《なます》にしたりして食べる。

植物はワカメのような海藻や、大根や真桑瓜《まくわうり》のような野菜、それから数々の山菜である。興味深いものは里芋で、これは米が伝来する前の日本人の主食であっ

縄文・弥生・古墳の衣食住

衣服

縄文は獣や魚の皮、さらに繊維の布も → 弥生になると布による貫頭衣に → 古墳時代に上下の服が登場

食事

魚がメインだが、肉もこの時代は盛んに食べていた
→縄文時代後期には既に米が入ってきていた

住居

庶民の家
竪穴式住居にかまどがつくように

豪族の家
二階建て式住居も

たという。

調味料といえばまず塩だ。藻塩といって、岩塩の採れない日本では海藻を使って作る塩が基本だが、これは大変な重労働であった。現在の醤油や味噌に繋がる醤（さまざまな素材の塩漬けから取られる調味料）も弥生時代には日本に入ってきて、どこかの時点で国内でも作られるようになった。特に魚醤などは、自然発生的に作られるようになった可能性が高い。

そして、いつの時代も人は酒を飲む。もっとも古い酒は木の洞で果実が発酵してできた自然の酒だといい、古代の人々は果実酒も飲んだ。

また、氷室で冬の間に作った氷を保存する技術は既にあったので、「夏の暑い頃に氷を浮かべた酒（水酒）を飲む」楽しみもあった――ただし、これは大王（天皇）のような特別な人だけのものだが。

面白いところでは神聖な酒として「口噛み酒」がある。穀物を口で噛み、発酵させ、酒にするのだ。雑菌が入ると失敗する（そのメカニズムは知らずとも、ちゃんと作れない時があるのは分かっていた）から、清浄な環境で作らなければならない……ということで、

年若い巫女が口噛み酒を作った。

豪族の住居

縄文時代の人々は主に竪穴式住居に住み、集落を形成していた。弥生時代になるとそれがさらに発展し、稲作の伝来によって上下関係がより明確になっていったと考えられている。村を治める豪族の住居も、一般の村人とは異なるものだった。

群馬県に三ツ寺遺跡という、五世紀頃の豪族の館跡がある。この土地は八十六メートル四方の正方形の敷地で、周りを深さ四メートルもある濠《ほり》が囲んでいた。その幅は最長で三十メートルもあったという。敷地の斜面は葺石で覆われ、柵が三重に作られていた。これは外敵を意識してのことだろうか。敷地内は日常生活を営む区画と、政治や祭祀を行う区画とに分かれていた。

村人たちは濠の外側、敷地の周辺に家を建てて住んでいたようだ。豪族と村人との明確な身分の差があったことをうかがわせる。

またこの近くには前方後円墳もあり、村を治めた豪族が葬られたと考えられている。

古墳時代の住居は、縄文時代と同じく竪穴式住居か、低い壁のある壁立式竪穴住居であった。ただしそれまでと違うのは、屋内にかまどを取り付けるようになったということである。煙を屋外に出すための煙道も作られていた。

豪族の屋敷では二階建ての大型住居も造られていたと考えられている。

道具

稲作に欠かせない農具は朝鮮を渡って日本に伝来した。例えば鋤《すき》や鍬《くわ》はこの頃から既にある。形は現在の物とそれほど変わらない。多くは木製だったようだが、鉄の刃先をつけた物もあった。また田んぼで足が沈まないように、田下駄というものも履いている。

収穫には石包丁という穂を摘み取るための半月型の道具と、稲を刈り取る鎌が使われていた。

脱穀や精米作業に活躍したのが竪杵《たてぎね》と竪臼《たてうす》である。竪杵は現代の私たちがイメージするL字型の物ではなくI字型の物だ。これは弥生・古墳時代に限らず中・

さまざまな道具の流入

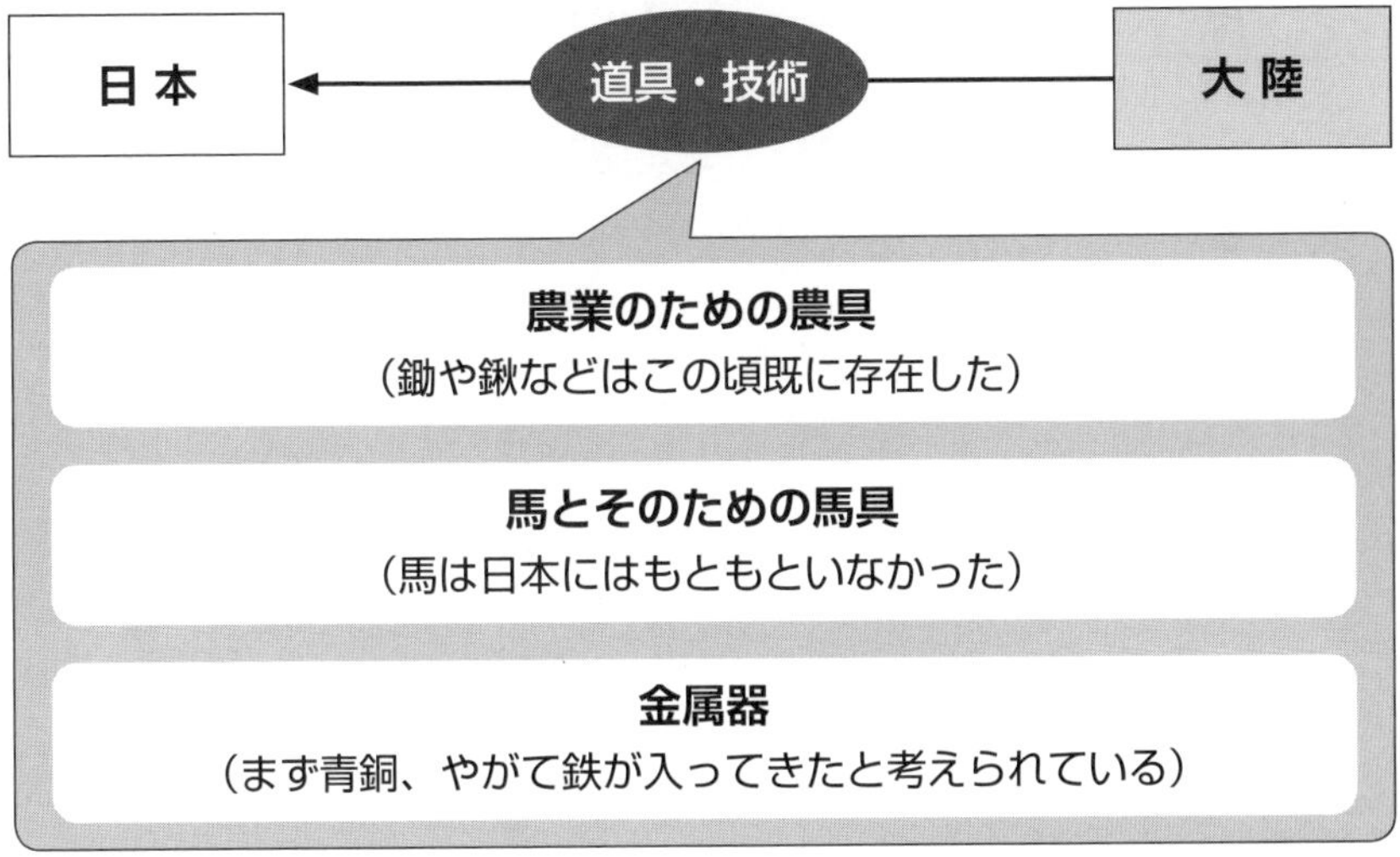
日本
道具・技術
大陸
農業のための農具
（鋤や鍬などはこの頃既に存在した）
馬とそのための馬具
（馬は日本にはもともといなかった）
金属器
（まず青銅、やがて鉄が入ってきたと考えられている）

近世まで一般的に使われていた。

土器には鉢や瓶など、既にさまざまな形があり、用途によって使用法が違った。

金属器

日本では弥生時代から青銅器と鉄器が使われていた。世界では石器→青銅器→鉄器と変遷していくパターンが多かったが、日本では青銅器と鉄器は併用されていたようである。

石や青銅の武器も出土しているが、銅鐸などの祭具、装身具や装飾品になっていき、鉄器は斧や鎌などの工具や農具、剣や矛《ほこ》（槍よりも前に存在した長柄の武器）、矢の鏃《やじり》などの武器に使用されるようになっていった。青銅器と鉄器は明確に使い分けられるようになっていたのである。

五世紀頃の古墳からは鉄器が大量に出土しているものがあり、鉄器の生産が各地で飛躍的に広まったと考えられる。

防具は「短甲《たんこう》」と呼ばれる胴体を守る鎧（当初は植物や獣の皮などを使い、やがて鉄製へ）や、小札《こざね》という金属板をつなぎ合わせて作った「挂甲《けいこう》」が使われ、これらは続く飛鳥・奈良時代まで現役だったらしい。

なお、古代においてはこれらの甲冑を作る甲冑師と呼ばれる職人たちは当初豪族の、のちには国家に従う集団としてまとめられ、その技術が流出しないようにされていたようだ。個人の勝手な所持は許されなかったというから、武器以上に防具は「戦争のための道具＝兵器」と見られていたのではないか。古代日本的世界を舞台に不穏な雰囲気を演出したい時は、甲冑をひそかに隠している男などを出すといいかもしれない。

変わった武器として、石上神宮に伝わる「七支刀《しちしとう》」がある。『日本書紀』の神功皇后関連の記述にも百済からの貢物として登場するこの剣は、非常に奇妙な形をしている。刀身の左右から三本ずつ、あわせて六本の枝刃が伸びているのだ。実用的なものというよりは、儀式的なものであろうか。

馬具・馬術・装飾の伝来

朝鮮の高句麗は騎馬民族国家で、早くから馬を飼い、農耕や軍事などに用いてきた。四世紀には馬具も使われていた。

それらが日本に伝来するのは四世紀末頃である。朝鮮半島南部を経て、馬具と乗馬の技術が伝わってきた。初期の馬具は輸入品であったが、くつわや鞍などは日本でも製作が可能だった。日本で馬具が本格的に作られるようになったのは五世紀後半頃だった。

その馬具を身にまとう馬もまた、当初は輸入によって導入されたのである。見たこともない動物を馴らし、その性質を理解し、乗りこなすのには多大な苦労があったことであろう。

この頃、刀剣などの装飾法でも発展が見られる。他の多くの技術と同じように渡来人によって鍍金《めっき》の技法が広まり、六世紀には金環などの品々が鍍金技法で作られるようになる。きらびやかな装飾品の製作が可能になったのだ。

特にこの時代から平安時代まで使われた武器である「環頭大刀《かんとうだち》」は金で装飾をしたきらびやかなもので、戦いで使う実用品というよりは軍団を指揮する人が持つものであった。その輝きによって大いに持ち主の威厳を示したことであろう。

⑭文化、暮らし、技術、道具②飛鳥〜奈良時代

飛鳥時代〜奈良時代

都がほぼ飛鳥（奈良県明日香村）にあった時代を飛鳥時代という。ただしこの期間をどう定義するかは諸説ある。広い意味では推古天皇が即位した五九二年から平城京に遷都した七一〇年までの百十八年間を指す。仏教が伝来し、日本初の女帝・推古天皇やその摂政・聖徳太子らが活躍した時代である。

その後、都が平城京にあった時代を奈良時代という。これも定義づけについては、考え方によってやや変動する。平城京を都とする時代のみ区切ると遷都の七一〇年からとなるが、大宝律令の施行（七〇一年）をもって奈良時代の開始とする説もある。終期についても、平安京遷都の七九四年とする説や、皇位が天武天皇系統から天智天皇系統に移った点を重視する説がある。この説ならば、天智天皇の孫で桓武天皇の父にあたる光仁天皇が即位した七七〇年までとなる。

飛鳥文化、白鳳文化、天平文化

飛鳥時代から奈良時代にかけては、三つの区切りでそれぞれ独自の特徴を持つ文化が花開いた。ただ共通する部分が非常に多く、そして仏教の存在感が大きいことが特徴だろう。

まずは飛鳥時代の飛鳥文化。この時期の特徴はなんといっても仏教の需要である。蘇我氏らが受け入れて守ってきた仏教文化が国家のものとなり、法隆寺のような寺院建築、またそこに収めるための仏教彫刻や工芸などが盛んになった。

続く白鳳文化は七世紀から八世紀にかけて盛んになった文化で、引き続き中国からの影響が強い。遣唐使によって持ち込まれた中国文化、特に仏教とこれに関係する文化が花開いたのである。ただ一方で『古事記』『日本書紀』、そしてのちの『万葉集』にも収録された和歌など、日本独自の文化がしっかりと育ってい

たことも見逃せない。

そして八世紀の天平文化においてはいよいよ『万葉集』が成立する。白鳳文化と天平文化は時期が非常に近く区分が難しいようだが、特徴としては白鳳文化が清新とされるのに対し、安定した律令制度のもとで平城京の貴族たちが豊かな生活を暮らすことで生まれた天平文化は壮大さ、華やかさが特徴であるように思われる。また海外との結びつきはさらに盛んで、正倉院《しょうそういん》宝物として蓄えられた品々には中国だけでなくアジア各地の影響を感じることができる。

これらの時代は海外からの影響が強く、和風といっても日本のものだけにこだわる必要はないのである。

暦《こよみ》の使用

日本に暦が入ってきたのは六世紀中頃といわれている。飛鳥時代に入る少し前のことだ。中国の暦が朝鮮を経由して日本にもたらされた。暦を作るには天文知識や複雑な計算などが必要であり、当初は朝鮮の技術者を交代で招いていた。

現代では世界で統一されている暦だが、当時はそういうわけにはいかなかった。暦を作るほどの高度な技術は日本にはなく、江戸時代になるまで日本では中国の暦法が使用されていた。

その中国でも暦法がずっと変わらなかったかというとそうではない。技術は進化していき、暦法も次々に変わっていった。中国の暦法を使っていた朝鮮や日本も、中国に合わせて新しい暦法に切り替えていた。八六二年に切り替わった「宣明暦《せんみょうれき》」が江戸時代まで長く使われることとなった。

暦の使用は同じ日付を使って仕事をすることが目的であり、組織や官僚制が発達する中で必要となってきたものだった。暦の切り替えも容易なものではない。それでも敢えて統一したものを使用させることは、支配体制を確立するために必要なことであった。

時計の導入

日本で時計が導入されたのは六七一年のことだった。暦が統一されると、次は時刻が分からないと不便である。それまでは日時計などを使っていたとみられているが、これは天気にも季節にも左右される。

飛鳥・奈良時代のいろいろな文化

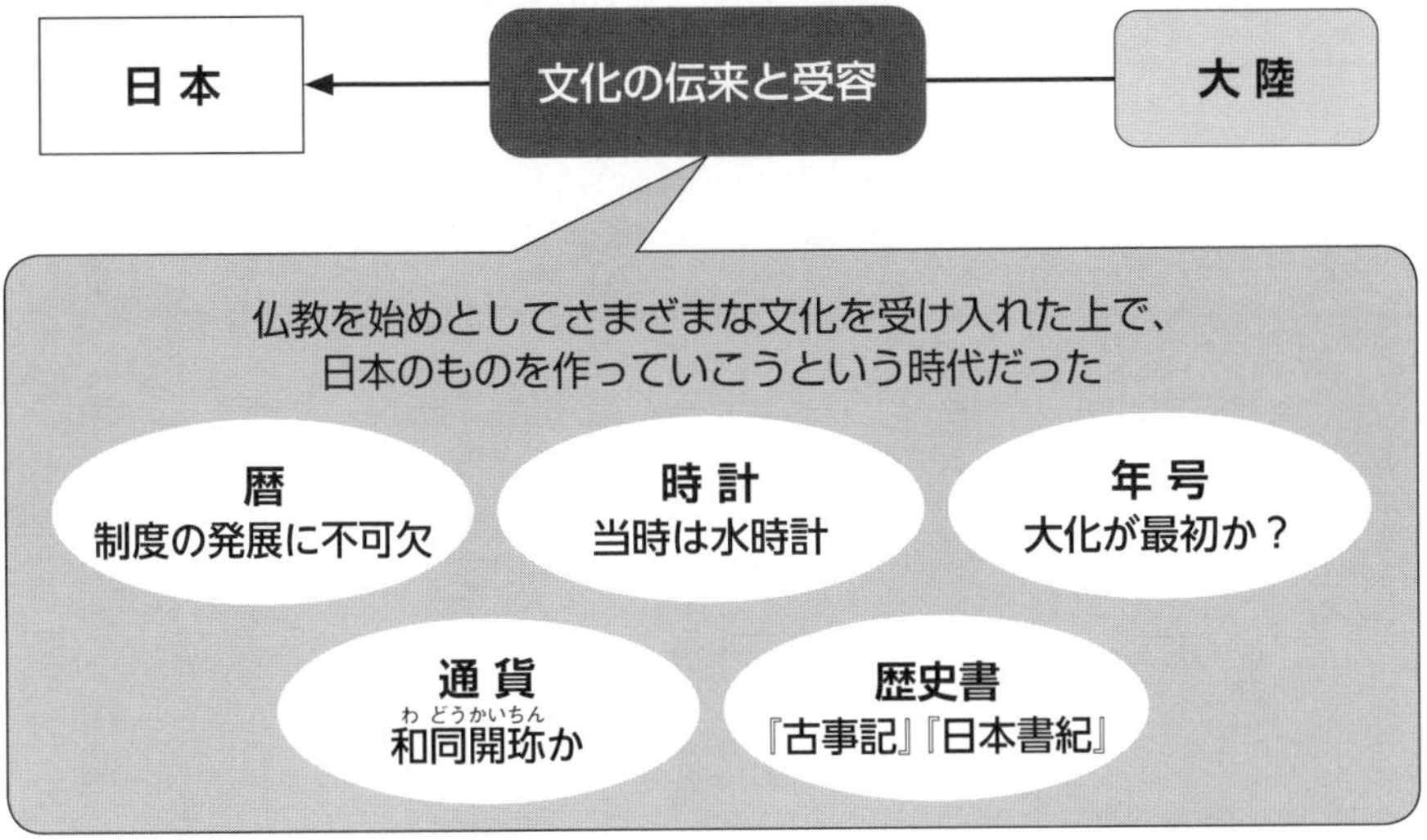
日本
文化の伝来と受容
大陸
仏教を始めとしてさまざまな文化を受け入れた上で、
日本のものを作っていこうという時代だった
暦
制度の発展に不可欠
時計
当時は水時計
年号
大化が最初か？
通貨
和同開珎《わどうかいちん》か
歴史書
『古事記』『日本書紀』

もちろん、現代のような針を持った時計ではない。『日本書紀』には「漏刻《ろうこく》」という水時計の導入が記録されている。水が漏れる速度を一定にし、水が溜まる時間で時を計るのである。漏刻によって計測した時間を、鐘や鼓などを打って知らせた。当時の鐘や鼓の打ち方は残念ながら不明であるが、時刻を知らせる手段として「音」が有用だったのは間違いない。

年号

七〇一年に対馬から日本で初めて金が採掘され、これが朝廷に献上された。この素晴らしい宝物にちなんで大宝元年とされた。これが我が国初の年号の使用である。

それ以前にも『日本書紀』には年号が記されている。有名な歴史的大事件「大化の改新」の「大化」も年号だ。しかし「大宝」より前の年号が実際に施行されていたかというと、信頼に足る史料はない。「大宝」以後の年号は、それが記された当時の文書が発見されている。全国的に年号が使われるようになったのは七〇一年の大宝元年以降と考えるのが妥当なのである。

以後年号制度は続いてきたが、四文字になったり、頻出単語があったり、一世一元（天皇がやめるまで改元しない）になったり、と変化も多い。過去の人々が年号に込めた思いを考えてみるのも面白いだろう。

和同開珎の発行

七〇八年に発行されたのが和同開珎《わどうかいちん》である。武蔵国秩父郡（埼玉県秩父市）から和銅（精錬を必要としない銅）が献上され、銀銭と銅銭が発行された。元号も「和銅」に改められた。この銭貨の流通は、のちの平城京遷都の経費を捻出するためであった。

それまで富本銭《ふほんせん》や無文銀銭《むもんぎんせん》という貨幣が使われていたことがあった。しかし広く流通していたかは疑問が残る。和同開珎発行によって銅銭時代が始まったとみることができ、流通貨幣としては和同開珎が最古のものであるという見方もできる。

歴史書

本書でもたびたび取り上げてきた『古事記』『日本書紀』だが、この時代に編纂されたものである。『日本書紀』は当時は『日本紀』と呼ばれていた。

また、この二つと並んでしばしば取り上げられるのが『風土記《ふどき》』である。各地方の動植物や鉱物、土地の言われなどについて取りまとめたもので、奈良時代に成立した（ただし、この名が定着したのは平安時代以降のこと）。残念ながらそのほとんどが失われ、完全に残っているのは『出雲国風土記』のみ。しかし他にもいくつかの『風土記』は断片的ながら現代に伝わっており、興味深い記事を読むことでインスピレーションが得られるだろう。

ちなみにこの当時、紙と木簡《もっかん》が併用されていた。正式な書類は紙だったが、すべての文書に紙を使うほど量産されていたわけではない。木簡もまだまだ現役だった。とはいえ木簡が必ずしも紙の代用品であったわけではない。野外での記録作業や長期間にわたる掲示などの場合には耐性の強い木のほうが扱いやすい。木と紙は用途によって使い分けられていた。

武具

武具の発展はどうか。おおむね古墳時代とそう変わらないが、中国の影響を受けて奈良時代にはいくつか特徴的なものが現れている。

例えば、弩《いしゆみ》だ。弓の一種で、機械仕掛けによって太い矢を人間にはできないような強い力を持って飛ばす武器である。中国では古くから盛んに使われ、ヨーロッパにも中世になって持ち込まれて「非人道的だからキリスト教徒相手に使ってはいけない」とされたほどに強力な武器だった（クロスボウ・ボウガンとも）。

日本にも奈良時代に持ち込まれて使われたが、まもなく廃れてしまった。取り回しの悪さ、連射の難しさなどが、馬に乗って移動しつつ弓を撃つ武士らに好まれなかったせいだろうか。また、律令制が崩壊する中で、高価で作るのも大変な弩を維持できる勢力がいなくなったこともあったかもしれない。

甲冑においてはやはり奈良時代に「綿襖甲《めんおうこう》」が好んで使われた。これは桂甲とほぼ同じものだが、材質が違う。綿、つまり布でできた鎧なのだ。役に立つのかと思うが、打撃や弓矢にはかなり効果的だったらしい。その上軽くて暖かい。蝦夷征伐のため東北へ出陣する兵士たちにはさぞ喜ばれたのではないか。もちろん、金属よりも素材が安いのでたくさん揃えるのに便利だった。

食生活

当時の食事は一日に朝夕の二回というのが基本だった。この間にとる食事を「間食」と呼び、現代の昼食にあたる。間食は厳しい労働に従事する者たちへの支給として始まったものだった。電気などのない時代だから夕食も日暮れ頃かそれより早い時間にとっていただろうが、やはり肉体労働をする者にとって間食（昼食）がないのは、体力的に無理があっただろう。

庶民の食事は主食と一汁一菜程度であったと考えられている。下級役人で一汁三菜程度だったのに対し、貴族は数種類のおかずが膳に並んだ。

主食は米の他に小麦、ヒエやアワなどの雑穀を混ぜていた。貴族たちは精米済みの白米を食べていたようだが、庶民は玄米を食べていた。赤米はまだ作られてはいたものの、既に一般的な米に主役の座を奪われていたようだ。

食材の変化としては、いよいよ肉をあまり食べなくなってきたことがある。仏教の伝来が大きいがそれだけではない。天武天皇による牛、馬、犬、猿、鶏を食べることの禁止、聖武天皇の頃の家畜を食べるために殺すことの禁止と国家による命令があったのだ。またそもそも古来の神道も儀式の際などには獣肉を避けたり、魚だけで十分日本人が生きていけたりという事情も重なって、やがて肉食を避けるようになっていったのだ。

……とはいえ実のところ、肉を食べる文化はそれなりに残ってはいた。鶏や兎などが代表的だが、猪や鹿も食べた。これらの獣肉は体に良いとされ、冬などに滋養強壮のため「薬食い」と称して食べる文化はずっと残っていた。

実は明治維新、西洋人たちが肉食文化を伝える前から、日本人はひそかに肉の味を知っていた……というお話である。

変わった食材

この時代の食材として変わったところでは「蘇《そ》」がある。これは牛乳の加工品で、つまるところはチーズだ。平安時代まで各地の牧場で作られて朝廷に納められていたが、中世に移り変わるに連れて牛の牧場もチーズも消えていってしまう。国家が維持できなくなったということでもあるし、牛より馬を育てて戦争に使おうということにもなったのだろう。また、そもそも牛乳が非常に貴重品だった（子牛を育てることを第一にしていたので、食品加工には余りしか回せなかった）こともあった。

このような乳製品のうち最上とされたのが「醍醐《だいご》」で、醍醐味という言葉のルーツになった、非常に美味しい乳製品であったらしい。チーズから自然に滲み出る脂肪を集めたものというが、作るのは非常に難しく、日本ではついに作れなかったという話さえある。

なお、江戸時代になってこの文化は復活し、将軍の徳川家斉《とくがわいえなり》は白牛酪《はくぎゅうらく》といって蘇に似たものを好んでいたという。

調味料は塩に加え、古墳時代の項でも紹介した醤がさらに発展している。魚醤、肉醤、豆醤などが使われていた。この中に「未醤」というものがあり、これが味噌になった。ちなみに、醤油は醤から滲み出た汁を

飛鳥・奈良時代の武器と食事

武器の変化・発展

弩
奈良時代に使われたが衰退

綿襖甲
布でできた軽くて暖かい鎧

食事の事情

一日二食が普通だが、
肉体労働者には間食も

肉を表向き食べなくなるが
意外に習慣として残り続ける

変わった食材
乳製品や醤、甘味料なども特殊なりに存在する

原型とするといい、その登場は室町時代の終わり頃を待たねばならない。

蔗糖《しょとう》や蜂蜜などの甘味料が日本に入ってきていた形跡もあるが、これらは貴族でもほとんど手に入らない高級品であった。

貴族たちは甘葛煎《あまづらせん》という蔓の一種から取れた汁を煮詰めた甘味料を使うことができたが、庶民には手が出せない。『万葉集』の歌から瓜や栗が子どものおやつとして食べられていたことが分かる。現代の私たちだと「それよりもお菓子がいい」などと思ってしまいそうだが、果物などの自然のものでしか甘さを味わうことができず、瓜をおやつとして楽しむのも当然のことであった。

また食べる時であるが、手づかみで食べていたと考えられている。七世紀末から八世紀初めの藤原宮では箸が出土しておらず、平城宮跡からは見つかっている。ただし庶民にはまだまだ普及していなかったようで、宮殿の外、平城京の中でも箸の出土量は少ない。八世紀末の長岡京では出土量が増えているため、貴族から庶民へと箸が広まっていったのだろう。

⑮文化、暮らし、技術、道具③平安時代

平安時代

平安時代をどう区分するかも、実は学説が分かれる。始まりは七九四年の平安京遷都とする説もあれば、七八四年の長岡京遷都時点からとする説、平安京を造営した桓武天皇の即位時点とする説もある。

終期も鎌倉幕府の成立時点とする説もあるが、一一八〇年の福原遷都、一一八三年の平家都落ち時点とする説もある。鎌倉幕府成立に至っても諸説ある。昔は「一一九二《イイクニ》作ろう鎌倉幕府」と覚えたものだが、現代では「一一八五《イイハコ》作ろう鎌倉幕府」。一一九二年は源頼朝が征夷大将軍となった年で、一一八五年は頼朝が「守護・地頭」を全国に設置した年だ。将軍となる前から実質的な日本の支配権を手にしていたという考え方から改訂されたのである。

もちろん鎌倉時代突入以後も、明治時代に東京遷都されるまで都は平安京のままであった。しかし実質的な政治の中枢は鎌倉幕府を機に京の都から離れる。

唐風文化から国風文化へ

平安時代は日本独自の文化が確立されていった時代でもある。

初期の弘仁・貞観文化（唐風文化）は漢文文学の流行や密教の需要などまだまだ海外からの影響を特色としつつ、しかしそれを消化して独自の文化を作っていこうという段階に入っていた。

そして八九四年に遣唐使が廃止されたのを機に海外文化の流入がストップし、日本独自の文化がいよいよ醸成されてくる。国風文化である。

その影響は『源氏物語』のような文化芸術の面でも多種多様に表出したが、ちょっと意外なところでも強く出た。貴族たちの服装だ。それまで宮廷服は唐風の衣装だったが、日本の気候や風土に合ったものへと変化していったのである。有名な十二単――何枚もの着

日本独自の文化へ

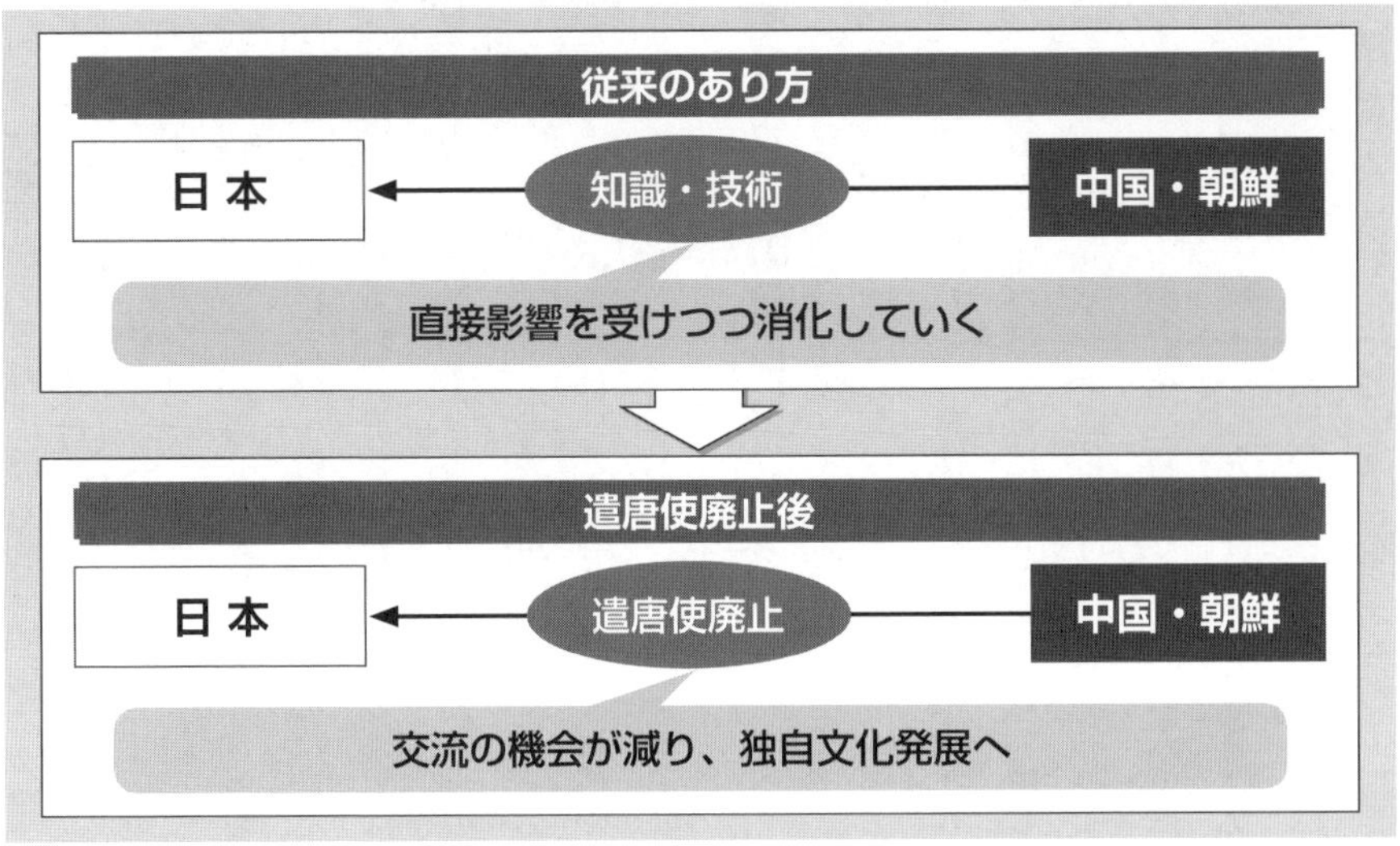
従来のあり方
日本
知識・技術
中国・朝鮮
直接影響を受けつつ消化していく
遣唐使廃止後
日本
遣唐使廃止
中国・朝鮮
交流の機会が減り、独自文化発展へ

物を着込む女性の正装衣装はこの頃確立したものだ。正しくは女房装束という。ちなみに男性の正装は衣冠《いかん》束帯《そくたい》。また略装として男性用の直衣《のうし》・狩衣《かりぎぬ》、女性用の小袿《こうちぎ》などが登場する。平安ものなどではおなじみの単語ばかりである。

不衛生な生活環境

ここからは平安時代の人々の暮らしにまつわる、さまざまな情報を紹介したい。創作の役に立つはずだ。

奈良時代には平城京の外に家を持ち、平城京へ通う官人が多く存在したが、平安京では京内と京外がさらに分離した。

朱雀大路を挟んで西を右京、東を左京といったが、右京と左京は同時に発展したわけではなかった。左京のほうがより発展しており、上流階級の邸宅は左京に集中している。その中でも北側（大内裏に近い方）が特に高級住宅街だ。右京は湿地帯が多かったためだというが、だからといって（少なくとも街の構造としては）左京に著しく劣っていたということもなかったはずだ。

平安京は衛生面はあまりよろしくない街だった。人々は側溝や道の片側で排泄したので、大雨でも降れば大変なことになった。

この時代の物語では「雨が降ったから恋人の元へ行くのをやめた」ということは一般的にあることだった。現在のように街灯があるわけでもないし、夜の外出はさぞ困難だったことだろうが、それだけではなかったはずだ。現代でも雨の日のことを「足下が悪い」とよく言うが、平安時代のそれはいろいろな意味で現代の比ではなかっただろう。

死と隣り合わせの暮らし

病人や遺体に関する問題もあった。八一三年に病気になった使用人を道ばたにうち捨てることが禁止されている。つまりそれまでは病気になった平民は治療もせず放り出されることが往々にして行われていたのだ。八九六年にも兵士に京の町を巡回させ、道の病人や孤児を施薬院や悲田院（病人や孤児のための施設）へ送ることが命じられている。飢饉や疫病に苦しむ平民は、いつの時代も存在していたということだろうか。

また遺体も必ずしも埋葬されるわけではない。もちろん当時から葬送の地というのは存在していたが、放置される遺体が少なくなかった。観光名所としても名高い鴨川に、当時は日常的に遺体が遺棄されていた。これでは街の衛生状態は悪くなる一方だったことだろう。貴族の華やかな暮らしの一方で、人々は常に死を意識して暮らしていたはずだ。

活気のある市

ただ死に怯えるばかりの暮らしではない。京の町には市が開かれ、賑わいを見せていた。都の東西に開かれたこれらは、国家が管理していた。平安時代には米を銭で買うことは一般的になっていた。貨幣が流通していたのである。

記録によると、店が扱う商品が分かるように立て札を掲げなければならず、値段を不適切なほど高額に設定すれば、役人に罰せられた。

人が多い場所に悪人もまた出入りするのは世の常であろう。「陵辱の輩」は罰せられることになっていた。これはゆすりやたかりの類のことであるらしい。

また衛府の舎人（護衛・使節などを務めた下級官人）が市に入る場合は、太刀を外さなければならなかった。衛府の舎人は勤務先の役所の権威を笠に悪事を働くことも少なくない。市での喧嘩も多かったのではないかと思われる。刃傷沙汰を防ぐために太刀を外させたとみられる。

品物は東市のほうが多かった。ここでもやはり左京のほうが栄えていたということだろうか。市ではさまざまな物が手に入ったというが、不良品や偽物の類いも出回っていた。『今昔物語集』には蛇を細かく切って干し魚として売る商人の話がある。これは芥川龍之介の『羅生門』にも登場するエピソードだ。

市は買い物をするだけでなく、刑罰の見せしめとする場でもあった。八一〇年〜八二四年以降、検非違使が都の中を取り仕切るようになったが、罪を犯した者は市に引き出され、毎年五月と一二月に鉄製の足かせを付けて獄へ送られた。市でこうして晒すことは、犯罪抑止のための見せしめだったのである。

また死に関する話をもう一つ紹介すると、一部の史料から、平安時代には死刑がなかったと考えられている。死罪に相当する罪はあったが、その場合でも遠流、つまり遠方への島流しとされたのだ。

この背景には死者の魂が怨霊になるのを恐れる御霊信仰があったとみられる。平安遷都の背景には桓武天皇の弟・早良親王の祟りという占い結果が関係しているから（後述）、怨霊をことのほか恐れたのは無理からぬことかもしれない。

とはいえ死刑制度のない古代国家というのは、世界的に見ても珍しい。死者に国家をも動かす力があったのが古代日本であったのだ。

権力の象徴としての文字

八四九年の日付が書かれた触書が石川県から出土している。決まり事や禁止事項などを書いて、農民に知らしめるために使われた掲示板のようなものである。

しかし、この時代の農民が文字を読めたとは考えにくい。これらに書かれた規則は役人たちによって口頭で農民たちに告知された。それなのに敢えて触書を立てたということは、文字の読めない農民にとって文字は権力の象徴であったと考えられている。古墳時代に銘文が刻まれた鉄拳や鏡が製作され、祭祀が行われたことを考慮すると、文字に神秘的なものを感じ取っていたのかもしれない。いずれにせよ、文字の読める・読めないで明らかな身分差が存在していたのである。

飲酒を禁じられた農民

石川県から出土した触書には、農民が好き勝手に酒・肴を食べることを禁止する項目がある。一見農民の贅沢を禁じているように見えるが、そうではない。

日本では近年まで、近くの農家が共同で田植えを行っていた。田植機などなく、人の手で植えるしかなかった時代、どうしても人手が必要だった。一家だけでは足りず、近隣の家々が協力し合っていたのである。

つまり人手を集めることが田植えの鍵となる。その人員募集のために酒肴を使うことを禁じたのが先ほどの触書なのだ。酒肴をエサにできるならば、財力のある富豪ばかりが人員を集めることができ、貧しい農民は田植えの時期を逃してしまう。それを避けるための措置で、いわば農民たちの平等を護るための規則だった。

食事の変遷

食事についてもう少し触れてみよう。米の食べ方は相変わらず蒸した強飯が主であったが、末期になって「姫飯《ひめいい》（固粥《かたがゆ》）」——炊いたご飯がいよいよ出てくる。これらはしばらく並行し、戦国時代の終わり頃にようやく炊いたご飯が主流になる。

箸はすっかり定着して、匙（スプーン）との併用であったのが、箸単体で食事を済ます、私たちにとっておなじみのスタイルになる。その一方で食事を中断する際には飯に箸を突き刺す、現代だと相当なマナー違反な行為が行われていた。

ここまでの時代以上に、貴族と庶民の食生活の差は明白だっただろう。貴族の食卓では米が高盛り（山盛り）になって出てくる。また、嗜好品の類もしばしば彼らの口に入った。清少納言が『枕草子』に「あてなるもの（上品なもの）」として「削り氷《ひ》にあまづら入れて、あたらしき金鋺《かなまり》に入れたる」を紹介しているが、これはつまり「甘い汁をかけたかき氷」のことである。もちろん、こんな贅沢ができるのは一部の貴族だけだ。

平安京の暮らしいろいろ

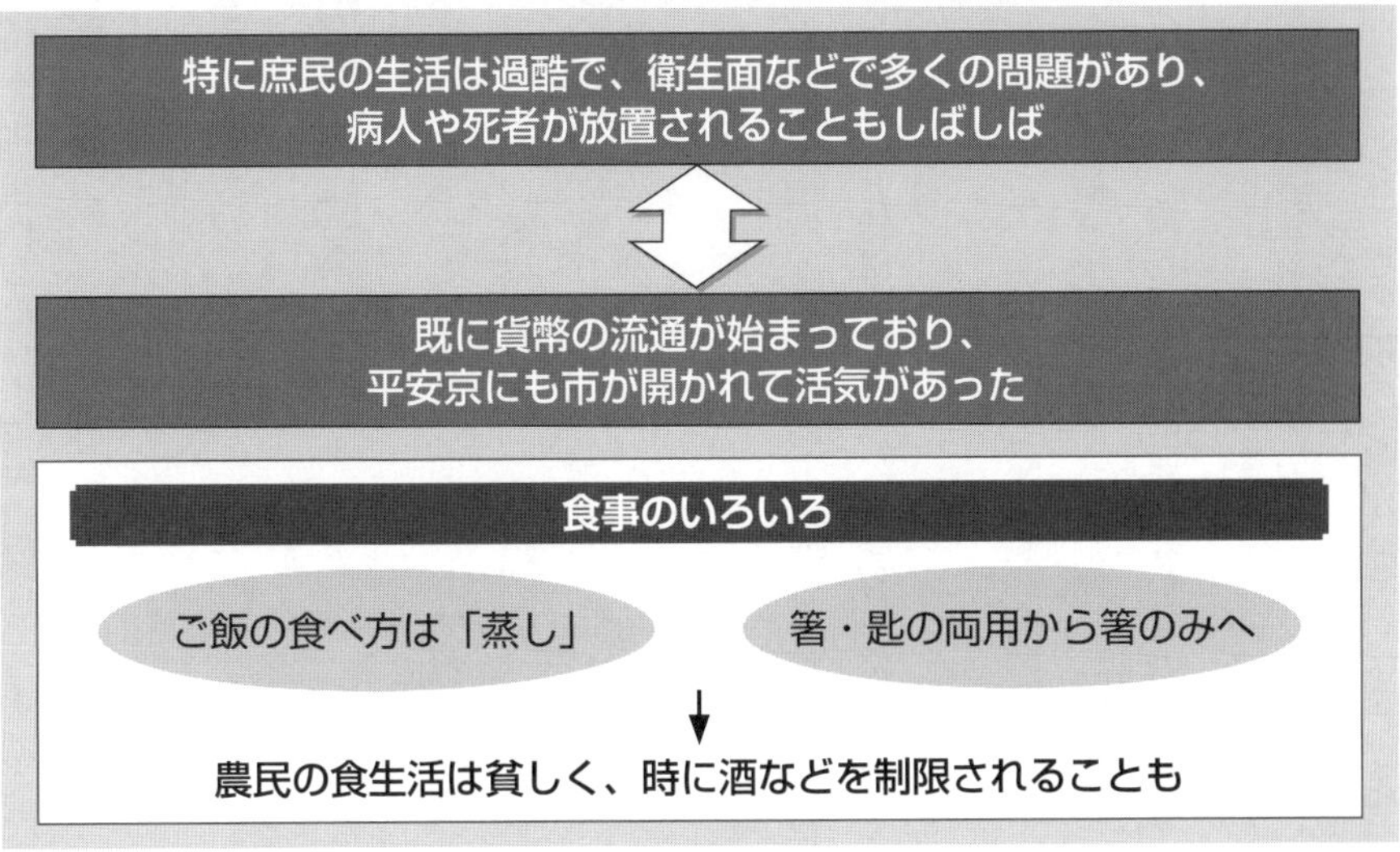
特に庶民の生活は過酷で、衛生面などで多くの問題があり、
病人や死者が放置されることもしばしば
既に貨幣の流通が始まっており、
平安京にも市が開かれて活気があった
食事のいろいろ
ご飯の食べ方は「蒸し」
箸・匙の両用から箸のみへ
農民の食生活は貧しく、時に酒などを制限されることも

褒美としての京貫《きょうかん》

『日本後紀』には京外から京内へ戸籍の移動を許されたという記述が多数見られる。京内に戸籍を持つことを京貫という。

官人として特別な功績を挙げたということが理由に書かれているため、京貫は褒賞として許されたものと考えられる。これらの大半は中下級官人である。

都に本籍を置くというのは、ある種の出世や選民意識が持たれていたということだろうか。

広すぎた朱雀大路

平安京の中央を南北に走る朱雀大路は、幅が約八十三・五メートルもあったという。

これは模範とした中国の都を真似たもので、オリジナルは百四十七メートルもあった。しかしオリジナルに及ばないとしても、この朱雀大路は平安京にとって少々広すぎる。右京と左京を分ける越えがたい境界線のように人々には思われたのではないだろうか。

平安中期には既に人もまばらだったという。しかもこの朱雀大路で耕作したり牛や馬の放牧を行うような民衆も現れたという。大きな道というのは都市計画のシンボルであっただろうが、平安時代の日本にはまだ早すぎたといえる。

武士の用いた武具

平安時代はその名とは裏腹にあちこちで紛争があった時期で、新しい武具も登場していた。

平安時代中期に現れた新しい戦士――武士が身につけていたのは、新しい甲冑であった。つまり「大鎧《おおよろい》」と「腹巻《はらまき》」である。前者は馬に乗るような裕福な武士の着る重装鎧、後者は徒歩の武士・従者が着る軽装鎧で、古来の短甲と挂甲の関係性を継承していると考えて良いだろう。

大鎧は小札という金属の板と革を組み合わせた鎧で、多彩な色の糸を使って飾り立てた（「縅《おどし》」という）非常にきらびやかな鎧だ。左右の肩には板状のパーツが付いていて、これによって矢を防いだ。日本では他の地域に見られるような手持ちの盾があまりない（実は少数ながら使われたことはある）が、それはこのように鎧の付属品になったからであった。

一方、腹巻は主に胴体を中心に守る鎧だ。小札の組み合わせであることは大鎧と同じだが、装飾はなく、胴と腰以外は守らない。それだけに非常に軽快で、白兵戦武器を持った徒歩の武士が戦場を走り回るのに便利だった。

では、武器はどうか。武士の象徴的武器だったのは弓だ。平安時代には、従来使われていた「丸木弓《まるきゆみ》」と呼ばれる木で作ったものから、そこに竹を組み合わせた「伏竹弓《ふせたけゆみ》（外側に竹を張る）」とか「三枚打弓《さんまいうちゆみ》（内側にも張る）」といった弓が登場する。このような複数の素材を組み合わせた弓を総称して合成弓といい、以後さらに発展していく。ちなみに、日本の弓の特徴は上下が対称でなく、上の部分の方が大きい。これは力学的に理想的な構造であるというが、それだけに使いこなすのは難しい。

武器としては、従来の片刃でまっすぐな直刀に対して、反りがある「太刀《たち》」が登場する。ここから世界に冠たる日本刀の歴史が始まった、といって良いだろう。ただ、江戸時代に登場していわゆる日本刀のイメージ

平安武者の武具

防具

大鎧
騎乗の武士が使う重装鎧で、
肩からのパーツが盾代わりに
なっているのが特徴

腹巻
身分が低い徒歩の武士が使う軽装鎧、
胴と腰しか守らない

武器

象徴的な武器として
「弓」があった

反りを持つ刀、
「太刀」が出現する

「槍」はまだ出現していない

石を投げる「印地打ち」

を作った「打刀」と違って馬上で使うのがメインであったため、身につけ方が違う。太刀は刃を下に、腰にぶら下げるように「佩《は》く」。対して打刀は刃を上に、帯に「差す」のである。

　長柄の武器としては、古代より続く鉾がまだ使われていた。実用武器としては平安時代初期までしか使われなかったともいうが、これを後継する「槍」の出現は鎌倉末期を待たねばならなかったので、平安武士はまだまだ鉾を使っていたはずだ。ちなみに槍とともに鉾の後継になった同種の長柄武器で、先端に槍の穂ではなく刀がついた「薙刀」は僧兵の武器として有名になった。

　ちょっと変わったところでは「印地《いんじ》打《う》ち」がある。石投げだ。石を投げて相手を攻撃するのは古来から行われていたが、平安時代頃にはある種の儀式や遊び、喧嘩としての石合戦が行われていた。これが時に戦場でも行われ、意外なほど効果を上げたのである。

　石は手を使って投げていた。棒の先端に布をつけて遠心力で振り回すような道具もあったが、戦場で使われることはなかったようだ。

⑯古代日本の価値観——祖先・輪廻・地獄・王・統治

価値観とメンタリティ

創作のために世界を作る。その重要なメリットは、細かく作り込むことで作中に登場するキャラクターのメンタリティ（精神性）を理解しやすくなることにある。メンタリティが理解できると、キャラクターの行動や判断に説得力が生まれる。彼はなぜ死を恐れずに戦うことができるのか。彼女はなぜ敵役を裏切ったのか。悪党にしか見えない主人に従い続ける理由は何か。メンタリティがはっきりしていれば、それらが分かるわけだ。それを裏付けるのは、しっかりと作り込まれた世界設定である。

本書で紹介している、さまざまな古代日本とそれに関係する要素もそのようなメンタリティを形作るためのものであるわけだが、ここではまた別の側面から踏み込んでみたい。それは古代日本の人々の価値観を左右するような、いくつかの要素である。

死者の行くところ

人は必ず死ぬ。食事、医療、事故などの関係から、古代人の寿命は現代を生きる私たちよりも確実に短いはずだ（ただし、いわゆる平均寿命を計算した時、幼いうちに死ぬ人が多いせいで実感以上に引き下げられている）。

死んだ人は、どこへ行くのだろうか。古代の人々がこの疑問を持たなかったはずがない。

古来の日本神話におけるあの世＝死者の世界＝黄泉の国は、けっして美しくも楽しくもない、黄泉醜女がいるような場所だった。この黄泉の国としばしば同一視されるのは根の堅州国＝地下世界である。死者が暗い場所にいる、というイメージは共通であるようだ。

一方で、氏神信仰において先祖は近くの山にある、と考えられていたらしいことも既に紹介した通りだ。

このどちらにおいても、死者は簡単に会える場所に

死者はどこへ行くのか？

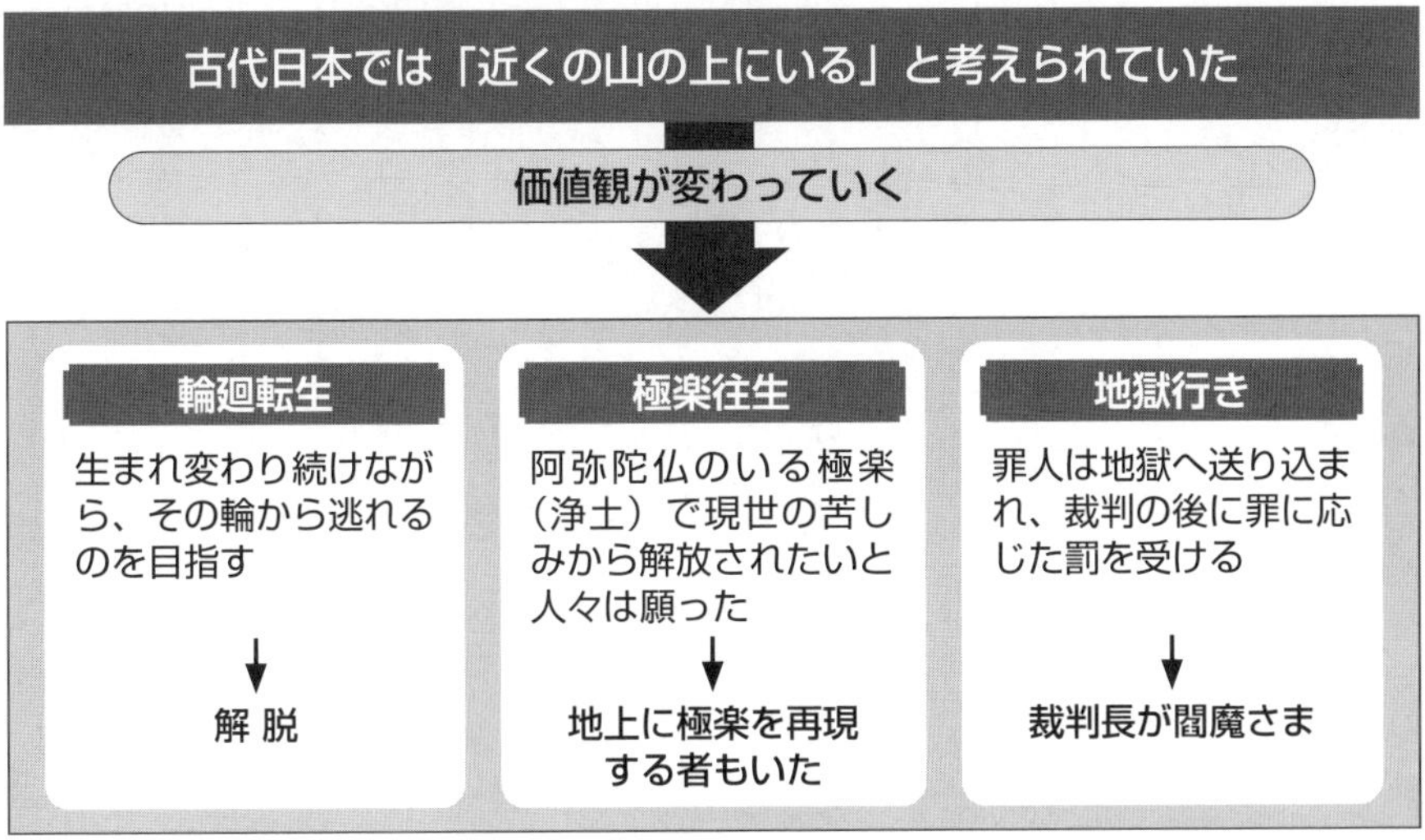
古代日本では「近くの山の上にいる」と考えられていた
価値観が変わっていく
輪廻転生
生まれ変わり続けながら、その輪から逃れるのを目指す
解 脱
極楽往生
阿弥陀仏のいる極楽（浄土）で現世の苦しみから解放されたいと人々は願った
地上に極楽を再現する者もいた
地獄行き
罪人は地獄へ送り込まれ、裁判の後に罪に応じた罰を受ける
裁判長が閻魔さま

はいないが、まったく隔絶した場所にいるわけでもない。自分と血が繋がっている過去の人々は少しだけ遠い場所にいて自分たちを見守ってくれる、という感覚があったのではないか。場合によっては巫（古代における巫女。詳しくは後述）が生者と死者の間を取り持ってくれるから、その距離はさらに近くなる。

しかし仏教が入って来たことなどもあって、この辺りの感覚はまた変わってくる。死者が遠い彼岸（あの世）へ行くという思想が広まるのだ。もちろん、価値観というのは日本全国一律で変化するのではなくグラデーションを持って変わっていくのだが、新しい価値観が入ってきたのは間違いない。

輪廻転生と極楽往生

死んだら魂は肉体を離れるが、また、別の肉体を得て再びこの世に現れる……いわゆる生まれ変わりを信じている人はまだまだ多いはず。

「輪《りん》廻《ね》転《てん》生《しょう》」と呼ばれるこの価値観はインドを発祥とし、仏教に取り込まれる形で日本に持ち込まれ、以後長く信じられてきた。ただ、仏教に属する伝統的な輪廻転生思想と、現代の私たちが一般に信じている生まれ変わりは大きく違う。

いわゆる生まれ変わりにおいては、「良いことをした（徳を積んだ）人は良い生まれ方をする」「次も良い生まれをするために今を生きている」と信じている人が多いのではないか。

だが、伝統的な輪廻転生思想ではこのようには考えない。その真理を平たくいえば「生まれ変わり続けている時点でアウト」ということになるだろうか。生と死が輪のように繋がって回り続けるこのサイクルから、仏教の教えに従って修行し、迷いや煩悩を断ち切って、ついに悟りを得ることによって抜け出す――すなわち「解脱」こそが究極の目的なのである。

その目的を反映してか、魂が回り続ける六つの世界（六道《りくどう》）のどれ一つを取っても、そこで安住したくなる場所がない。次を見てほしい。

①天道《てんどう》

天人たちの世界。天人は寿命長く、その生涯に楽しみ多く苦しみ少なく、また空を飛ぶ力を持つ。

②人間道《にんげんどう》

人間の世界。この世。人々は生病老死に翻弄される。だがそれは仏の教えに触れ、悟りを得る機会があるということでもある。

③修羅道《しゅらどう》

インド神話由来の鬼神・阿修羅たちの世界。闘争を根幹に持つ彼らはこの世界で永遠に戦い続けているという。

④畜生道《ちくしょうどう》

畜生とは牛や馬、あるいは野生で生きる動物のこと。家畜は人間に従って使われるがまま、野生の動物は弱肉強食で食い食われるばかりで、悟りから遠いとされる。

⑤餓鬼道《がきどう》

餓鬼は鬼の一種だが、その境遇は実に辛いものだ。腹が膨れた小鬼の姿をした彼ら（飢えた人間が、体は痩せるのに腹は膨れるのをモデルにしたものか）はものが食えない。口にするとそれが燃えて灰になるからだ。ゆえに彼らはいつも飢えている。

⑥地獄道《じごくどう》

罪を犯した者がそれを償うため、地獄の鬼によって罪に対応した罰を受ける世界。

さて、これを見て何か違和感を覚えないだろうか。天道だけ明らかに暮らしやすく、人の憧れを誘う世界になっているのだ。これでは天道に生まれ変わることが輪廻転生の目標、「あがり」になってしまう。そうであるならば解脱することこそが目標であり救い、という仏教の教えが嘘にはならないか。

そうではない。実は天道に住む天人には落とし穴が待っているのだ。彼らは長い寿命を持つが、その終わりには「天人五衰」という恐るべき宿命が待っている。いわく、衣裳垢膩《えしょうこうじ》（衣服が垢で汚れる）、頭上花萎《ずじょうかい》（頭上の花がしおれる）、身体臭穢《しゅうたいしゅうわい》（体が臭くなる）、腋下汗出《えきげかんしゅつ》（脇から汗が出る）、不楽本座《ふらくほんざ》（本来の居場所にいることを楽しめなくなる）の五種（諸説あり。この大の五衰とともに小の五衰があるとも）。

これだけ聞くとそんなにものすごい苦痛であるように思えないのだが、一説には「地獄の苦しみは天人五衰の苦しみの十六分の一にも満たない」というから、凄まじいものであるらしい。長い間天人として楽しんだから、そのぶんの落差が大きいということなのかもしれない。

このように、天道さえも六道輪廻の「あがり」ではない。むしろ罠のように見えさえする。仏教を学び、解脱を目指すしかない——というわけだ。

ただ、それでは仏教にまつわる考えの中で「あがり」としての幸せがないのか、というとそれもまた違う。極楽往生——つまり、阿弥陀様のおられる極楽（浄土）に生まれ変わって幸せに暮らしたい、現世の苦しみから解放されたい、という思想は平安時代の終わり頃から鎌倉時代くらいまで非常に流行った。修行によって僧侶たち自身が極楽往生を目指す、あるいは世の人々を極楽往生させるために僧侶が修行するなどの宗教的運動の他、「現世に極楽を作り出す」として宇治の平等院鳳凰堂などの建築物も作られたのだ。

これはそれだけ生きるのが辛かったということだろうし、また「生まれ変わりの輪から逃げ延びる」よりも「幸せな場所に生まれ変わる」ほうが分かりやすい、ということもあったのかもしれない。

地獄の裁き

先に紹介した六道の一つに、地獄道（地獄）があった。罪人が送られ、苦しみに満ちた罰を与えられる場所である。

実は、仏教伝来以前の日本における「あの世」は、死者に罰を与えるような機能は持っていなかった。黄泉の国にしても、根の国にしても、『古事記』『日本書紀』の記述を見る限り、死者への懲罰のような様子はない。

しかし、仏教が描く死した罪人の世界＝地獄には、はっきりと悪人への罰を与える機能が存在する。

地獄の構造としては、「八大地獄」と「八寒地獄」が知られている。

八大地獄は生前の罪の種類に応じて罰を与えるように分けられている。

①等活《とうかつ》地獄《じごく》

殺生の罪。獄卒の鬼が罪人を切り刻むが、風が吹くともとに戻るので終わらない責め苦が続く。

②黒縄《こくじょう》地獄《じごく》

前者に加えて盗みの罪。縄で縛られ、斧で斬られるが、それらは熱い鉄で作られているという。

③衆合《しゅうごう》地獄《じごく》

前者に加えて邪淫の罪。石や山が降ってきて押しつぶされる。

④叫喚《きょうかん》地獄《じごく》

前者に加えて飲酒の罪。熱湯や猛火に責められて泣き、喚く（叫喚する）地獄。

⑤大叫喚《だいきょうかん》地獄《じごく》

前者に加えて妄語の罪。叫喚地獄よりさらに激しく責められ、泣き喚く地獄。

⑥焦熱《しょうねつ》地獄《じごく》

前者に加えて邪見の罪。鉄の釜の上で罪人が焼かれる。

⑦大焦熱《だいしょうねつ》地獄《じごく》

前者に加えて尼を犯した罪。罪人が炎熱で焼かれるのは焦熱地獄に同じだが、これまでの地獄の十倍の苦しみであるという。

⑧阿鼻《あび》地獄《じごく》（無間《むけん》地獄《じごく》）

輪廻と地獄

人間の魂は「六道」を輪廻する

6つの世界の中に、定住したいと思える場所は基本的にない

天道	人間道	修羅道
畜生道	餓鬼道	地獄道

有名な閻魔を含む10人の王による裁判でどの地獄に行くか、それとも極楽浄土へ行くのかが決められる

八大地獄（設定が非常に細かい）	**八寒地獄**（詳しい設定はあまりない）

父母の殺害、仏を傷つける、仏法の非難の罪。他の地獄の千倍の苦しみであるという。

このように、七番目まで順番に該当する罪が加算されていく、というちょっと面白い構造になっている。各地獄に付属する十六地獄も含め、大小百三十六地獄という。

ここまで詳しく分かっている八大地獄に対して、八寒地獄の詳細はほとんど分からない。寒の名が入っている通りひどく寒く、罪人たちは凍えているということくらいだ。

これらの地獄のうちどこに送られるか、あるいは極楽浄土に行けるのかは、十人の王による裁判によって決められる。有名な閻魔《えんま》さまはもともとインド神話における地獄の審判者ヤーマであったが、仏教に取り込まれてからはこの十王の中の一人、裁判長になった。ちなみに閻魔は死者を救う地蔵菩薩と習合し、同一の存在と見なされる。

この世で罪を犯せば死後地獄で過酷な裁きに遭うという価値観は、人々のモラルを形成するのにそれなり

に効果があったはずだ……とは言っても、やはり実際に命の危機に遭ったり、飢えたり、頭に血が上ったりすれば、ついつい罪を犯してしまうのが人の性というものであろう。生きるのが今よりはるかに苦しい古代や中世ならなおさらである。その辺りの感覚をちょっとだけ意識すると、あなたの書く物語の印象も変わるのではないか。

統治システムの変遷

精神的な意味でモラルを高めるのが「先祖が見守っている」「地獄行きが待っている」という意識であるとするなら、もっと現実的、物理的なシステムとしてモラルを維持するのは国家であり、また社会だ。国家の力が強い時には治安は安定し、そうでなければ乱れる。また国の頂点に立つ統治者、王の力が弱いとその下につく有力者たちが政治闘争を始めがちだ。

古代日本の国家が村から始まり、小国を形成し、やがて豪族たちが集まって大王（天皇）を中心にする連合国家としての大和朝廷を作り上げたのは既に紹介した通り。この連合国家を構成したのは、大王に従う「氏」であった。彼らの名は地名を冠することもあるし、何らかの役目を冠することもある。

氏は血縁で結ばれた同族集団も内包しているが、そうでない非血縁の家、また氏が所有する領地とそこに住む人々、さらには奴婢《ぬひ》（奴隷）も含めて氏という集団と考えて良いだろう。

このような氏によって国家を統治する氏姓政治（姓《かばね》は氏の分類）は、やがて皇族やその親族が重要役職を占める皇親政治、そして律令という法律によって国家を統治する律令政治へと移行していく。とはいえ国家の中に氏族的な集団がまだあって、そこに端を発する権力構造や政治闘争があったことも否定はしにくい。

やがて律令制度は崩壊していき、荘園《しょうえん》という独自の領地を持つ貴族や寺社などが強い権力を持つようになる。中でも主に藤原氏出身の貴族が時の天皇と深い関係を持って政治を動かす摂関政治の時代、天皇の座を退いた上皇（院）が直々に政治を行う院政の時代を経て、ついに貴族に代わって武士が実権を握る中世がやってくる……というのが大まかな政治のあり方、統治システムの変遷と言えようか。

「統治」と「王」

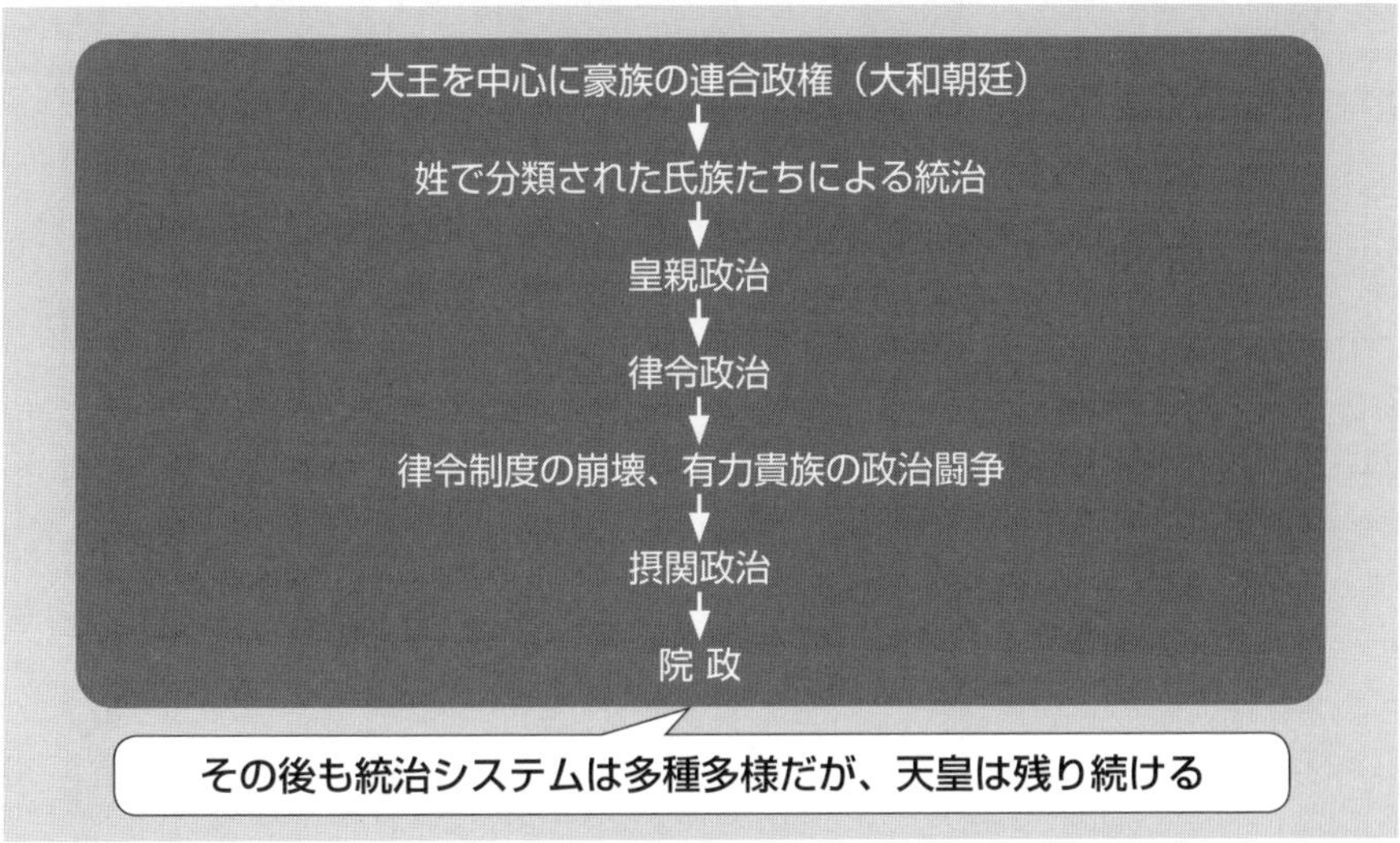
大王を中心に豪族の連合政権（大和朝廷）
姓で分類された氏族たちによる統治
皇親政治
律令政治
律令制度の崩壊、有力貴族の政治闘争
摂関政治
院 政
その後も統治システムは多種多様だが、天皇は残り続ける

天皇（王）のあり方

これだけ変遷があってなお古代のあと中世近世近代と時を経ても、天皇を王、国家の頂点とするあり方が変わらなかったのが日本という国の特異さであろう。中国なら何度でも革命が起きて王（皇帝）が変わっているが、日本では神話の時代から万世一系という天皇家の血筋が続いてきた、ということになっている。

そこにはさまざまな理由があろうが、一つには記紀神話でも示される「天皇は太陽神の末裔である」という神格化の成果があるのだろう。人が神の座を奪っていいわけがない。だから有力者たちが取り合うのは天皇の座ではなく、その補佐者で実質的な国家指導者の座だ。怪僧・道鏡が天皇の地位を得ようとしたとされる事件などもあったが、特殊例と見るべきだろう。

長い歴史の中で天皇が真に独裁的な権力を持ち国家を動かした時期は長くない。多くの場合は国家の象徴、悪くいえばお飾り、お神輿的な存在だった。しかしだからこそ天皇に向けられるのは怒りや憎しみよりも親しみや敬いだったとも考えられそうだ。

⑰怪異と隣り合わせの暮らし

世界をいかにとらえるか

古代社会は今よりもはるかに迷信深く、人々の生活のそばに怪異が存在する社会であったはずだ。というよりも、「世界はどのようなものか」のとらえ方が違ったというべきか。

現代の価値観は多種多様だが、おおむねの基礎には科学がある。生き物も無機物もすべては分子や原子でできていて、私たちが立って歩く地上は球体の惑星で、昼と夜が来るのはこれが回転し移動するから。そして、神や仏や死者や物の怪がこの世にいる確たる証拠は今のところ見つかっていない……はず。

しかし、近代以前は違った。人々は生活の中で得た経験則と神話、宗教によって世界を理解していたのである。その中で不思議なことがあれば、それは神か、仏か、死者の霊か、物の怪の仕業であった。ごく当たり前にそういうものであったのだ。

だから、人々の暮らしの隣には神秘や怪異があるのが普通だった。

科学的に言えばそれは見間違いや思い込み、知識不足の類であろう。人が雷に撃たれたのを「彼は神の怒りに触れたのだ」と言い、農業の知識がなく不作だった田畑に生贄を捧げてみれば豊作になった（それは偶然かもしれないし、捧げた血肉が栄養になったのかもしれない）と喜ぶ。たまたま育ちすぎて巨大になったり、アルビノで真っ白に生まれついた動物を「神の使い」と恐れ、敬う。そのように理由づけをすることもできるが、こんなのはただの後知恵である。

「幽霊の正体見たり枯れ尾花」とはいうけれど、そもそも近くに寄ってみなければそれが幽霊なのか枯れた草なのか分からない。いや、近づいて枯れた草だと分かったとしても、幽霊は確かに先ほどまでいて、素早く逃げたのかもしれない。

大事なのは、科学的理解は置いておいて、当時の人々の認識、古代人の理解する世界において、彼らは確かにこの世ならないものを見ている、ということだ。そして、ファンタジー世界においては、古代人的な認識の方が正しい可能性がある。

あいまいな世界で

この感覚は、あなたがファンタジックな物語を作る時に非常に役立つ。

神が実在する時、言葉による誓いが魔法的・呪術的な力を持つ時、人々はどのように振る舞うか。

この世とあの世、此方と彼方、高天原と地上と黄泉の国（あるいは根の国）、六道、地獄と極楽——なんでも良いのだけれど、とにかくそれら不可思議な世界が簡単には行き来できないほど地続きである時、人々の暮らしはどう変わるのか、それとも変わらないのか。

もしあなたが「小説家になろう」系作品に代表されるような、ゲーム的感覚の強いファンタジー世界を描こうとしているのであれば、この感覚は今ひとつ役に立たないかもしれない。もちろん、ゲーム的なファンタジーが悪いというわけではない。魔法や能力がデジタルかつ体系立って管理され、怪物も種類や種族などがパキッと明確な世界はゲームに親しい現代の読者にとって非常になじみ深いものだ。そこにはそこの良さがある。

ただ、もしあなたが「そうでないもの」を描きたいなら、古代の人々が見た神話的世界のあり方は大いに役立つはずだ。

そこではいろいろなものの境があやふやだ。『古事記』を読んでいると、登場人物の誰が神で誰が人なのか分からなくなることがある。神と怪異の差も、いったい何でつければ良いのだろうか。そして、人が怪異になってしまうこともある。

神や怪異の振るう不思議な力も体系化などされていない。後述する密教などでは真言や修法（儀式）に効用が定められていたりはするのだが、それも時の経過や宗派次第で変わったりする。そんなところもやっぱりあやふやなのだ。

現代を生きる私たちはどうしてもいろいろなものの境をはっきりとさせてしまいがちだが、そうでないところに懐かしくも新鮮な物語があるのではないか。

「はっきり」と「あいまい」の狭間

科学的な根拠や理屈で理解ができる「はっきり」した物語と、理屈を超えたところにある「あいまい」な物語。あなたが自分の作品の主軸をどちらに置くかは、好みやテーマ、ターゲット読者層で好きに選んで良い。

ただ、エンタメで重視されやすい分かりやすさ、受け入れられやすさという点では、やはり「はっきり」のほうが評価されやすいだろう。辻褄が合わなかったり理解しにくかったりすることが、ユーザーによっては苦痛になりかねないからだ。しかしその一方で、あいまいさ、不可思議さをこそ楽しむユーザーもいるため、常に分かりやすさを優先する必要はない。

また、作品全体の雰囲気を「はっきり」と「あいまい」のどちらかに決めなければいけないというものでもない。基本的には合理的で理屈に則った世界なのだが、魔法の仕組みや主人公たちが赴く異世界だけが神話的・民話的なあいまいなあり方をしている、というのもアリだ。あるいは文明の発展によりまさにあいまいなものが消えつつある世界……などとしても良い。

暮らしと怪異

あいまいさの表れ方をもう一つ見てみよう。

人がどんな神秘や怪異を見るかは、その時代のあり方に大きく影響を受ける。人々がどんな価値観を持ち、その時代にどんな文化が流行っているかで、一つの奇跡をどんな神仏の助けと感じ、一つの危機をどんな妖怪に襲われたと感じるかは変わるはずだ。

例えば、妖怪のパターンに「予言する獣」というものがある。有名なのは件《くだん》で、半人半牛の姿をし、予言をしてから死ぬという。他にも姫魚とか神社姫などというのもいて、人と魚が混じったような異形として描かれている。

これらの出現は江戸時代後期における文字や活字などのメディアと関係が深い。

あるいは「偽汽車」という話もある。これは蒸気列車が普及し始めた明治頃に語られた話で、「汽車に乗っていたら同じ線路の前から別の汽車が突っ込んできた、と思ったら消えた。後日に調べてみたら狸が列車に轢かれて死んでいた」という。

人間たちと神秘・怪異

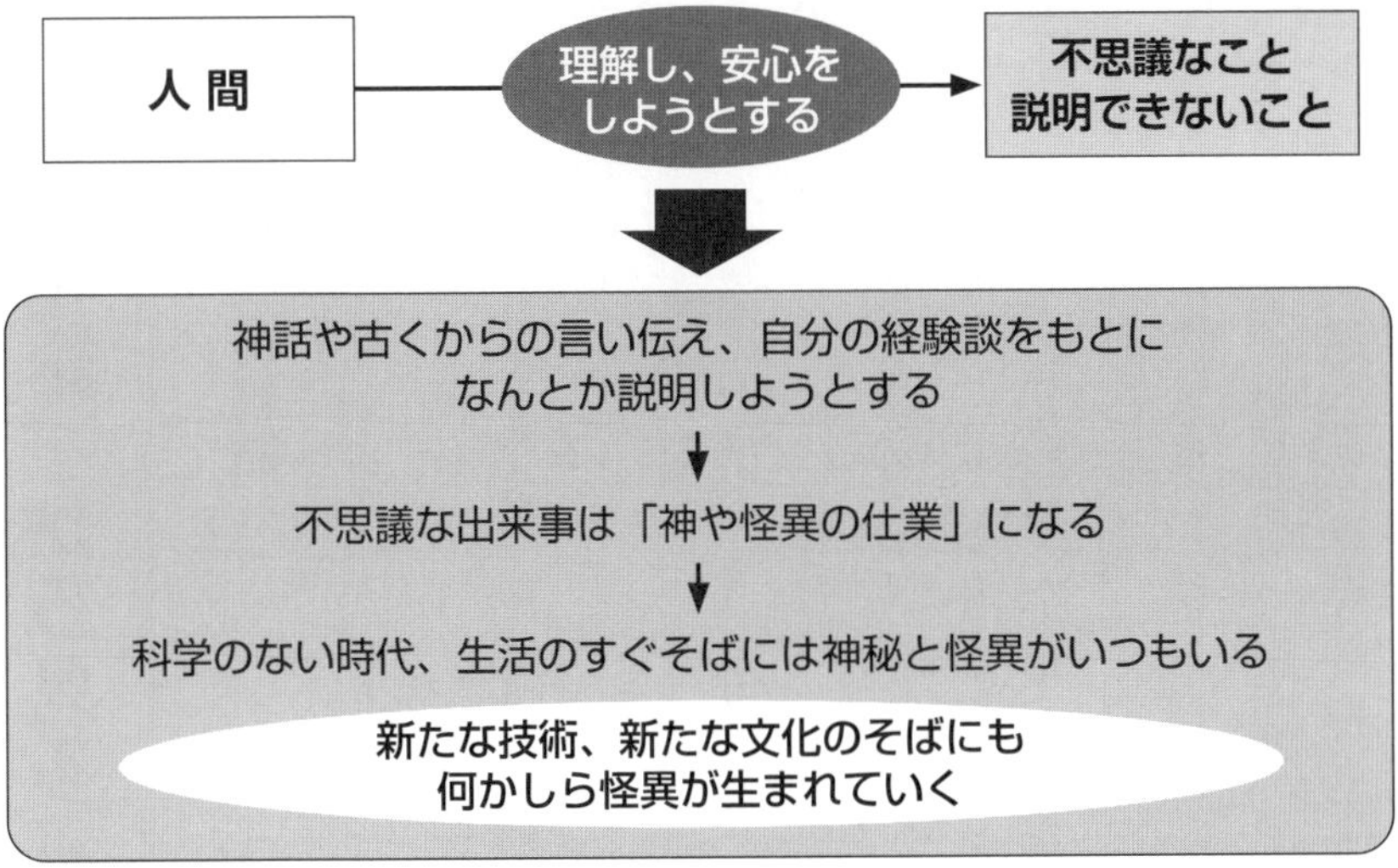
人間
理解し、安心をしようとする
不思議なこと
説明できないこと
神話や古くからの言い伝え、自分の経験談をもとになんとか説明しようとする
不思議な出来事は「神や怪異の仕業」になる
科学のない時代、生活のすぐそばには神秘と怪異がいつもいる
新たな技術、新たな文化のそばにも何かしら怪異が生まれていく

これを本来人間の領域ではなかった場所に近代化の影響が迫ってきた時、怪異はこれに対抗しようとしたがしかし破れた話だと解釈する（いわゆる「皿屋敷」伝説も、土地開発とこれに対抗する土地神の祟りの伝承なのだという）見方もあれば、この怪異が現れるのはどうも鉄道の運転手がイギリス人から日本人に切り替わってからだという見方もあって、それぞれに面白い。日本人運転手が幻の狸列車を見てしまうのは、やはりまだ慣れぬ文明の利器であったからか。

現代に繋がる文明の発展は、私たちにさらなる新しい分野・あり方で怪異を見せる。

飛行機の出現後には空で起きる怪奇現象が宇宙人の乗り物に見えるし、電波の受信で音を出すラジオから聞こえる謎のノイズはあの世からの声に聞こえるし、遠くの情景が見えるテレビの画面はある種のゲートになって向こうと通じているのではないかと思えてしまう。今後も私たちはインターネットなり、スマートフォンなり、あるいは新たに登場するアイテムに怪異を見てしまうことであろう。そんなふうに、見える世界は変わっていくのだ。

⑱『源氏物語』から見る貴族のあり方

平安貴族の恋と生活の物語

『源氏物語《げんじものがたり》』は平安時代、紫式部によって書かれた小説だ。

天皇の子として生まれた光源氏《ひかるげんじ》が、幼くして死に別れた母の面影を求めて数々の女性と恋をし、また貴族として政治や人間関係の中で生きる物語である。全五十四帖《じょう》。最後の十帖は光源氏亡き後、子の薫君《かおるのきみ》と孫の匂宮《におうのみや》を主人公としている。これらは宇治が舞台となっているため、宇治十帖と呼ばれる。

一〇〇八年、『紫式部日記』に『源氏物語』について書かれており、歴史に『源氏物語』が登場する最初の記録である。そのためこの一〇〇八年を一年目として、二〇〇八年に「源氏物語千年紀」として、作品にまつわるさまざまな企画が展開された。「千年紀」以前から漫画やアニメ、映画作品など多数作られているため、何らかの形で一度は触れたことがある読者も多いのではないだろうか。

『源氏物語』のストーリーやキャラクターが魅力的なのは言うまでもないが、いわゆる王朝時代当時の貴族たちの生活が物語の中で丁寧に説明・描写されていることも見逃せない。後述する和歌などもそうだし、他にもいろいろな形で「貴族たちはいかに暮らし、何を大事にしていたか」が見えてくる。

平安時代は人気のある舞台設定だ。それも、紫式部の生きた時代は藤原道長、源頼光と四天王やライバルの鬼たち、そして安倍晴明と魅力的なキャラクターが数多く登場する。『源氏物語』を通して彼らの生活に思いを馳せてみるのはどうか。そうすることで、平安ものを書く時に平安貴族たちをより生き生きとした存在として描写できるはずだ。

◇元服

貴族の男子が頭に冠を載せる儀式。現代における成人式である。元は首、服は冠を指す。年齢は明確に定められているわけではなく、五、六歳から二十歳くらいの間で行われた。それだけ聞くとかなり幅広いが、平安時代の天皇や皇太子が十一歳~十六歳で元服していたようであるから、貴族男性もそのくらいに元服するのが多かったのではないだろうか。

元服までは総角《あげまき》という左右に分けた髪を両耳の上で丸く束ねる少年の髪型をしているが、これを切り、無帽をやめ、冠を被る。初めて冠を被ることから初冠《ういこうぶり》ともいった。元服の前と後では服装も明確に違い、いくら年齢的に長じていても、元服を行っていない者は成人男性とは見なされなかった。

天皇元服では加冠、理髪、能冠の三役があり、それぞれ高官がこの役を務めた。摂関家の子弟などは殿上で元服の儀を行い、天皇が加冠役をすることもあったという。

◇着裳《ちゃくも》

貴族女性が成人する儀式を着裳という。文学作品では裳着《もぎ》という。年齢は十二歳から十四歳頃で行われた。男性の元服に相当し、実際「元服」と呼ぶこともあった。配偶者の決まった時、または見込みのある時に行われることが多く、着裳を終えて初めて一人前の女性として扱われ、結婚の資格を得るのである。

儀式には裳の腰を結ぶ腰結《こしゆい》の役、髪を結い上げる結《けっ》髪《けい》、理髪の役の三役があり、腰結がもっとも重要視された。皇女の場合は天皇が行うこともあったという。

◇成人後の男女

成人した貴族の男女は、例え家族であっても接触を制限された。御簾や几帳を隔ててしか会わず、扇で顔を隠した。高貴な女性になればなるほど、会話も直接ではなくそばに仕える女房に代弁させていた。

『源氏物語』では光源氏が最初に愛した藤壺宮《ふじつぼのみや》という女性が登場する。藤壺は源氏の父である帝の妻で、光源氏には継母にあたった。藤壺は光源氏の亡き母によく似ているといわれ、元服前の光源氏は藤壺を慕って、よく部屋を訪ねていた。

ところが光源氏が元服したため、藤壺は光源氏を拒絶するようになる。それまでは子どもだったからよかったが、成人した光源氏と藤壺は、もう軽々しく会える立場ではなくなってしまったのである。藤壺に拒まれた光源氏は、藤壺の、ひいては母の面影を求めてあまたの恋をしていくことになる。

その中の一人で、光源氏が晩年に娶った女三《おんなさん》の宮《みや》という女性がいる。彼女は洗練された女性とは言い難い、少しぼうっとした女性だった。ある日源氏の息子・夕《ゆう》霧《ぎり》とそのいとこでもある友人・柏木《かしわぎ》が源氏の屋敷を訪れていた際、女三の宮の飼っていた猫が御簾をはね上げてしまう。この時御簾の近くに立っていた女三の宮の姿を柏木が見て一目惚れしてしまうのだが、夕霧は「高貴な方が不用意にあんなところに立っているとは」とあまりよくない印象を受ける。御簾で隠されているとはいえ、高貴な女性が外から見えそうな場所にいるものではないと女三の宮の落ち度を指摘している。

◇「覗き」が恋の手段?

子どもならばともかく、成人した男女が直接顔を合わせることはめったになかった。そのため男性は噂を頼りに女性に求愛や求婚をするのであるが、女性の情報を集める手段として「垣間見《かいまみ》」というものがあった。柏木と女三の宮とのエピソードもそれにあたる。

光源氏がもっとも愛したとされる紫の上(若紫《わかむらさき》)との出会いのシーンも「垣間見」といえる。病気療養に出かけた先で、近くの屋敷を垣から覗き見た。するとそこに藤壺によく似た十歳の若紫がいた。源氏は若紫を強引に連れ帰り、養育を始めるのである。

現代の私たちからすると「覗き」は犯罪である。しかし圧倒的に情報の入手手段のない平安時代では、垣間見もしばしば行われていた。結婚して初めて顔を知ることも珍しくなかったため、恋の相手を知るための重要な手段だったのである。

◇美的感覚は現代と違う?

光源氏が結ばれて初めて顔を知った末摘花《すえつむはな》という女性がいる。没落した貴族女性で、高貴で美しいと噂されていた。そのため光源氏は親友の頭中将《とうのちゅうじょう》と競い、それに勝って末摘花と夜を過ごす。

しかしある雪の日、雪明りで見た末摘花は背が高く猫背で、やせて骨ばっている。鼻は高く、鼻の頭が少

『源氏物語』と平安貴族

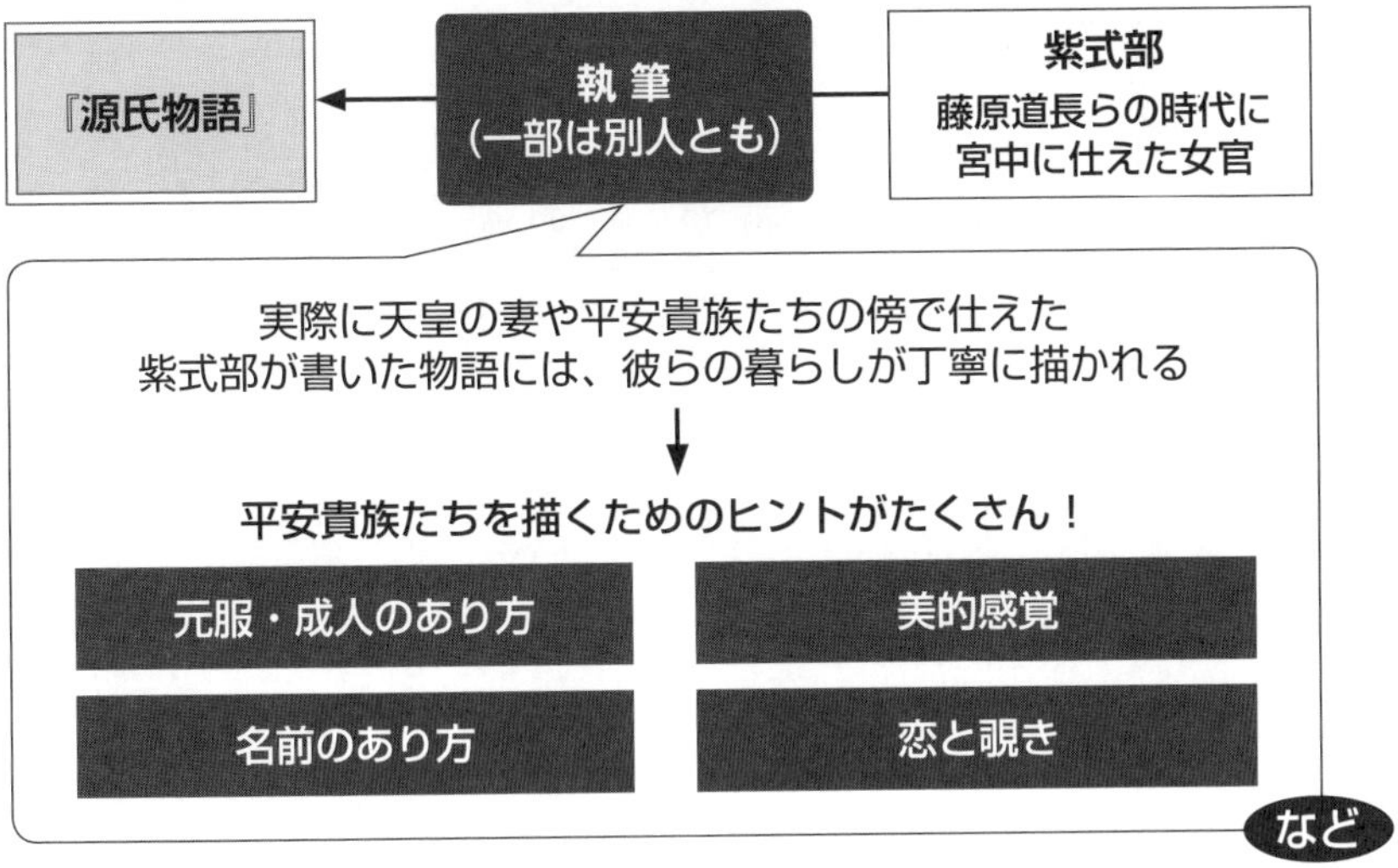
『源氏物語』
執筆
（一部は別人とも）
紫式部
藤原道長らの時代に
宮中に仕えた女官
実際に天皇の妻や平安貴族たちの傍で仕えた
紫式部が書いた物語には、彼らの暮らしが丁寧に描かれる
平安貴族たちを描くためのヒントがたくさん！
元服・成人のあり方
美的感覚
名前のあり方
恋と覗き
など

し垂れて赤い。肌も雪に負けないくらい青白い。源氏は末摘花の容姿の醜いことに驚くのだった。ただし彼女の頭の形はよく、当時美人の条件とされていた豊かで美しい髪を持っていた。

しかし、末摘花は本当に不美人であろうか。猫背はともかく、やせて背が高いのであれば現代ではモデル体型ではないだろうか。色白も美人の形容詞に使われることもあるし、鼻が高いのもエキゾチックな顔立ちで好意的に見えはしないだろうか。美人の条件というのは、国や時代でも違うものである。

◇名前を呼んではいけない？

平安時代、高貴な人の名を直接呼ぶのはマナー違反であった。そのため、これまでに挙げた登場人物の「光源氏」「藤壺宮」「紫の上（若紫）」「末摘花」など、ほとんど通称である。人によっては二つ以上の呼び名を持っていることも多く、「○○のシーンで出てきた△△という女性が、実は◇◇と同一人物だった」ということもある。

光源氏は美しさから「光る君」と呼ばれていたとこ

ろに、「源」という姓を与えられたため「光源氏」や「源氏の君」などと呼ばれるようになった。

　藤壺宮は、彼女が住んでいたのが内裏の飛香舎《ひぎょうしゃ》という建物で、その異称が「藤壺」であったことに由来する。「宮」は皇族のことである。

　紫の上は藤壺宮に似ていることから、藤の花の紫にちなむという。「上」は正妻格の女性であるという意味だが、紫の上は正式には正妻ではなかった。

　末摘花は赤い花のことであり、赤い鼻をかけて源氏が名づけたものだ。言葉遊びの要素もあり、どのような呼び名をつけるかはセンスの問われる部分である。

◇出家

　出家するということは、生きながらにして俗世を捨てるということである。政治などの表舞台からも離れ、世捨て人となる。『源氏物語』には恋の辛さから、それまでの人間関係を断ち切ろうと出家を望む女性が描かれている。

　その中の一人が紫の上である。紫の上は正妻の扱いをされていたが、皇族である女三の宮の降嫁によってその立場は逆転してしまう。源氏は女三の宮の幼さに失望し、紫の上をさらに深く愛するようになるが、病気がちになった紫の上は出家を望むようになる。

　しかし出家をしてしまえば、紫の上と会うことができなくなる。それを嫌がる光源氏は、ついに紫の上の出家を許さなかった。そして紫の上を亡くした光源氏もまた、喪失感から出家を望むようになるのである。

作者は複数人いた？

　最後にちょっと本題から離れて、『源氏物語』そのものの紹介をしたい。

　『源氏物語』は紫式部作といわれているが、実は複数人で書かれたという説がある。特に「宇治十帖」は光源氏の死後、主人公を変えた物語であるため、その疑いは強い。

　というのも、当時「物語」というものの文学的位置はかなり低いものだった。物語は女子どもの読み物で、男性や身分の高い女性は読むものではない低俗的な文学ジャンルだったのである。

　そのため、現代のように作品を尊重したり著作権を

『源氏物語』複数人執筆説

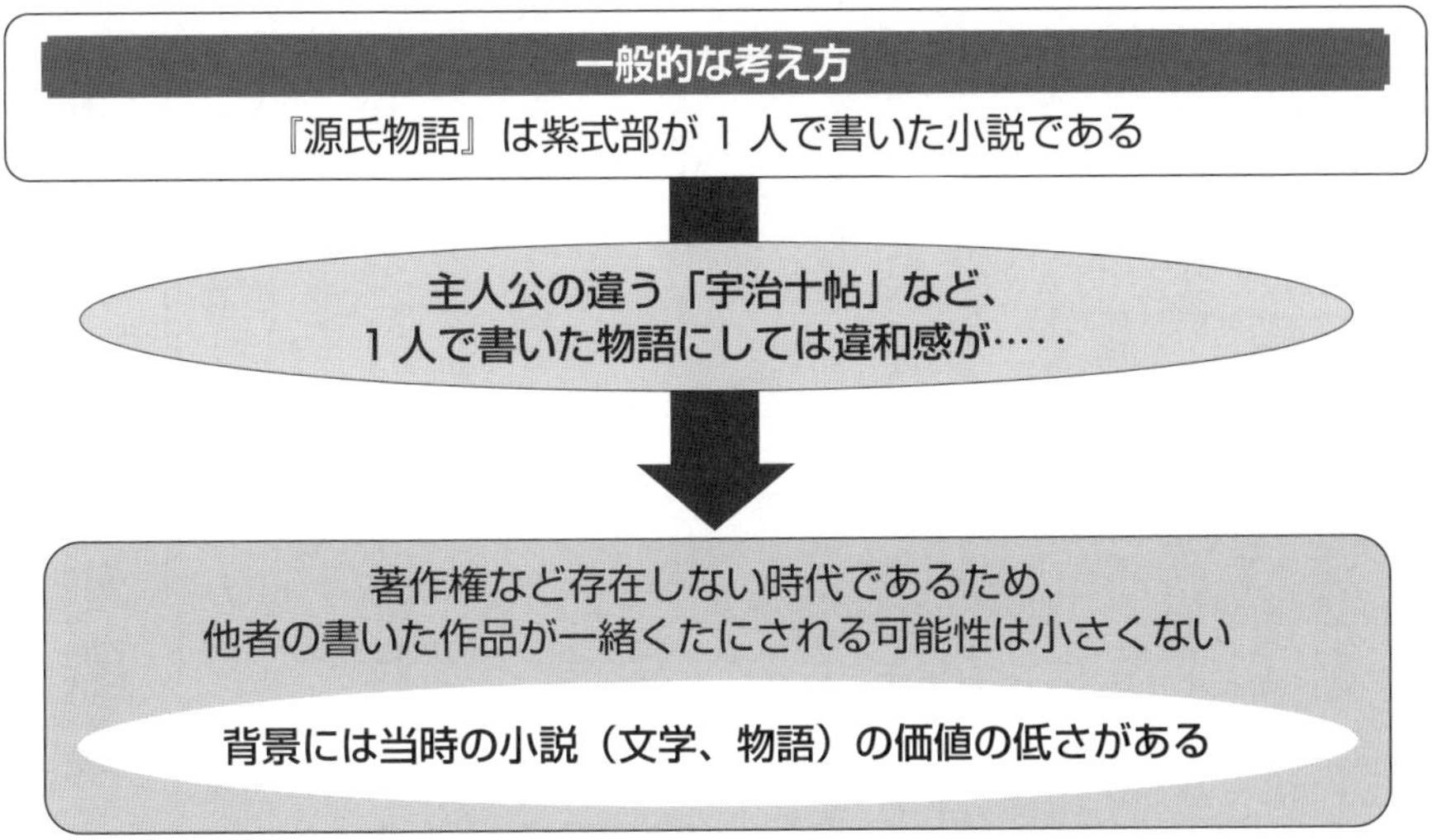
一般的な考え方
『源氏物語』は紫式部が１人で書いた小説である
主人公の違う「宇治十帖」など、
１人で書いた物語にしては違和感が……
著作権など存在しない時代であるため、
他者の書いた作品が一緒くたにされる可能性は小さくない
背景には当時の小説（文学、物語）の価値の低さがある

守ったりなどという風潮は薄く、物語を改変するというのは当たり前のことだった。物語は和歌とは違って異本（同じ作品でありながら内容や言葉にかなりの違いがあるもの）が多い。それは印刷技術もなく手書きで書写されていくしかないが、その過程で写し間違いが発生しただけでなく、途中で改変が加えられたためでもある。つまり「宇治十帖」や他の帖も、紫式部以外の他者によるスピンオフ作品である可能性は捨てきれない。現代でいうところの同人誌的存在だったかもしれないのだ。

「物語」の文学的地位が低かったことは述べたが、その中でも『源氏物語』は特別だった。当時から大流行し、のちの女流文学に多大な影響を与えたことはもちろん、時の天皇までもが『源氏物語』を読んでいたのである。「物語」が低俗なものとして扱われていた平安時代において、これはかなり異例のことであっただろう。天皇に認められたことで尊重されたのか、それとも改変を加える余地のないほどに完成されていたのかは分かりかねるが、『源氏物語』は比較的異本の少ない作品としても知られる。

⑲『万葉集』『古今和歌集』と人々の暮らしに欠かせぬ歌

歌は世を映す鏡

「歌は世につれ世は歌につれ」という言葉を聞いたことがあるだろうか。人々が歌い継ぐ歌は、その時代のあり方を示している、という言葉だ。

リズムとメロディに乗せて言葉を放つ「歌」は古くから人間の友であった。もちろん、古代日本にも多種多様な歌があったのである。

日本の歌は人々が祭りの場で歌った「うた」が起源となる。特定の作者を持たず、集団の生活を基として歌われた。そこに呪術的な意味が濃厚にあったことは、『古事記』『日本書紀』を読めばよく分かる。一章でも触れてきたように、記紀神話の物語においては度々登場人物たちが歌を歌い合い、己の心を示し、また約束を誓ったりしてきたのである。

そうでなくとも、感情のままに声を張り上げ、歌うという行為には、素朴で原始的なイメージがつきまとうものだ。あなたが自分のキャラクターに「神話の英雄」「古代の勇者」的な雰囲気を纏わせたいなら、歌わせるのが良い。悲しい時には涙を流し、嬉しい時には喜色満面で、そして戦いに臨むにあたっては意気揚々と歌わせるのだ。

和歌は平安時代のSNS?

ただ、近世になるまでの日本における「歌」といえば、重要視されるのはメロディやリズム以上に文字、言葉だったようだ。例えば、「和歌」などがそうだ。

漢字が伝来して万葉仮名が生まれると、古代歌謡から分化し、五音、七音に定型化していき、漢詩と区別して自国の歌を和歌と呼ぶようになった。和歌には短歌も長歌も含まれるが、多くの場合は短歌のことを指す。

日本でもさまざまな歌集が編纂されたが、歴史の中で散逸したものも多く、現存する最古のものは『万葉《まんよう》集《しゅう》』だといわれている。

上代では公的な行事の際に数多く和歌が詠まれていた。しかし一度は衰退し、唐風文化が重要視され、宮廷や貴族の間ではもっぱら漢詩文が作られるようになった。この時期には和歌はわずかに男女間の恋のやり取りなど、私的に交わされるものであった。

その後九世紀の中頃になると仮名文字が普及し、国風文化への関心も再び高まって、和歌が再評価されるようになった。在原業平や小野小町といった六歌仙も活躍するようになる。私的にも公的にも和歌の地位が高まり、最初の勅撰和歌集『古今《こきん》和《わ》歌《か》集《しゅう》』が編纂されるに至ったのである。

以上のように書くと難しいイメージを持つかもしれない。ただ、当時の貴族たちはどうもそんなに堅苦しい気持ちで歌を作っていたのではないらしい。彼らは何かに感動すると歌を作る。自分の気持ちを伝えたい時にも歌を作る。名人と呼ばれる人も、そうでない人も、とりあえず歌を作る（もちろん、貴族でありながら歌が苦手な人もいただろうが。彼らは歌から逃げたり、代作を頼んだりしたのだろうか）。

この歌の用いられ方、現代における何かと似ていないだろうか。ツイッター、ＬＩＮＥ、インスタグラム……現代のＳＮＳが貴族にとっての歌に相当するのではないだろうか。

例えば短歌の場合、五・七・五・七・七の計三十一文字の限られた言葉の中で、技法や感性を駆使して感情を詠みあげる。まず短く自分の思いをまとめるというその点だけでなんとなくＳＮＳっぽくはないか。

それだけではない。歌は求愛や求婚の上でも重要なファクターであった。内容はもちろん、紙や筆跡、墨の濃さなどに人格やセンスが反映された。噂などを頼りに相手の顔も知らないまま恋歌を送るのはよくあることだったため、紙や筆跡というのは重要な情報源であり表現方法だったのだ。

また、写真などない時代に、人々は自分の環境を歌に託した。その感覚は現代でいうなら、スマートフォンで盛んに写真を撮ることに繋がっているように思う。思い出を切り取るために、現代人は写真を撮影してＳＮＳにアップし、平安人は歌を作って友人に送るのだ。ここにも類似があるように思える。

まだまだある。男女が一夜を明かしたあと、帰宅した男性が女性に送る和歌を後朝《きぬぎぬ》の歌という。当時は通い婚で男性は朝には帰らなければならなかったため、その切ない想いを詠んだものである。

現代でもデート後にメッセージを送るカップルは多いだろう。メッセージがなかなか来ない、あるいは返信が遅くて不安になるというのもよくあることだ。それと同様に、後朝の歌がなかなか来ないと、平安時代の女性はさぞやきもきしたことだろう。

和歌の出来は教養の高さを示すものでもあったが、センスのある投稿をする人は、現代でも人気者である。現代では個人はもちろん、企業や行政機関もＳＮＳを使っている。私的にも公的にも広く利用され、当時の人々の身に寄り添っていた和歌は、まさに平安時代のＳＮＳといえよう。

『万葉集』と『古今和歌集』

ここまであれこれと歌にまつわる話をしてきたが、やはり実際に読んでもらうより良い勉強はない。平安貴族を始めとする当時の人々が何を思い、何を歌に託したか、その日で見て確かめてほしいのだ。この時代を代表する歌集といえば、『万葉集』と『古今和歌集』である。

◇『万葉集』

先にも述べたように、『万葉集』は現存する日本最古の歌集である。元号「令和」の出典となったことでも注目された。

全二十巻で、約四五〇〇首の歌が収録されている。内訳は短歌が約四二〇〇首、長歌が約二六〇首、旋頭歌が約六〇首などである。畿内の下級役人や庶民どころか、地方で防衛任務に当たる防人や、東国の人々の歌った東歌まで収録され、歌が決して貴族だけの文化ではなかったことを教えてくれる。

現在のこの形にまとめられたのがいつ頃かは不明。もっとも新しい歌は七五九年の大伴家持《おおとものやかもち》のものであり、最終的な成立は八世紀後半頃ではないかといわれている。大伴家持の歌がもっとも多く収録されており、『万葉集』の編者であるといわれている。

歌の大半は舒明天皇（六二九年即位）の代から

日常の中の和歌

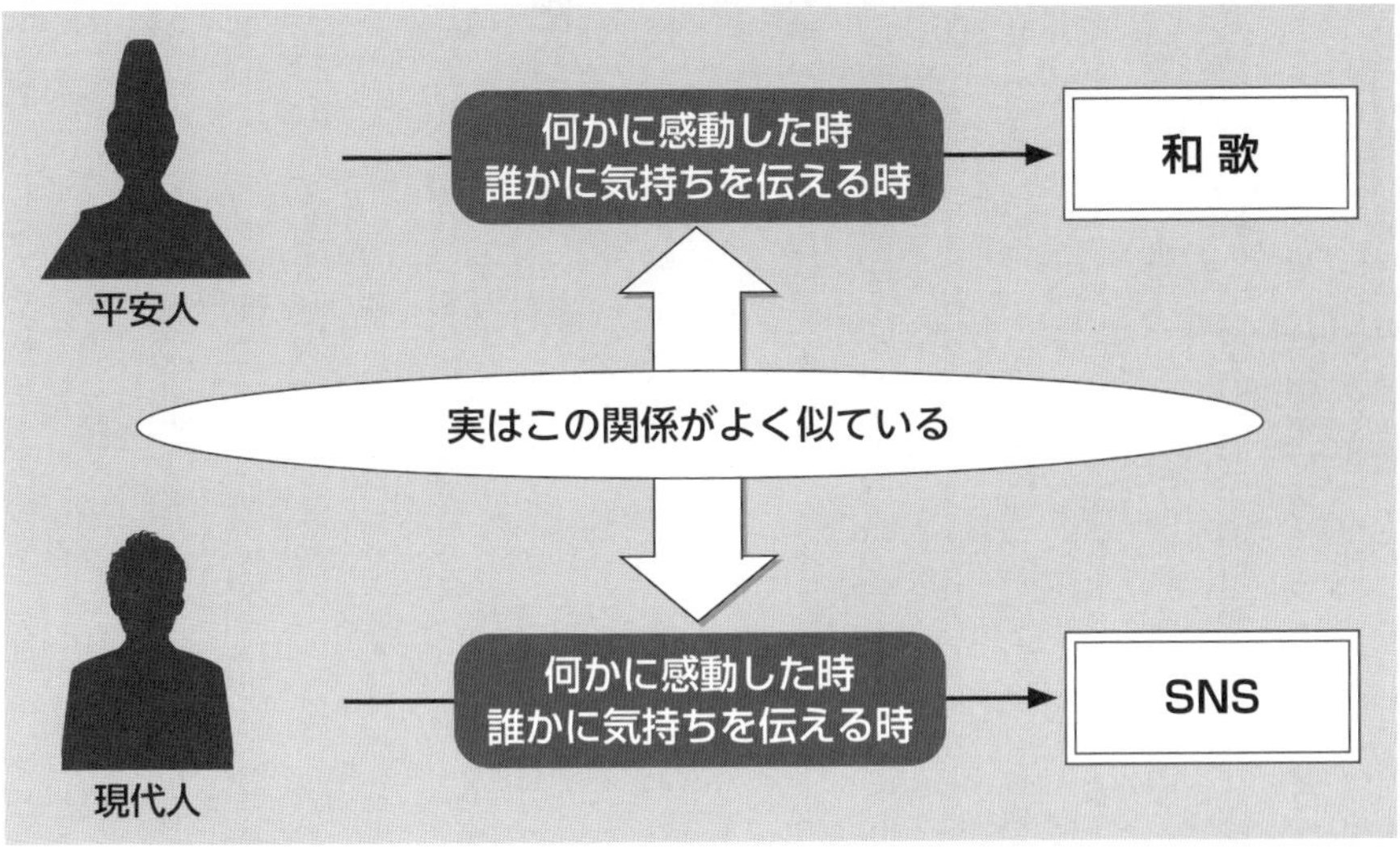
平安人
何かに感動した時
誰かに気持ちを伝える時
和歌
実はこの関係がよく似ている
現代人
何かに感動した時
誰かに気持ちを伝える時
SNS

七五九年の約一三〇年の間に詠まれた歌である。実際の対象をそのまま詠む率直な歌が多い。

◇『古今和歌集』

醍醐天皇の勅命により、九〇五年に成立したわが国最初の勅撰和歌集である。『万葉集』の後から編纂当時までの約一五〇年間に活躍した約一三〇人の歌人の歌が収められている。その数は一一〇〇首以上にも上る。仮名文字の「仮名序」と漢字で書かれた「真名序」も収録されている。特に「仮名序」では和歌と漢詩が対等の文学であることを説明しており、初期の文学論・歌論としても注目されている。六歌仙が紹介されているのもこの「仮名序」である。

春夏秋冬などを含む十三の部立《ぶだて》で分けられ、主題別の整然とした分類がなされている。『古今和歌集』では歌の収録順によって季節や恋の時間的な進行を楽しむことができるよう、配列にも工夫されている。

『古今集』では作者の観念などによって構成された実際には存在しない美が多く詠まれる。比喩表現が多く、複雑な技法も駆使されるようになっていく。この理知的・観念的な読みぶりを『古今集』の特徴として「古今調」という。この古今調を確立した『古今集』は、漢詩全盛期から国風文化へと戻りつつあった時代の流れを確かなものにした。和歌を宮廷貴族文学として位置付けた点でも大きな存在である。

また、『古今集』の部立は以後の歌集における公正や配列の規範とされ、多くの影響を与えた。

才女たちと和歌

和歌についての知識や技量は、教養の高さを示すものだった。

清少納言による『枕草子』に次のようなエピソードがある。清少納言が仕えた中宮定子が『古今集』に収録されている歌の上の句を詠み、下の句を女房たちに答えさせようとした。『古今集』についてのテストをしたのである。しかし清少納言と並び称された才女・宰相の君でさえ、十首ほどしか答えられなかった。

定子は数代前の村上天皇の時代、天皇が一人の女御に同じようなテストをした話を女房たちに語る。父に言われて『古今集』を学んだ女御は、天皇のテストに答えていった。天皇もムキになって次々問題を出したが、『古今集』は二十巻もあるのに、ついに女御は間違えることがなかったという。

定子はこのエピソードから、女房たちに同様のテストをさせたのだった。定子の教養の高さを称えるエピソードの一つである。

また『古今著聞集』という説話集に、歌人として有名な和泉式部の娘・小式部のこんなエピソードがある。

ある時、小式部が歌合せの詠み手に選ばれた。そんな小式部に藤原定頼という歌人が「丹後へ使いに出した人は戻ってきましたか」と尋ねた。当時、母の和泉式部は夫の任国である丹後に住んでいた。小式部の歌は和泉式部による代作という噂があり、歌合せのために母に代筆を頼んだ使者は戻ってきたのかと、意地の悪い質問をしたのである。

定頼は声をかけてそのまま通り過ぎようとしたが、小式部はずいと半分御簾から出て、定頼の衣を掴んだ。そして「大江山いくのの道の遠ければまだふみも見ず天橋立」と即興で詠んだ。これは「大江山を越えて（近くの）生野ですら行ったことがないのに、母のい

和歌と人々の関係

代表的な歌集２冊

『万葉集』

日本最古の歌集であり、
貴族から下級役人、地方の防人、
東国人のものまで収録
↓
人々の心情が分かる

『古今和歌集』

配列から詩の内容にまで
工夫が施され、この世には
存在しない観念的な美を描く
↓
後の歌集に多大な影響

歌の知識と技術は教養の証

中宮定子は女房たちに『古今集』テストをさせる

歌で自分の意志を伝えた小式部

る天橋立の地など踏んだこともありません（母からの文など見ておりません）」という意味の歌であり、「掛詞」という一つの語に二つ以上の意味を持たせるという和歌の技法が使われている。しかも「生野」と「行く」、「踏み」と「文」の二カ所も使われた大変優れた歌である。小式部はこれを即興で詠んだのだ。母の代筆など必要ない、と即座に知らしめたのである。しかも御簾から半分出て相手を逃がさないように衣を掴むなど、直接顔を見せない当時の風潮からするとかなり大胆で勇気のある行動である。

歌を詠みかけられた人物は、歌で返すのが当時の風習である。しかし驚いた定頼は返歌をせずに逃げ去ってしまったという。これによって小式部の歌人としての評判が高まった。

当時の人々にとって、教養と和歌は切っても切れない関係なのである。

和歌以外の「歌」

さて、ここまで紹介してきた通り、古代日本文化における歌といえば和歌の占める位置は非常に大きい。

だが、日本の歌は和歌ばかりではない。

ちょっと面白いところでは、労作歌とか作業歌とか呼ばれるものがある。働きながら（あるいはひと段落して休憩している時に）歌を歌うのだ。田んぼに稲を植える時の田植歌、建築前に地盤を固める際の地搗歌《じつきうた》、鋸《のこ》で木を切り出す時には木挽歌《こびきうた》……という具合である。

何のために歌うのか。一番の目的は「タイミングを合わせるため」であったと考えられる。

集団作業の多くは、参加者が息を合わせ、タイミングを揃えなければ仕事にならない。場合によっては怪我をしたり、命を失ったり、ということさえあり得る。そこで、歌を歌う。すると自然と息が合う、というわけだ。

また、長時間作業による飽きが集中力を奪うのを防ぐため、という側面もあったようだ。今でもテレビやラジオを流しつつ仕事をする人がいるのと同じである。

旅人が道を歩いていれば、農民や職人たちの歌を聞く機会は多くあるであろう。それは彼らの暮らしを象徴するものであったはずだ。雰囲気を表現するための描写として、入れ込んで損はないのではないか。

娯楽としての歌

もっと純粋に娯楽としての歌では、平安時代前期には神楽歌や催馬楽《さいばら》が宴で好んで歌われたし、後期には今様という歌が流行った。文字通り「現代風」の意味である。源平合戦の黒幕的存在として知られる後白河院はこの今様を心から愛し、歌集まで編んでしまったほどだ。物語ではしばしば怪物じみた陰謀家として描かれる彼だが、天皇（法王）でありながら当世風の楽しみに興じたこともあったのだと思うと、なんとも人間臭いと感じないだろうか。

その後もさまざまな形で「歌」は歌い継がれてきたが、もう一つだけ紹介をさせてほしい。古代及び平安時代の終わりにあった、平氏政権の勃興と衰退、源平合戦のさまを描いた『平家物語』は「語物《かたりもの》」というスタイルで語られた。これは琵琶法師と呼ばれる人々が琵琶という楽器を爪引きながら語るもので、西洋で言うところの吟遊詩人を連想させるところがある。歌の一種（叙事詩）と考えて良いのではないか。このように、多様な形で歌は私たちの暮らしの中に溶け込んで

いろいろな「歌」と創作の際には

歌は古来より暮らしのさまざまな場面に……

- 儀式・祭りの時に
- 感動・感情を切り取る
- 物語を語り残す
- 仕事のお供に

など

↓

物語の中に「歌」を取り込むと雰囲気が出る

↓

文字で音楽を書く、歌と隣り合わせの生活を書くには工夫が必要

いる。皆さんが書く物語にも、歌を登場させてほしい。

歌と物語

ここまで古代日本を中心に「歌」の話をしてきたが、実のところ難しい問題が一つある。創作の中に歌を書き込むのは容易いことではないのだ。

一つは、文字や絵による創作では音・リズム・メロディを表現しにくいということがある。紙の中に音を閉じ込めることはできないからだ。しかしこれはその音楽を奏でる人が込めたイメージ、聞く人の心に湧き上がったイメージを描くことで解決できる。

もっと難しいのは、書き手に歌や音楽のセンスがあるとは限らない、ということだ。あなたは「平安貴族が書きそうな歌」をひねり出す才能をお持ちだろうか。これができる人は是非平安ものを作ってほしい。ライバルとの競争に勝つために大きな武器になるだろう。

しかし、そうでない人のほうが多いはずだ。その場合は既存の和歌の中から適切なものをピックアップしたり、「ここではこんな雰囲気や題材の歌を歌ったよ」とぼかす描写をすると良いだろう。

⑳鎮護国家思想と思いのままにならぬ「山法師」

祈りによって国を守る

六世紀頃、日本に仏教という新しい宗教が輸入され、七世紀までかけて受容されてきた、というのは既に紹介した通り。この項でまず注目してほしいのは、仏教が「国を守るもの」として期待され、受け入れられたことだ。このように、神や仏に祈り、その加護によって国内外の問題を解決しようとする考え方を「鎮護国家思想」という。

例えば初期には『仁王般若波羅蜜経《におうはんにゃはらみつきょう》』『金光明経《きんこうみょうきょう》』『仁王般若経《におうはんにゃきょう》』などが注目された。これらは仏法を守る役目を背負った天部の一つである仁王（金剛力士）や、仏教に従わない者たちを教化するのが仕事の明王たちといった神々に祈るための経典だ。

のちには災いを取り除く『大般若経《だいはんにゃきょう》』、罪を減らすという『法華経《ほけきょう》』、また『金光明経』の別訳である『最勝王経《さいしょうおうきょう》』などが重用された。

特に聖武天皇の御代には鎮護国家思想に基づく活動が盛んであった。相次ぐ飢饉や病の蔓延、さらには朝鮮における敵対勢力である新羅の脅威や、国内の有力貴族の反乱などを背景に、仏法によって国を守ろうとしたのだ。

その目玉政策は二つ。一つは、全国に国分寺を立てること。今でも「国分寺」という地名は各地に残っていて、そのよすがを感じることはできるだろう。ちなみに、国分寺は厳密には国分僧寺と国分尼寺に分かれ、国分僧寺は正しくは「金光明四天王護国之寺」、国分尼寺は「法華滅罪之寺」といい、ここまで紹介してきた護国の経典と関係があることが分かる。

もう一つは、巨大な仏像を作ることだ。「東大寺の大仏」「奈良の大仏」として知られる盧舎那仏像《るしゃなぶつぞう》は全長十五メートル。長い年月と大量の銅を費やして鋳造され、金メッキを施されたこの像は、大仏殿とともに数度焼失しながらも復興され、現在に至っている。

鎮護国家思想

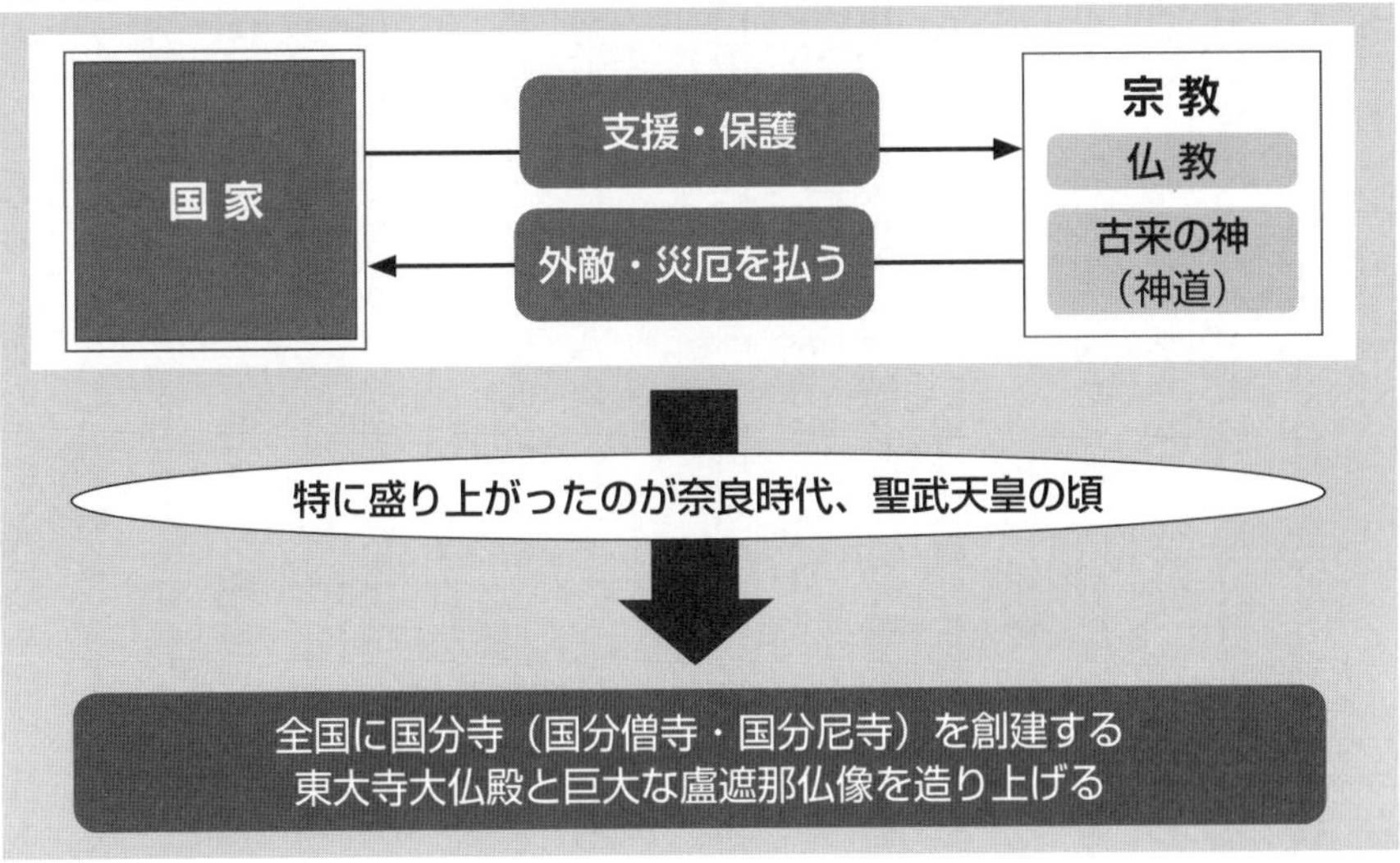
国家
支援・保護
外敵・災厄を払う
宗教
仏教
古来の神
（神道）
特に盛り上がったのが奈良時代、聖武天皇の頃
全国に国分寺（国分僧寺・国分尼寺）を創建する
東大寺大仏殿と巨大な盧遮那仏像を造り上げる

このようにして仏教方面での行事ばかりを挙げると誤解されるかもしれないが、国家鎮護の祈りは古来の神々へもたびたび捧げられている。国家の危機に直面するたび、朝廷から各地の神宮に使者が送られ、そこに祀られた神々へ鎮護の祈りが捧げられた。

鎮護の神として知られるのは、例えばフツヌシを祀る関東の香取神宮、九州で八幡大神信仰の中心となる宇佐神宮や住吉三神の住吉神宮などがある。その頂点に立つのは今なお「お伊勢さん」として厚い信仰を集める伊勢神宮だ。皇祖神たるアマテラスを祀り、天皇家との関係も深いこの神宮には、特別な危機の時のみ使者が送られるのだという。

鎮護国家と物語

このような鎮護国家思想は、物語の中でどのように扱うべきであろうか。

まず一つ、非常に現代人的な態度は、「神仏が人を救ってくれるわけではないのだから無駄な行為だ」というものであろう。しかしこれは古代（あるいは中世、近世でも）の人の視点としてはかなり異質だ。神や仏はいるのが当たり前、人間の手に及ばぬ事態には彼らに祈るのが当たり前の時代なのである。ここを見誤ると、その時代らしさが出なくなるので注意したい。

そもそも現代的価値観で見ても、鎮護国家思想が無駄だとは言い切れないところがある。宗教を広め、人々の価値観や思想を統一することによって、国家としての団結力を高める効果が期待できるからだ。また、寺院や神仏の像などを国家的公共事業として行うことによって、人々に仕事を与えられるという可能性もあるだろう。

鎮護国家思想に対する人々の思惑や迷いなども、物語のテーマとして面白いかもしれない。

例えば、聖武天皇と同じ時代を生きた僧侶・行基《ぎょうき》が参考になるだろう。彼は草の根で仏教の布教と炊き出し、そして土木工事によって直接的に民衆の暮らしを良くしようとした人で、国からは一時弾圧の対象にもされていた。しかしその名声が高まるや、国は一転して彼に大仏造立への協力を求め、また大僧正という立場への日本として初の就任を打診するなど利用する構えに出た。

行基はこの申し出に少なからず葛藤したらしい。彼はあくまで民間の活動家であり、国による大規模な鎮護国家活動に思うところがあったからだ。それでも行基は最終的には申し出を受け、大仏造立にも協力した。それは、彼もまた広い意味では鎮護国家思想に賛同する仏教僧だったからに他ならない。

次に、神や魔法が実在するファンタジー世界であったならばどうか。鎮護国家の祈りが単に迷信であるにとどまらず、あるいは国民を団結させる象徴であるにとどまらず、真に何かしらの意味があっても構わないはずだ。

とはいえ、具体的にどうしたら良いか。「人々の祈りが外敵を退治しました」ではつまらない。寺院や大仏のような鎮護国家のために必要な巨大建造物を作り上げる苦難を物語にする、『プロジェクトX』方式はありかもしれない。あるいは物語のサブプロットとして鎮護国家のプロジェクトは進行していて、しかし上手くいかずなんらかの災厄を招き、主人公たちはこれと戦わざるを得ないのかもしれない。

もっと別の発想もあり得る。鎮護国家の祈りが、物理的な効果をもって実現しても良いのではないか。例

鎮護国家思想と物語

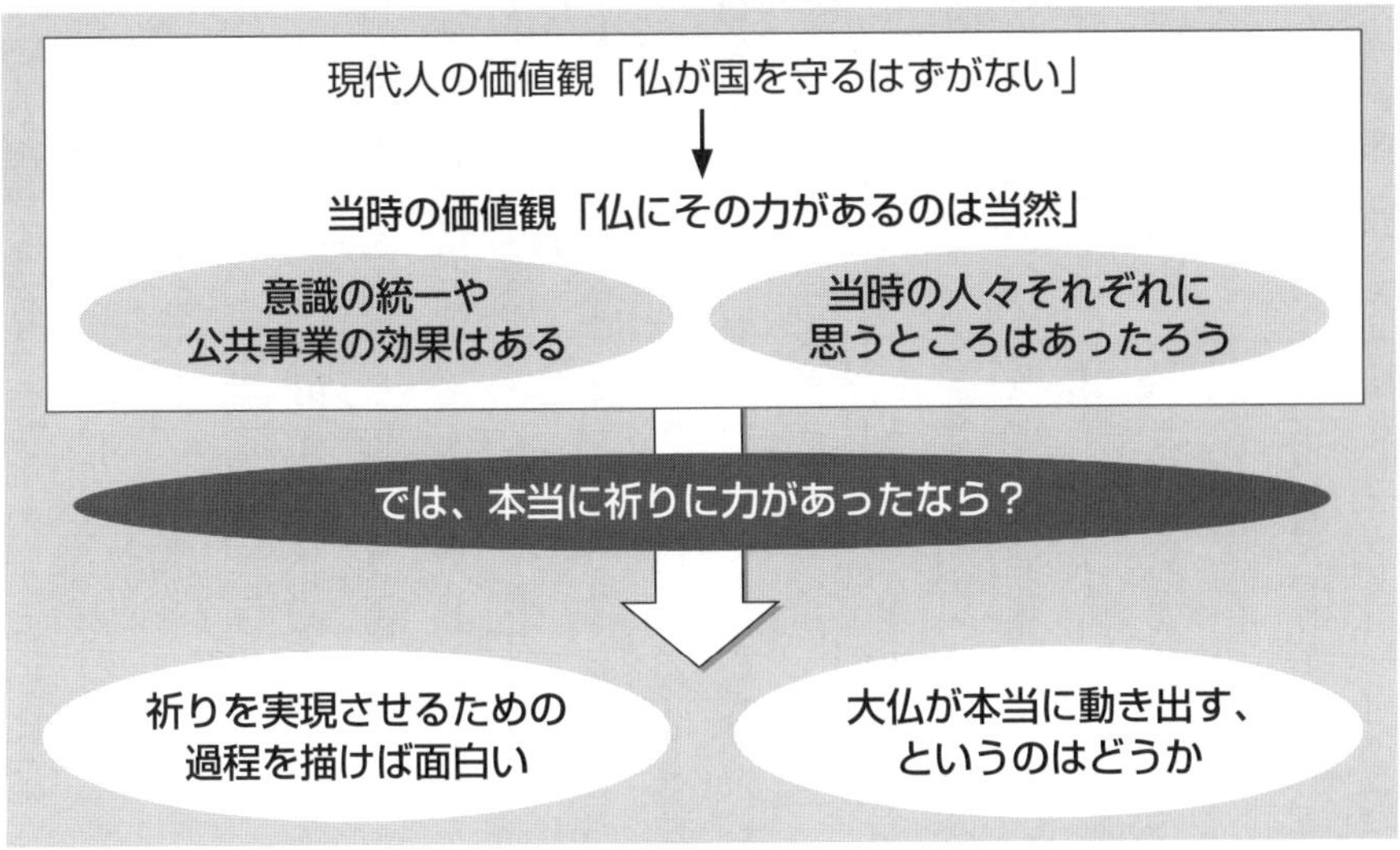
現代人の価値観「仏が国を守るはずがない」
当時の価値観「仏にその力があるのは当然」
意識の統一や
公共事業の効果はある
当時の人々それぞれに
思うところはあったろう
では、本当に祈りに力があったなら？
祈りを実現させるための
過程を描けば面白い
大仏が本当に動き出す、
というのはどうか

えば、「立ち上がって外敵をなぎ倒す盧舎那仏像」である。

　座って十五メートルであるから、立ち上がれば三十メートル弱。金属の巨人が暴れ回れば、銃も砲も持たない古代の軍団では太刀打ちできまい。ちなみにゴジラは初期で五十メートル、のちにさらに大きくなる。ウルトラマンなら四十メートル。このままの大きさだと怪獣たちと戦うにはちょっと不足しそうだ。ともあれ、鎮護国家の祈りをエネルギー源に、国を脅かす敵と戦う古代日本風ロボット兵器というのはなかなか面白いのではないか。

南都北嶺

　このような国家事業としての宗教による鎮護国家の試みの最盛期は奈良時代で、平安時代になるとある種民間委託ともいうべきあり方へ変わった。

　つまり、この時代に隆盛した天台宗・真言宗の密教系と、奈良時代からあったが平安京移転時に奈良に残った南都六宗（倶舎宗《くしゃしゅう》、成実宗《じょうじつしゅう》、律宗《りっしゅう》、法相宗《ほっそうしゅう》、三論宗《さんろんしゅう》、華厳宗《けごんしゅう》）が、それぞれに鎮護国家の祈りを捧げることになったのである。もちろん、そのような儀式を行うのは国家との関係が深いからこそだし、国家としてもそれら宗教の庇護は行っていた。まったく独自に動いていたわけではないはずだ。

彼らは何者であったか。第一義にはもちろん仏を敬い、祈る宗教集団である。しかし、時を経るにつれてやがてそんな枠には収まらなくなってくる。つまり、広い寺領（寺独自の領地）によって経済力を獲得し、僧兵集団を組織することで独自の武力まで持ったことにより、有力公家にも匹敵し時には凌駕するような政治的発言力まで持つにいたるのだ。そこに従来の宗教的権威も乗る。実に恐るべき存在であった。

中でも特に強い力を持っていたとされるのが、天台宗総本山の比叡山延暦寺《ひえいざんえんりゃくじ》と、南都六宗の一つ、法相宗総本山の興福寺《こうふくじ》である。これを「南都北嶺《なんとほくれい》」と呼ぶ。

延暦寺は天台宗の開祖・最澄によって開かれた寺院である。今でも「お山」といえば比叡山のことだし、「日本仏教の母山」と見る向きもある。

彼らが武装化を進めたのは十世紀終わり頃、延暦寺内部で争いが激しかった時期とちょうど重なる。この時期は武士がその姿を明確にさせていった頃でもある。情勢が不安定になる中で僧侶たちも自分の身を守らざるを得なかった……ということもあろうが、一方で彼らこそがその武力によって暴れ、周辺に悪影響を与えた事実もある。僧兵の乱暴狼藉はその後も長く社会問題の一つとして残っていく。

『平家物語』は「賀茂川の水、双六の賽、山法師、是れぞ我が心にかなはぬ物と、白河院も仰せなりけり」と記す。白河院というのは白河法王、つまり院政期に絶大な力を誇った人物のことである。そんな彼にとっても、度々洪水を巻き起こす川の流れと、人間にはどうしようもないサイコロ運の二つと同じくらい自分の心に従わないのが、山法師＝比叡山延暦寺の僧兵たちだ、というのである。

その延暦寺と並び称されるのが奈良の興福寺だ。一人の天才的な僧侶によって作り上げられた部分の大きい延暦寺に対し、興福寺はある一族との関係によって発展したとされている。藤原氏だ。

そもそものルーツは中大兄皇子とともに乙巳《いっし》の変《へん》を成功させて躍進した藤原鎌足《ふじわらのかまたり》にある。彼が仏像を祀っ

南都北嶺とは？

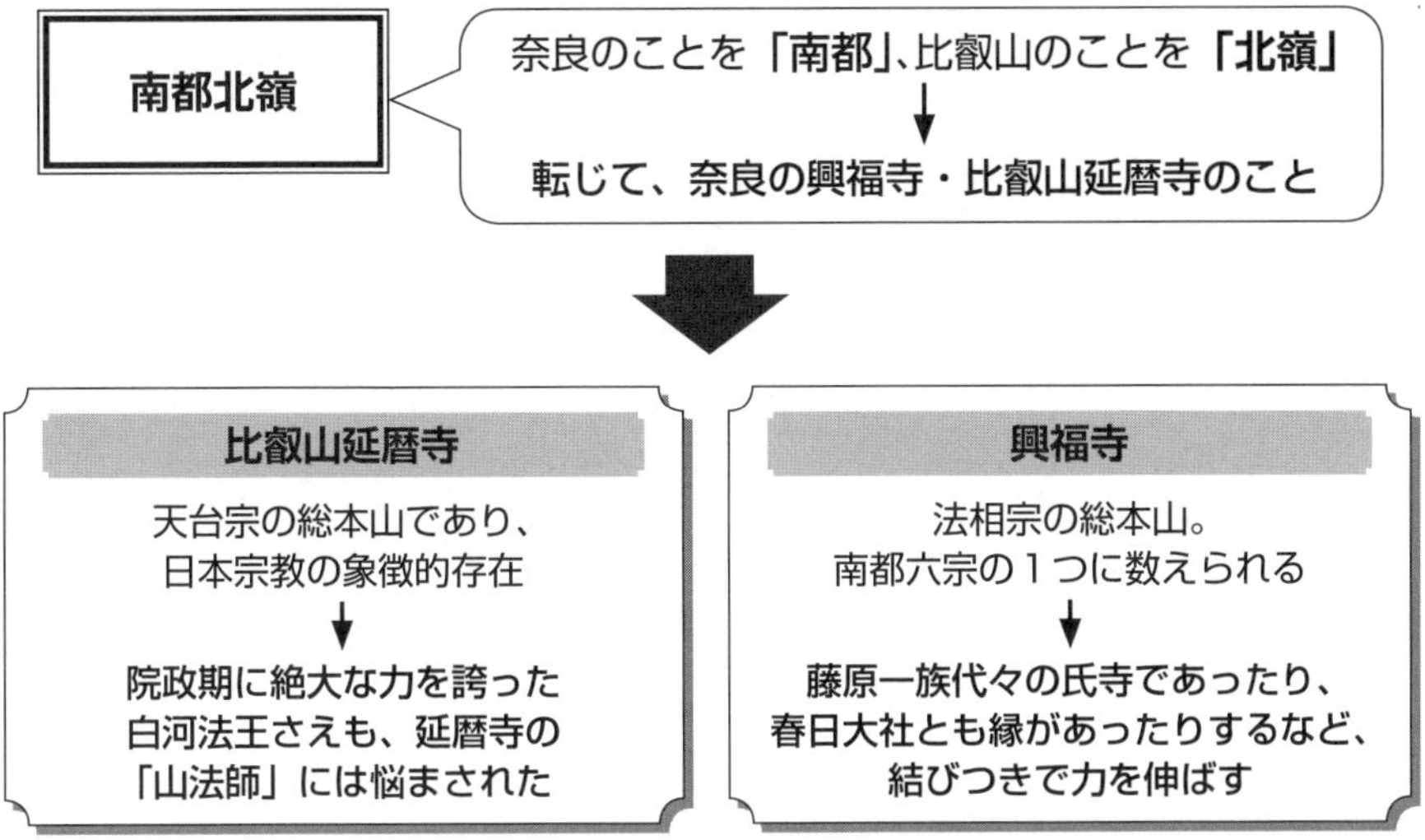
南都北嶺
奈良のことを「南都」、比叡山のことを「北嶺」
転じて、奈良の興福寺・比叡山延暦寺のこと
比叡山延暦寺
天台宗の総本山であり、
日本宗教の象徴的存在
院政期に絶大な力を誇った
白河法王さえも、延暦寺の
「山法師」には悩まされた
興福寺
法相宗の総本山。
南都六宗の１つに数えられる
藤原一族代々の氏寺であったり、
春日大社とも縁があったりするなど、
結びつきで力を伸ばす

ていた建物がやがて寺院へと発展し、藤原一族代々の氏寺として大事にされるうちに力を増し、平城京遷都の際に奈良に移ったのである。

　力を増すにあたっては、奈良で古くから有力な神社であった春日大社と結びつき、その力を手に入れたことも大きかったようだ。神仏習合の項で紹介したように、当時としては珍しくないことである。

　のちのことになるが、鎌倉時代には大和国に武士の国司は置かれなかった。興福寺が国司の役をあずかったのである。以後、江戸時代が始まって武士による治世が安定するまで、興福寺は大和地方最大級の勢力として振る舞うことになるのだ。

二つの必殺技

　白河院の嘆きをわざわざ思い出すまでもなく、延暦寺や興福寺に代表される宗教勢力は強かった。

　どうしてそうなったのか。彼らには二つの必殺技があったからだ。

　一つには、本項で繰り返してきた通り、彼らが宗教的権威であったことだ。――つまり、下手に寺社に手

を出すとバチが当たるのではないか、と誰もが大小の差はあれど怯えていたのである。これが強力なバリアーとなって寺社を守った。

近代以前の人々は私たちが思うよりはるかに迷信深く、目に見えない力が現実的な脅威であると考えていたのは本書で繰り返し紹介している通りである。中でも平安貴族たちは神を恐れ、仏を恐れ、霊を恐れた。寺社を攻撃して万が一にも神や仏の怒りを買ったら極楽往生できないのではないか、地獄に落とされるのではないかと考えたら、ちょっとやそっとの要求は飲み込んでしまうのだ。

この関係はもっとスケールの大きなところでも成立していた。王法＝国家権力と仏法＝寺院は同等かつ運命共同体で、仏法が滅んだら王法も滅ぶとさえ信じられていたのである。そして寺院側もそれが分かって「いざとなれば寺院を放棄する」と脅すからたちが悪い。中世ヨーロッパにおいてはキリスト教徒でいることに意味があり、カトリック教会は王を破門すると脅すことで影響力を示すことがあったが、日本における王法と仏法の関係はこれに似つつも違って面白い。

ただ、いくらアンタッチャブルな存在であっても、攻撃されることはあった。例えば平安時代末期、源平の戦いの頃のことだ。平氏は南都（奈良）を襲撃し、東大寺や興福寺を焼いてしまった。また時を進めて戦国時代、織田信長による比叡山焼き討ちも有名だ。

第二の必殺技は十一世紀末頃から行われるようになった「強訴《ごうそ》」だ。文字通り「強く訴える」のだが、それだけではない。

彼ら宗教勢力が、何かしらの不満があり、あるいは政治的対立があって、時の権力者に自分たちの要求を飲ませたいとする。その時、どうするか。

まず、数を集める。現代でもそうだが、たくさんの人間で押しかけるというのはそれだけで効果が有る。武器も必要だ。これには脅しの意味もあるが、古代や中世の人間は交渉が上手くいかなかったらその武器を即座に相手の頭に叩きつける。そういう価値観の持ち主なのだ。

そしてこれが重要なのだが、宗教的権威の象徴を持ち出して相手に見せつけ、仏罰・神罰を恐れぬかと言わんばかりに脅すのである。この時、延暦寺なら日吉

国家を悩ませた「山法師」たち

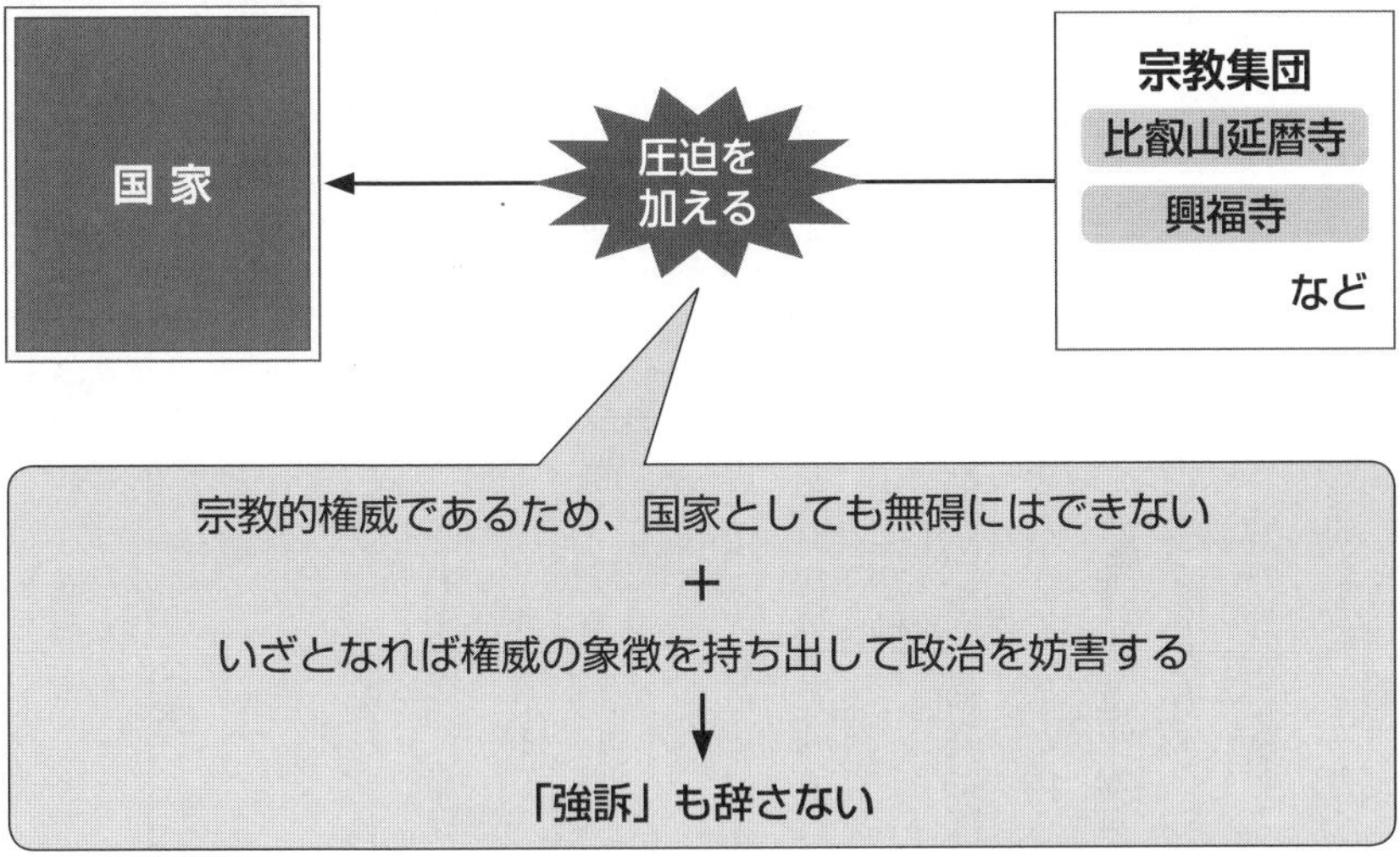
国家
圧迫を加える
宗教集団
比叡山延暦寺
興福寺
など
宗教的権威であるため、国家としても無碍にはできない
＋
いざとなれば権威の象徴を持ち出して政治を妨害する
「強訴」も辞さない

大社の神輿を、興福寺なら春日大社の神木をという具合に、関係の深い神社のそれを持ち出すことが多かったようだ。これらの恐れ多いものを引き出し、御所の門前にどんと置いてしまう。朝廷側としてはどかすわけにもいかないから、行政がどうしてもストップしてしまう。現代でいうなら国会議事堂を占拠して議会の進行を妨害するようなものだが、それを宗教的権威で行うというのがいかにも古代・中世的である。

このような強訴は本来禁止されていたのだが、律令制が緩む中で平然と行われるようになり、白河院を悩ませるようになった、というわけだ。

宗教集団は物語を彩る重要な存在だ。現代人の感覚だとついつい祈っているだけ、魔法が使えるならそれを用いて人を助けているだけのイメージがあるかもしれない。しかしそうとは限らない。

むしろ近代以前の宗教集団なら、政治・経済・軍事に力を発揮するほうが普通、とさえいえるだろう。そのくらい、人々に信仰される神や仏の権威というものは強く、多方面に影響力が発揮できる、ということなのだ。

㉑平安京縁起

千年の都──平安京

日本において「都《みやこ》」といえば平安京だ。歴史を遡れば京（都）はいくつもあるのだが、それでも今、単に「京」といえば平安京である。それだけ歴史が長いということであり、物語を作るにあたっても大いに参考になる。

平安京は一八六九年の東京遷都《とうきょうせんと》まで、実に千年以上も日本の首都であった。歴史的文化財が数多く残され、現在も観光名所として国内外から人気が高い。

ちなみに、明治時代の東京遷都・天皇の移動に際して政府からの声明はなく、ほとんどなし崩しのうちに遷都が行われた。そのため、「首都はまだ平安京（京都）である」「天皇陛下はちょっと（百五十年くらい！）遠出しておられるだけだ」と言い張ることもできよう。……これはこれで物語のネタになりそうだ。

さて、平安京が作られるまで、都はたびたび場所を変えてきた。飛鳥時代はほぼ飛鳥（奈良県明日香村）に都があった。「ほぼ」というのは、福岡や滋賀などに都が移されていた期間があるからである。

その後の都の変遷は

- **六九四年に藤原京《ふじわらきょう》（奈良県橿原市と明日香村付近）**
- **七一〇年に平城京《へいじょうきょう》（奈良県奈良市）**
- **七八四年に長岡京《ながおかきょう》（京都府長岡京市）**

となる。そして七九四年、ついに平安京へと遷都されたのである。

首都には国王、国家元首などを始めとして国や歴史におけるさまざまな重要人物が集まる。もちろん普通の貴族も、庶民も、流れ者たちもやってくる。ドラマが生まれる場所だ。当然というか必然と言うべきか、血なまぐさい事件も少なくない。今回は千年の都となった平安京にフォーカスを当てて、その縁起を見てみたい。

桓武天皇

平安京に遷都した桓武天皇《かんむてんのう》は七八一年に即位した。まだ都が平城京にあった頃だ。長岡京、そして平安京への遷都はどちらも桓武天皇の行った事業である。後に千年の都となる平安京を造り、歴史に大きく名を残すこの桓武天皇だが、もともと即位が約束されていた皇子ではなかった。

父は先代の光仁天皇《こうにんてんのう》で桓武はその長子であったが、母は皇后ではなかった。光仁天皇の皇后には聖武天皇の娘である井上《いのえ》内親王がおり、その息子である他戸《おさべ》親王が皇太子となっていたのである。

このままいけば、桓武は傍流の親王としてひっそりと生涯を終えていたであろう。しかし七七二年、井上内親王が光仁天皇を呪詛《じゅそ》したという疑いをかけられ、息子の他戸親王とともに地位を追われた。この母子は幽閉の末、三年後に自殺に追い込まれたのである。これは桓武の立太子をもくろんだ藤原百川《ふじわらのももかわ》による陰謀で、冤罪事件であったという。

このような悲劇を経て即位した桓武天皇だが、だからこそこれは天命なのだと確信を強めたという。そして新しい王朝を作り上げるため、新しい都の建造に踏み切ったのである。

都造営の責任者が暗殺される

即位し、長岡遷都を成し遂げた桓武天皇は、さぞ気持ちが高揚していたことだろう。しかし遷都の翌年、長岡京建造の責任者であった藤原種継《ふじわらのたねつぐ》が暗殺されるという事件が起こった。

桓武天皇が遷都を行った理由の一つとして、平城京を拠点とする旧来の貴族や寺院の勢力から離れ、自立した王権を確立することが挙げられる。当然、旧勢力は長岡遷都に反対していた。種継暗殺は、この旧勢力によるものだった。

この事件で数々の貴族が処刑、もしくは流罪となった。『古今和歌集』を編纂したという大伴家持がこの暗殺事件の中心人物と目された。ただし家持は事件の約一カ月前に亡くなっていたので、埋葬の禁止、役人としての名簿から除名という処分を受けた（桓武天皇の崩御後に回復している)。

その中でもっとも有名かつ悲劇的な人物は、早良親《さわらしん》王《のう》であろう。彼は悲劇のうちに死に、怨霊になって人々に祟ったとされる。詳しくは第三章で紹介する。

平安京遷都

長岡遷都から十年後の七九四年、桓武天皇は再び遷都した。新しい都は山背国葛野郡(京都府京都市)に造営された。これが平安京である。

従来であれば、この都は地名をとって「葛野京」と呼ばれる筈だった。しかし『日本紀略』には「民衆の中から自然とこの都を「平安京」と呼ぶ声が起こった」と書かれている。これは事実とは異なり、「平安京」の名付け親は桓武天皇である。天皇は民衆の声を聞いて名を決め、民とともに新しい都を喜ぶ姿勢を示したかったのではないかと推察される。

桓武天皇はこの名に「永遠の平和と安泰」の理想を持っていたと思われる。それまで遷都を繰り返してきた朝廷が平安京に定まり、まさに名の通り千年も続く都になろうとは、桓武天皇は想像していただろうか。

また国名も、もとは「山背国」であったのを「山城国」と改められた。「大和から見た山の背後の国」から「自然の城の国」という意味になったのである。飛鳥やその近辺からほとんど動いたことのなかった都が、ついに京へ移されたという桓武天皇の意志の表れではないだろうか。

桓武天皇ののち、安殿親王《あてしんのう》が即位し平城天皇《へいぜいてんのう》となった。平城天皇は都を平安京に固定することを宣言した。

交通の要衝

平安京がこの地に選ばれた理由として、交通の便がある。平安京からは山陽道、山陰道、東海・東山道などの幹線街道を整備しやすかった。全国への道を作りやすかったのである。かつてヨーロッパで繁栄したローマ帝国も、大規模な道路建設事業を行っていた。

また水運にも恵まれていた。平安京は西を桂川、東を鴨川に挟まれている。これらは宇治川から大阪の淀川に繋がり、瀬戸内海に流れ込んでいる。陸路にしろ水路にしろ、交通の要衝であったのだ。

余談ではあるが、先に述べたように平安京は桂川と

長岡京から平安京へ

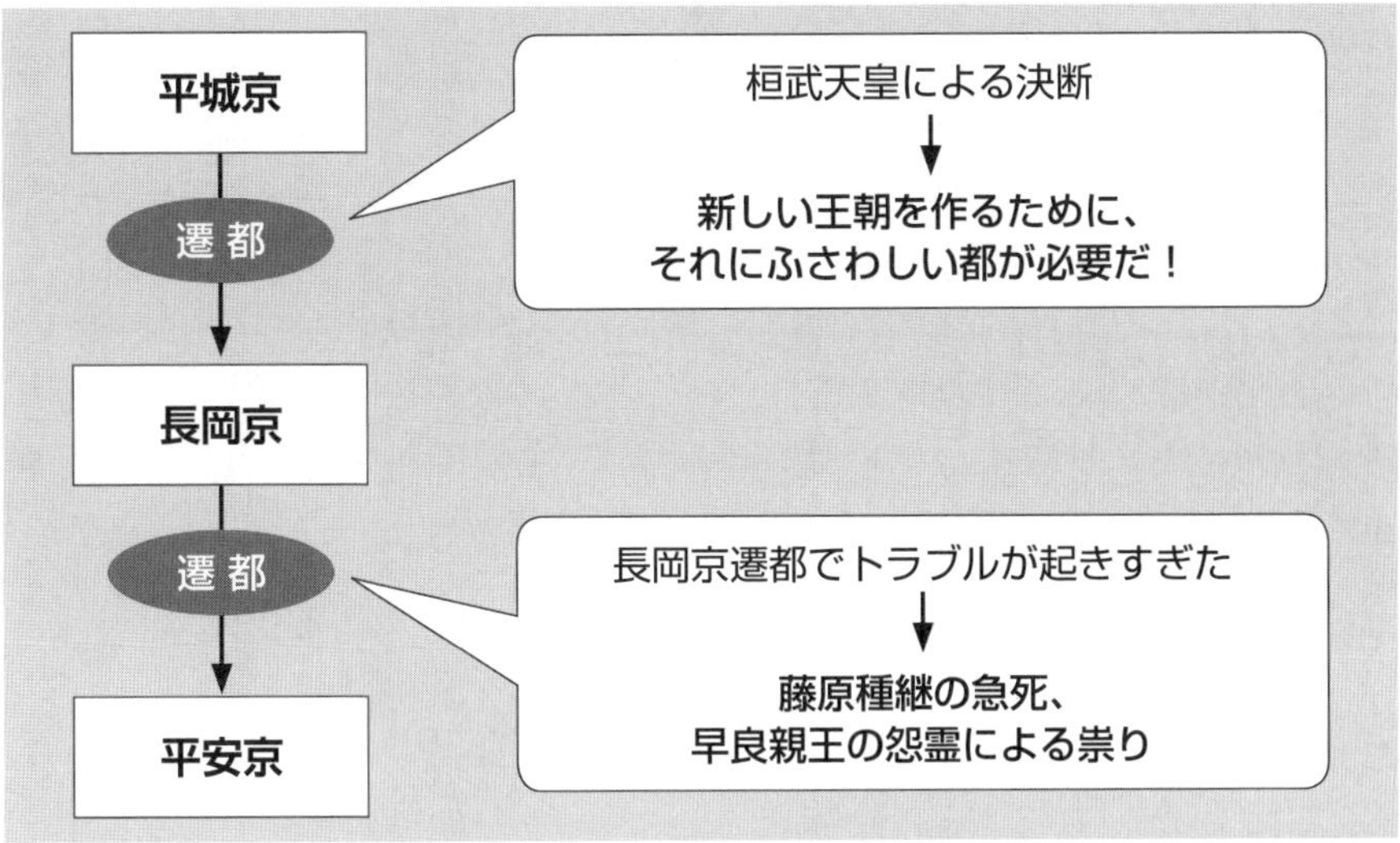
平城京
遷都
桓武天皇による決断
新しい王朝を作るために、
それにふさわしい都が必要だ！
長岡京
遷都
長岡京遷都でトラブルが起きすぎた
藤原種継の急死、
早良親王の怨霊による祟り
平安京

鴨川に挟まれた土地である。観光名所としても名高い清水寺は鴨川よりずっと東側にあり、都の外ということになる。説話や平安時代を舞台にした作品で清水寺へ参詣に行くというのは間々ある展開だが、これは都の外へのちょっとした遠出なのである。清水寺周辺は鳥辺野という葬送地も近く、実は怪談話も多い。小野篁ゆかりの寺もこの近くである。

四神相応

平安京は「四神相応」の地という。四神相応は中国の風水思想の考え方であり、都造営にあたって中国を手本としていたために新都造営にも取り入れられた。

東西南北の四方をそれぞれの神獣が守護するとされている。エンタメ作品の題材にされることも多いため、知っている読者も多いだろう。それぞれの神獣が象徴する地形と平安京において対応するものについては次の通りである。

・北＝玄武＝山＝船岡山
・南＝朱雀＝水面＝巨椋池

・東＝青龍（蒼竜とも）＝川＝鴨川
・西＝白虎＝大道＝山陰道

となる。これを明言する史料は残念ながら残っていないが、おそらくこのように対応していると思われる。

平安宮においても南門が朱雀門、東西の楼閣に「蒼龍楼」「白虎楼」と名付けられていたのもこの思想による。都の中心を南北に走る大路は朱雀大路《すざくおおじ》と呼ばれていた。

平安京の構造

平安京は南北にやや縦長の形をしていたといわれる。現在にもその名残が見えるが、道路は碁盤の目のように整然と整備されていた。道路は大路と小路に分けられており、大路は幅約二十四～三十メートルが通例であったが、朱雀大路は幅約八十三・五メートルもあったという。小路は幅約十二メートルに統一されていた。

碁盤の目に区画された基本単位「町《ちょう》」がすべて、一辺が約百二十メートルの正方形に統一されていた。これは平安京の大きな特徴といえる。平城京では道に面した町は、道の幅分狭くなっていたのである。長岡京でもこれをできるだけ正方形に近づけようとしたが完璧ではなく、平安京で初めて統一することができた。短い期間での二度の都造営で、格段にスキルアップしたようである。

都の中央には大内裏（平安宮）から南へと朱雀大路が走る。朱雀大路の入り口には、芥川龍之介の『羅生門』で有名な羅城門があった。残念ながらこれは現存しない。

朱雀大路を挟んで西を右京、東を左京と呼んだ。地図上では北を上に描かれるため東西と左右が混乱しそうになる。天皇が大内裏の頂点に鎮座する、つまり一番北の場所に南を向いて座るため、天皇から見て右は西、ということになる。ちなみに右大臣、左大臣が座る場所も天皇から見た位置になる。

しかし現在の京都御所は当初の位置よりかなり東にずれている。火災などで修理・改築され、現在の建物は江戸時代末期の一八五五年に造営されたものである。とはいえ再建にあたっては平安宮についての研究成果が取り入れられており、当時の平安宮の面影を感じる

平安京の構造

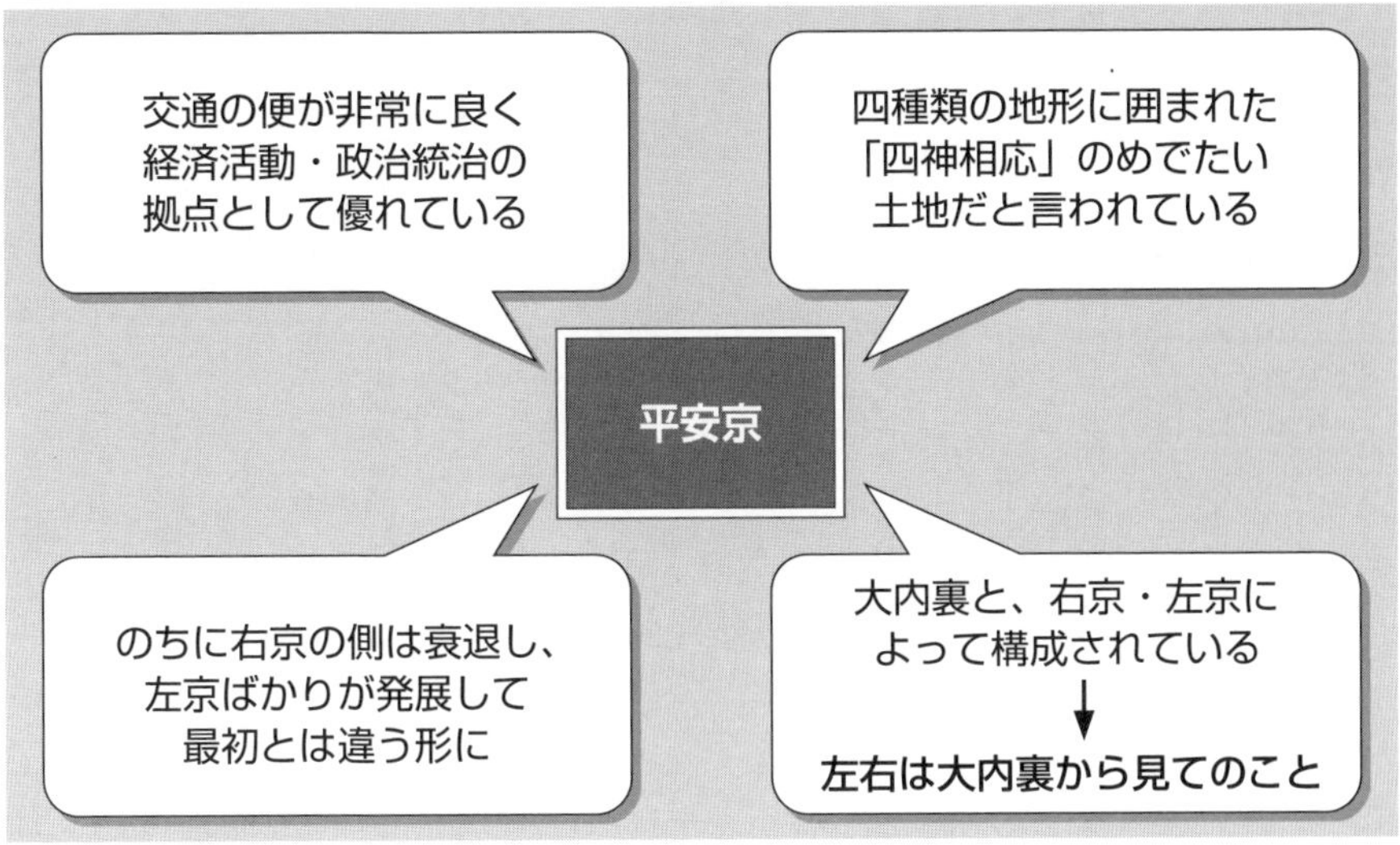

交通の便が非常に良く
経済活動・政治統治の
拠点として優れている
四種類の地形に囲まれた
「四神相応」のめでたい
土地だと言われている
平安京
のちに右京の側は衰退し、
左京ばかりが発展して
最初とは違う形に
大内裏と、右京・左京に
よって構成されている
左右は大内裏から見てのこと

ことはできる。

もとの平安宮跡地には、豊臣秀吉が聚楽第《じゅらくだい》を建造した。現在は織物で有名な西陣の市街地となっている。

平安京は移り変わる

ところで、例えば戦国時代にまつわる記述などを見ていると、京（平安京）へ向かうことを「上洛」と表現しているところを見た記憶はないだろうか。これは平安京が別名として「洛陽《らくよう》」と呼ばれたから……なのだが、実はここに至るにはちょっと複雑な事情がある。

そもそも「洛陽」というのは中国において後漢や魏などいくつかの王朝が本拠地にした都のことだ。『三国志』で登場するので聞き覚えのある人も多いのではないか。どうして中国の都の名前が出てくるかと言えば、平安時代初期に嵯峨天皇が平安京の左京を「洛陽城」、右京を「長安城」と名付けたのが原因だ。

ちなみに長安も中国でいくつもの王朝が都に選んだ大都市である。平安京は構造としてはこちらの長安がモデルになっている。

では、なぜ「洛陽」の名前だけが残ってしまったのか。それは右京に問題がある。もともとこの場所には沼や沢が多く、整地も十分ではなかったので、非常に住みにくい場所だったのである。結果、十世紀の後半にもなると「右京からは出ていく人ばかり」などと記録に残されるに至ってしまう。

このような事情から、平安京といえば左京（東側）のことになり、その別名であった洛陽が平安京そのものの別名になった。都の中心を貫く朱雀大路は都の左端を示す「西朱雀（路）」になった。羅城門が廃れたのも、のちに御所が東側に移されるのも、すべては右京の衰退に原因がある、というわけだ。

せっかく歴史を進めたのだから、いっそ先まで触れてみよう。鎌倉時代に入ると政治の中心は幕府のある鎌倉へ移ったが、鎌倉幕府が滅んで作られた新たな幕府は京に置かれたので、再び日本の中心に返り咲くことになる。しかし、時代の、そして京の主役は既に武士であった。また、この頃にはかつての左京が上京・下京という二つの地域に分かれていたようだ。

室町時代後期にはいわゆる応仁の乱が勃発して京の大部分を焦土にしたものの、織田信長・豊臣秀吉によって大規模な都市改造が行われた。特に秀吉は短冊型の町割りをしたり、上京・下京を御土居と呼ばれる塀で囲み中間の地域を住宅地として発展させる礎を作るなど、後世に大きな影響を残している。

江戸時代には織物や陶器・漆器などの手工業が栄え、商業的にも大いに発展した。しかし幕末には戦場にもなり、また遷都が行われるなど、京都の存在意義が揺らいだ。これに対して明治新政府はまず産業の近代化を推し進め、また日本初の小学校や市街電車を開くなどした。残念ながら港を持たないことから工業都市としての発展は難しかったが、代わりに歴史を背景にした文化観光都市として定着し、現在に至る。また、京都には大学が多く、「学生の街」という印象も強い。

都市は生きている

平安京の変遷は、「都市は変化するものだ」という良いサンプルになる。都市とは生きている人が、生きるために住処とするものだから、時間の経過、環境の変化、何らかの事件によってその形をいくらでも変えるのである。

都市は変遷する

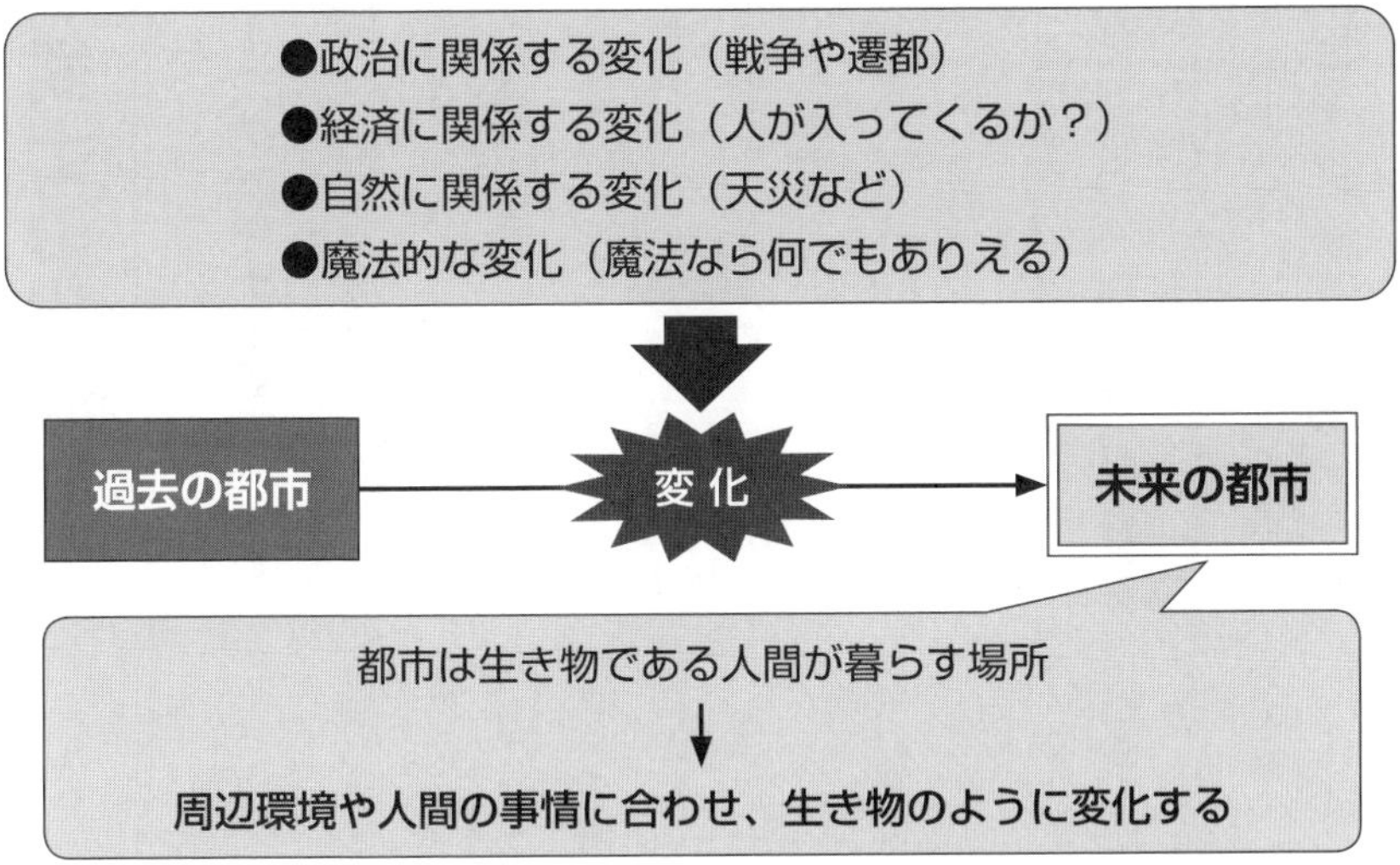
●政治に関係する変化（戦争や遷都）
●経済に関係する変化（人が入ってくるか？）
●自然に関係する変化（天災など）
●魔法的な変化（魔法なら何でもありえる）
過去の都市
変化
未来の都市
都市は生き物である人間が暮らす場所
周辺環境や人間の事情に合わせ、生き物のように変化する

都市の変化は、どんなものが考えられるだろうか。政治的な事件（遷都や戦争など）があり、経済・交流的な変遷があり（交通ルートが変わるなど）、普通の人間にはどうしようもない天変地異があり（火山や洪水など）、超常的・魔法的な事件もあるだろう（魔王の住む地下迷宮の口が開く、など）。

大きくなる都市もあれば、小さくなる都市もある。ゆっくり変化するケースもあれば、急激に変わってしまう場合もある。

その上で、いくつか例を考えてみた。

・小さな港街が交通ルートの変化で大都市になる
・城塞の周囲に人々が集まり、やがて街になる
・かつて大国の都であったが滅んでしまい、広大な都のほとんどが使われなくなった
・壁で囲われた城塞都市だったが、街の規模を大きくするたびに壁を築いて拡張したので、複雑な形に

どうだろう。世界設定を考えるのが好きなタイプの人は、これを見るだけでワクワクするはずだ。

㉒武士の出現

武士――次の時代の主役

平安時代の中期から後期にかけて、日本の古代が終わりに近づくと、代わって次の時代――中世の担い手が歴史の表舞台に現れ始める。すなわち、武士だ。

一般に武士というと「中世、すなわち鎌倉・室町（戦国）時代に自分たちの所領を守り広げるために戦った軍事集団」あるいは「近世（江戸）に政治・行政を牛耳った軍事階級」を指す。

ただ、武士の発生は中世よりも前の古代、平安時代にあった。この頃の彼らはまだ歴史の主役とは言えず、公家たちからすれば「下賤の者」という認識であっただろう。だが、武士たちは着実に力を蓄えていたし、時代も変わりつつあった。そうしていくつかの事件を経て、歴史は中世へ進んでいくことになる。

その意味で、この時代の武士たちもなかなか面白い存在であるため、ここで紹介したい。

武士のルーツは？

武士。単に「武を用いる人」、すなわち戦いや戦争で活躍する人の意味であれば、昔からそのような存在はいた。古くは神武天皇が九州より兵を率いて大和朝廷を打ち立て、ヤマトタケルは諸国へ旅して荒ぶる神や、朝廷に従わない民を打倒して服従させた、と伝説に語られている。

あるいは史実を見ても、大和朝廷がその勢力を日本に広げるまでに「倭国大乱」と呼ばれる戦乱の時代があった。政権の確立後も壬申の乱を始めとする内紛があり、白村江の戦いという外国との戦いもある。そして奈良時代の終わり頃には東北地方に住む蝦夷の討伐が巨大事業として行われた。

これらの戦いに従事する軍人・兵士・武人を指し表す言葉として、既に「武士」という言葉は奈良時代には存在していたのである。しかし、その言葉あるいは存在は私たちのイメージする武士とは接続していない。「武士」が独特の意味合いを持ち始めるのは、十世紀頃からだ。

では、そのような「武士」は、何を母体とし、どのように出現したのであろうか。それは単一ではなく、いくつかのルーツから同時多発的に現れ、やがて一つの概念となったものと考えられる。

その一、富農と領主

第一のルーツとされるのは、地方で発生していた豊かな農民、あるいは新興領主といった人々である。

この頃、地方においては律令制度に基づく統治機構が不安定化しつつあり、彼らは自分の財産、支配下にある人民、そして土地を自らの手で守らなければならなくなった。こうして武装化した農民領主が武士の母体になった、というのである。

この説はもともと広く信じられていたが、根拠の不足から現在は信憑性が低いものと見られつつある。しかし、あなたが自分の物語の参考にするぶんには問題がない。というのも、「開拓が進む中で、国家の庇護を期待できない人々が武装化し、やがて軍事力こそが重要になっていく」というのは（仮に武士のルーツではないとしても）しばしば見られるものだからだ。

一例としては、アメリカ大陸の開拓民が挙げられる。金鉱脈の発見による西武の急激な開拓などもあって、広大な土地に広がった人々は自分たちの命と財産を己の手で守らなければならず、拳銃によって武装した。これは今もアメリカ人たちが持つ「銃によって自分を守るのは当然の権利」という価値観として残っている……。

このような歴史的な出来事から、例えば次のような設定が連想される。

「この地域で各村が比較的独立していて、国家もなかなか手を出せないのは、自らの手で開拓し、武装して村を守ってきたという歴史があるからだ」

「冒険者たちが武器を持って町の中を歩いていても、あまり目くじらを立てられることはない。自分の身を守るのは当然の権利であるからだ」

以上、参考にしてみてほしい。

その二、軍事貴族と荒くれ者たち

第二のルーツは、軍事を役目とする貴族（公家）のもとに集った軍団に見出すことができる。

前述の通り、武士発生前から軍事を役目とする者たちはいた。平安時代における役職を見ても、京を守る親衛軍事組織である六衛府《ろくえもん》（近衛《このえ》、衛門《えもん》、兵衛府《ひょうえふ》がそれぞれ左右で六組織）、東北地方を抑えるための鎮守府《ちんじゅふ》、警察・司法を担当した検非違使庁などは、ある程度の軍事力・戦闘力がなければ役目を果たせない組織である。

当時、平安時代という名前とは裏腹に、独自の私兵集団が活躍できたのはなぜか。それは、この時代のあちこちで紛争が起きていたからだ。何しろこの頃は社会の複雑化が進み、公家、役人、宗教者その他の諸勢力がそれぞれに領地を広げていた頃だから、利益の競合・衝突、そこから生まれる対立と紛争は日常化していたのである。

時には地方長官である国司と周辺勢力の間で戦いがおき、国司側が負けるようなことさえあった（平将門のケースなどがまさにこれだ）。

このような争いに首を突っ込む軍事貴族が手駒とする戦闘員は、そこらの農民上がりというわけにはいかないはずだ。元から戦うこと、相手を傷つけること、命を奪うことに慣れていなければならなかっただろう。そこで、生業として殺生を行ってきた猟師や漁師、人殺しや放火などにも手を染めた犯罪者などが私兵として組み込まれることになったわけだ。

このような人々を総称して「兵《つわもの》」と呼んだ。

その三、貴族の使用人

第三のルーツは、第二のルーツとかなり近い。それは公家たちが私的に雇っていた家臣、使用人たちである。

このような公家の部下には大きく二つのパターンがあった。一つは「家司《けいし》」と呼ばれる者（もともとは大家を支える役目を務めていた公的な役人だった）で、こちらは財産や領地を管理する行政的な仕事がメイン。

もう一つは先述したような紛争で戦ったり、主人や主人の館の護衛をしたりするような、軍事・警護を担当する者たちだ。そんなことができる連中はそうそう見つかるものではない。そこで「兵」の中から腕を見込まれた者、主人と縁のある者が選ばれ、「さぶらう（傍に仕える）」ことになる。そこで彼らは「侍《さぶらい》」と呼ばれた。そう、「侍《さむらい》」の語源である。

その四、公の兵士たち

最後に、第四のルーツである。

諸公家が「兵」や「侍」といった私的軍事力を活用するようになると、朝廷もこれに倣うようになるのだ。先に紹介したような律令制度に基づく国家的軍事力・警察力とはまた別に、天皇・朝廷が動かせる軍団が必要になったのである。

例えば九世紀の終わりには蔵人所《くろうどどころ》に付属して「滝口の武士」が創設された。最初は十人くらいで呪術的な役割が大きかったようだが、やがて二十から三十人まで増員され、天皇の護衛などに活躍している。

また、院（上皇）の住処の北面に設置されたがゆえに「北面の武士」と呼ばれた武士たちも、このような公的な存在であった。彼らは「武士《もののふ》」と呼ばれたようだ。

このように、武士は各地方で勝手に発展したのではなく、対立・紛争・動乱の中で武勇を武器に力を増していった者たちが、既存の権力である公家や朝廷と結びついてさらに力を増していったのだと考えられる。

坂東武者と武士団

平安時代後期に姿を取り始めた武士たちは、各地で大きな力を持ち始めた。彼らの活躍が強く求められたであろう地方においてその核になったのは、もともとの地方豪族や国司として地方に出て土着した貴族の末裔といった人々であった。彼らの周囲に一族・郎党（従者）が集まって武士団を形成する。

特に武士の本場ともいうべき場所になったのが坂東あるいは東国と呼ばれた関東地方だ。武士に欠かせぬ資源であった良馬の産出地であることが大きかったという。関東の武士は「坂東武者《ばんどうむしゃ》」と呼ばれ、その武勇は長く恐れられた。

この地で頭角を現した一族がいる。桓武《かんむ》天皇の血筋から分かれて平《たいら》の氏をもらった、いわゆる桓武平氏の一族である。特に国家に反逆を仕掛けた平将門（詳しくは第三章で詳述）が有名だが、彼を倒したのもまた同じ坂東武者であった。その中の一人、将門の従兄弟にあたる武士の血筋から伊勢平氏と呼ばれる一族が現れ、のちに平氏政権に繋がるのだが、一旦脇に置く。

一方、十世紀後半から十一世紀前半にかけて、中央政権と結びつきながら関東にも影響力を持つようになった一族もある。清和源氏《せいわげんじ》だ。もともと摂津を根拠地にしていた彼らは藤原摂関家との縁の深さで力を増す一方で、関東で反乱を起こした平氏の有力者を倒したり（平忠常の乱）、東北で国司を脅かしていた安倍氏を平定し（前九年の役）、その後東北を支配していた清原一族の内紛を収めたり（後三年の役）と争いに介入して活躍。これにより、源氏こそが「武家の棟梁」である、という位置付けを確保していくのである。なお、第三章で紹介する源頼光と四天王はこの時期の武士たちだ。

政治の変化と武士の躍進

さらなる武士の躍進には、政治体制の変化が関わっている。藤原一族が摂政・関白の地位を独占して権力を振るった摂関政治のあと、天皇の座を退いた上皇が政治を動かす院政の時代がやってくる。そこには天皇の座が有力貴族たちによって左右されることの反発があったと見られ、早い時期に天皇の座を譲ることで確実に自分の子に地位を継承する思惑があったと考えられている。

このような事情では、上皇は側近を有力貴族ではない、比較的身分の低い者たちから選ぶしかない。北面の武士などはまさにそのような連中であった。その中に、清和源氏や桓武平氏（伊勢平氏）がいたのだ。

院政時代は百年余りに渡って続いたが、後期には上皇に権力が集まりすぎたせいで内紛も引き起こした。兄の崇徳上皇方と弟の後白河天皇方が争った保元の乱、そして後白河上皇の側近を務めた藤原氏同士の争いに諸勢力が巻き込まれておきた平治の乱だ。

なお、この時代に活躍した武将としてよく知られているのが源為朝《みなもとのためとも》である。あまりにも気性が荒かったせいで父によって九州へ追放されてしまったところ、むしろ仲間を引き連れて暴れまわり、ついには父

武士のルーツ

武士

中世・近世の主役を務めた、軍事階級。発祥は古代末期

↓

そのルーツは１つではない

↓

①地方農民・新興領主

律令機構が衰退する中で、地方の治安も悪化していく

↓

豊かな農民や新興領主には自衛の必要が出た！

学術的には否定されつつある説ではある

②軍事貴族とその部下たち

もともと軍事貴族は存在したし、その部下の軍団もあった

↓

部下として活躍できるのは戦いや殺しに慣れた「兵」

平安時代は紛争が続き、活躍の余地があった

③貴族の使用人

財産や領地を管理する「家司」

紛争や護衛で働く「侍」

後の武士の別名である「侍」はここから来ている

④公的な兵士

律令制度とはまた別の、天皇や朝廷が動かす軍事力

滝口の武士
呪術的意味から護衛へ

北面の武士
院政を支えた軍事力

に罪が及んだので大人しく京へ戻った。そこで始まった保元の乱においては父に従って大活躍したものの敗れて伊豆へ流され、ところがやっぱりここでも暴れる。最後には追討の兵を上げられて自決して果てたという。強弓の使い手であり、「一つの矢を放って二人の兵を殺した」話や「矢一本で船を沈めた」話など、とてつもないエピソードの持ち主である。

　話を戻そう。これらの戦いの結果、頭角を現したのが平清盛《たいらのきよもり》だ。のちには後白河上皇まで圧迫して実権を獲得し、平氏政権を樹立する。これを持って日本初の武士政権と見る向きもあるが、基本的には貴族政治の延長線上にあると見たほうが良いだろう。

源平の合戦から武士の時代へ

　一方、平治の乱で敗れた源義朝《みなもとのよしとも》の子、源頼朝《みなもとのよりとも》は命を救われ、伊豆に流罪となった。この地で力をつけ、味方を増やした頼朝は、後白河法皇の皇子・以仁王《もちひとおう》が興福寺ら寺社を味方につけて挙兵した好機を得て、自らも挙兵する。以仁王は敗れたものの、彼が出した平氏打倒の命令は大義名分となり、諸国の勢力が立ち上がることになったのだ。いわゆる源平合戦、あるいは治承・寿永の乱の始まりである。

　ただ源平合戦とはいうけれど、源氏と平氏で綺麗に分かれて戦ったわけではない。伊勢にやってきた彼は北條政子を妻に迎え、その父である北条時政の支援を受けて挙兵した。この二人は平氏である。源平を始め、各地の武士たちはそれぞれの理由と事情で戦いに参加していったのだ。

　この戦いのヒーローとして知られるのが頼朝の弟、源義経《みなもとのよしつね》だ。兄と同じく命を救われた義経は、やがて兄のもとに馳せ参じて戦いに身を投じることになるのだが、それまでの経緯は虚実入り混じった物語に飾られている。鞍馬山で天狗から兵法を学び、京では刀狩りをしていた破戒僧・武蔵坊弁慶《むさしぼうべんけい》を倒して家来にする。やがて東北へ逃れ、奥州藤原氏のもとで成長する……つまり、神秘と社会の辺縁と辺境が彼の物語には満ち溢れているのだ。

　実際、義経は活躍した。同じ源氏で兄のライバルだった木曽義仲《きそよしなか》を倒し、西へ逃れた平氏も追い詰め、ついに壇ノ浦《だんのうら》の戦いでこれを滅ぼした。ところが兄の

武士たちの成長

武士団と名高い武士の出現

律令制のほころびから各地で武士が出現、武士団を形成する

各地で土地や人民をめぐり、対立・内紛が起きる

戦いで活躍した桓武平氏・清和源氏が頭角をあらわす

院政との結びつき

院政

天皇をやめた上皇が「治天の君」として
政治の実権を掌握する体制

武力を必要とする → 武士

武士政権の樹立へ

平氏

平清盛と一族

院政期の争いに乗じて
絶大な権力を得る

← 打倒 ―

源氏

源頼朝

平氏政権を倒したあと、
本格的な武士政権を樹立

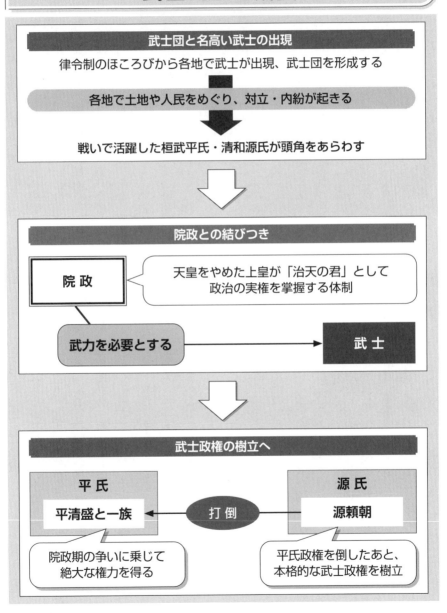

頼朝との仲が悪くなり、東北へ逃げ延びることに。最後は、匿ってくれていた奥州藤原氏に裏切られる形で攻め滅ぼされ、死んでしまう。

弟を死に追いやった頼朝は奥州藤原氏を滅ぼし、朝廷を圧迫して武家政権――鎌倉を拠点とする鎌倉幕府を創設する。天皇はまだ平安京にいたが、政治の主導権は鎌倉の征夷大将軍に移っていく。頼朝の死後には後鳥羽上皇による巻き返しもあって一時窮地に立ったが結局これを撃退。武士政権は安定し、時代は古代から中世へ移り変わっていくのである。

平安武士たちのあり方

もう少し武士について紹介したい。

武士といえば刀のイメージがあるかもしれない。しかしそれははるか未来、天下泰平の江戸時代のことであって、この頃の彼らは弓をもっとも重要な武器と見なした。また、良い馬を得て、乗りこなすことも武士の心得である。「弓馬の道」という言葉の由来だ。

戦場においては守るべきルール、当然と考えられていた習慣があったとされる。つまり、

①いつどこで戦うかを定める
②そのためにあらかじめ軍使の交換を行う
③戦いに先立ち、「やあやあ我こそは～」と自らの素性を名乗る。これは神話にも見られるような言葉による戦いの側面があったとされる
④敵は必ずしも殺さず、降参してきたら助ける
⑤非戦闘員、女性に手を出さない

といったものだ。これらのルールは以前からの慣習や、戦った相手との関係をむやみに悪化させない（相手を滅ぼすことは少なく、それからも付き合うことが多い）ためのものであろう。

なお、よく言われる「一騎討ちが当たり前で集団の戦いはもっと後になってから」というルールは近年では否定されているようだ。実際一対一はしばしば起きたが、それは「集団戦術がまだ未熟で個人の武勇が中心だった」「己の手柄を立てんと個人プレイに走った」ことが原因であったと考えられている。

さて。戦場に厳密なルールはあったか、といえば必ずしもそうではない。既に紹介した源義経は奇襲戦を

戦場のルール

初期の武士

戦場では守るべきルール、習慣がある！

①日時を決める
②軍使を交換する
③名乗りを行う
④むやみに殺さない
⑤非戦闘員・女性に手を出さない

ルールはけっして絶対的ではなかったし、
だまし討ちする者もそこまで非難はされない
↓
真に嫌われたのは臆病者、裏切り者、信用できない者

得意としたし、他のルールや価値観についてもしばしば破られたという。

しかし、そうだとしてもそこまで徹底的に非難されることもなかったのではないか。ルールはいわば「努力目標」だ。「私戦ではルールを守る必要があるが、公の命令で討伐する公戦なら関係がないのでは」という価値観さえあったようだ。

さらにこの頃の武士たちに「忠義」の概念は薄かった。主君のためならば己の命をも捧げるというのはやっぱり江戸時代の話であって、鎌倉時代でさえ「御恩と奉公」、つまり領地安堵という御恩に対して武勇で奉公を捧げる関係でしかなかった。平安時代ではその意識はさらに薄い。

代わりに彼らが重視したのは「名誉」だ。裏切り者、臆病者と見られ、仲間内での名誉が失われることを恐れた。これは危険な戦場で一緒に戦う信頼を保つための思想だったのではないか。

このような古代の武士たちのあり方は、皆さんが「戦士」という、現代日本に生きているとなかなか身の周りにはいない人種を書くのに役立つはずである。

コラム(3)「聖徳太子伝説」

聖徳太子《しょうとくたいし》。言わずと知れた古代日本を代表する有名人の一人である。推古天皇の摂政として政治・行政に活躍し、冠位十二階や十七条憲法といった新しい制度を導入した。海外からの技術・知識の導入にも熱心で、遣隋使を送り出す一方で、各地に寺を建てて仏教の布教にも務めた。

これだけの偉人であるせいなのか、聖徳太子にまつわる伝説は数多い。そこで、このコラムでは「古代の王者（聖人）」的キャラクターづくりの参考として、聖徳太子にまつわる伝説の数々を紹介したい。

ちなみにここまで彼の名を「聖徳太子」と呼んできたが、最近の教科書ではこの名を使わないことが多いという。死後についた通称だからだ。代わりに使われる名は「厩戸王《うまやどのおう》」。どこからこの名がついたかは諸説あるが、「厩戸、つまり馬を飼っている建物の戸の前で生まれたから」というよく知られた伝説と結びつける説も根強い。

このような彼の出生と、異国の有名人を結びつける説がある。厩で生まれた人といえばそう、イエス・キリストだ。つまり、キリストの誕生エピソードが日本に入ってきて、聖徳太子の誕生エピソードになったのではないか……というのだ。キリスト教の一派は既に中国へ伝来していたから、日本へ伝わってきてもおかしくない、という。いやそれどころかもっと極端な説では、日本とユダヤ人はルーツが同じだからこういう話が生まれたのだという物語まである。

聖徳太子の能力の高さを褒め称える伝説もある。「十人が一斉に話し出すのを聞き分けて、適切に応対した」などというのはその中でも特に有名なものだ。

これだけの人であるから、のちにはそれにあやかった話も出てくる。聖徳太子流剣術は、もともと聖徳太子より伝わると称する兵法（軍学）であったのが、そこから発展して剣術になった。あるいは、特撮ヒーロードラマ『世界忍者戦ジライヤ』においては主人公が操る巨大ロボット「磁雷神」を作ったのは聖徳太子だという設定がなされた。

第三章
古代日本のファンタジー

不可思議な力や神々、魔法使い、そして怪物たち。ファンタジックな存在が物語をドラマチックに飾り立ててくれることは、中世ヨーロッパ風「剣と魔法の」ファンタジーでも、そして古代日本風世界を舞台にした物語でも変わらない。実は現代にも少なからず繋がっている、古代日本の不思議な話。

㉓巫が神を身に降ろす

私たちの知る巫女と、そのルーツ

現代、私たちが「巫女」と言われた時にイメージするのは、神社で働く女性の姿であろう。「神社巫女」ともいう。白い小袖に緋の袴というのが基本的なスタイルだ。彼女たちの仕事は主に神社内の雑事である。時に神道儀式を務める人もいるが、彼女たちは男性と同じく資格を取った女性神職である。

一方、「憑依巫女」や「口寄せ巫女」と呼ばれる女性たちもいる。恐山のイタコや、沖縄のユタといわれれば聞いたことのある人もいるだろう。神や霊を己の身体に降ろす、つまり憑依させることができる人々のことだ。人と神、生者と死者の仲立ちがその役目だ。横文字で言えば「シャーマン」ということになるだろう。

この二種類の巫女は、遡ればルーツは同じである。古代、「巫《かんなぎ》」と呼ばれる人々がいた。あるいは「巫《ふ》覡《げき》」ともいう。「巫」は女性を、「覡」は男性を示す。つまり、古代の巫女（というと語弊があるが）は男性も女性もいたのだ。ここでは総括して語るために「巫」と呼びたい。

古代、宗教的職能者である巫が政治的指導者を務めるのはしばしばあったことであろう。もっとも有名な例は一章で紹介したヒミコだろうが、他にもリーダーを務めたり、共同体で大きな役目を担ったりした巫はいたはずだ。

しかしやがて仏教の影響もあって各方面で男性が主導権を握る中で、日本古来の宗教である神道でも神事を司るのは男性の神官ということになった。巫女は神社に残ったが、一部のケースを除けば先に紹介したような雑事を担当し、また清らかな女性として神社の神聖性を象徴する存在としての役目だけが残ったと考えられている。ちなみに一部のケースというのは主に平安時代に置かれていた「伊勢の斎王」を想定している。

「巫」とその系統

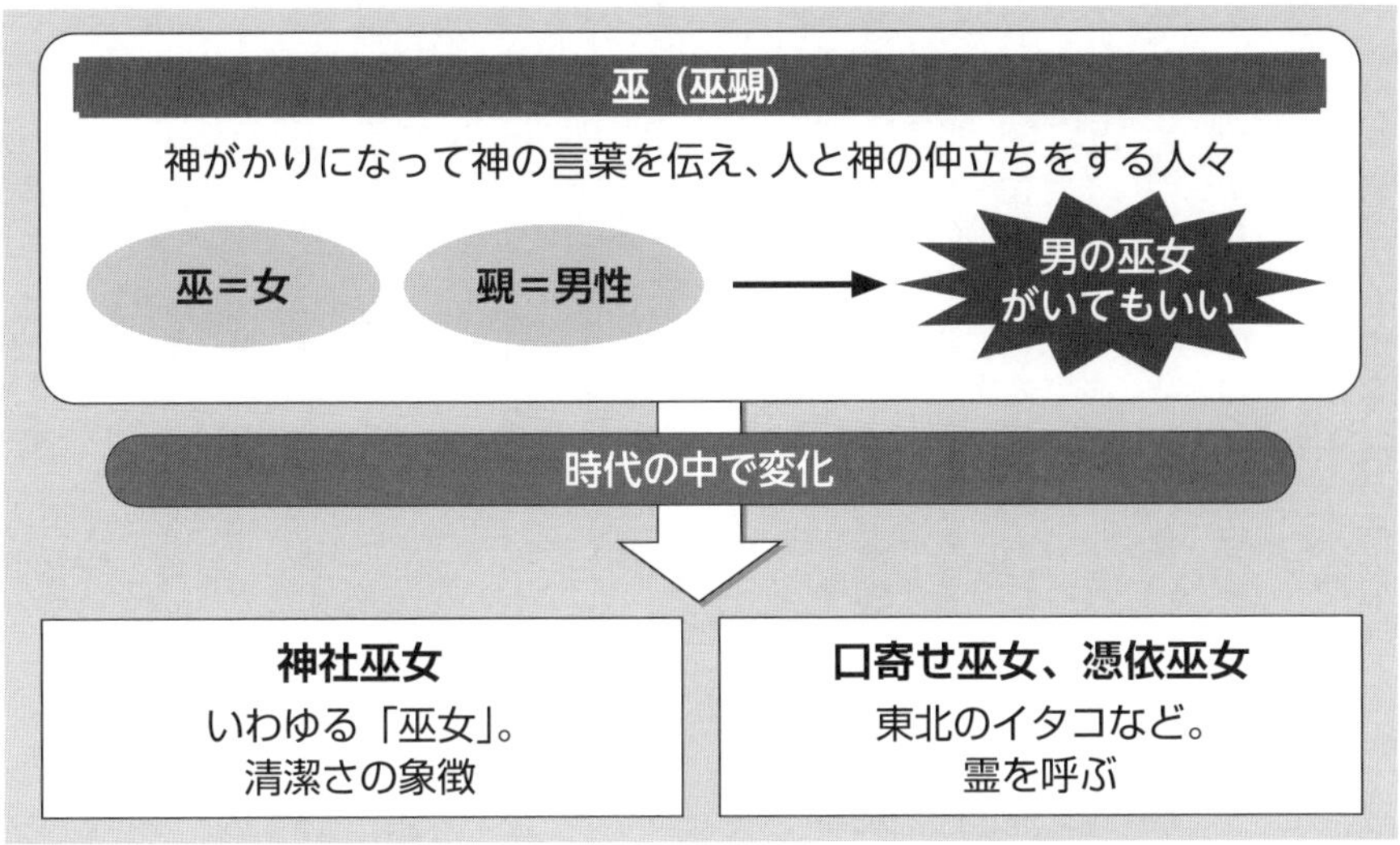
巫（巫覡）
神がかりになって神の言葉を伝え、人と神の仲立ちをする人々
巫＝女
覡＝男性
男の巫女がいてもいい
時代の中で変化
神社巫女
いわゆる「巫女」。清潔さの象徴
口寄せ巫女、憑依巫女
東北のイタコなど。霊を呼ぶ

女性皇族が巫女として伊勢神宮へ送られ、アマテラスを祀るのだ。

しかし、現実はともかく、物語の中では現代の神社巫女の中にかつての巫の流れをくんだり、あるいは神に見出されたりして、特別な力を持つ者がいたっておかしくはない。それは神と交信し、神を己の体に降ろす、神がかりになる力であるはずだ。

巫の能力

巫には何ができるか。もちろん、神や霊を自らの体に降ろすことができる。彼らは人間とは違う視点、違う知識、違う能力を持っているから、それを有用に使えるなら、常人にはできないことができるだろう。

史実の巫に、神や霊の力を借りて真に超常的現象を起こせた人がいたとはちょっと思えない。だが、物語の中では別だ。

天岩戸を動かした神タジカラオを降ろして得た怪力で巨大な岩を動かし、母イザナミを焼き殺したヒノカグツチを憑依させて周囲をすべて焼き尽くし、雷神の属性を持つ菅原道真こと天神の力を借りて雷を撒き散らす。そんな巫がいても良いだろう。

もう少しスケールの小さい話で言えば、人間の霊を憑依させることで、生前の技術を再現する、などというのはいかにもありそうだ。そこでちょっと発想を広げて「愛用の道具は魂に刻み込まれているから、持ち主の魂を降ろすことで道具も付いてくる」のも良いかもしれない。

ただ、これらはやはり借り物の力だ。本来の持ち主は神々であったり、死者だったりして、巫本人ではない。その力を使うことには何らかの制限や代償があったり、あるいは巫の体に無理をした分のツケが回ってきたりするほうが自然ではないか。

例えば、降ろすことができる神や霊の数・種類に限界があったり（自分と性質の違いすぎる相手が無理だったり、強すぎる神は降ろせなかったり）、神の側から奉仕や生贄、行動制限（嫉妬深い神は巫が異性や同性と接触するのを嫌がるかもしれない）などを要求してきたりするかもしれない。神降ろしとは人というゴム風船に神という空気を吹き込むようなものだと考えれば、空気を吹き込みすぎて限界が来れば風船が破れるということもあるだろう。

神道との関係で考えるなら、「清め」「祓う」という視点も欠かせない。恐るべき神の荒魂を和魂に変換し、人の犯した罪・穢れを祓い、清めるのは巫として重要な役目だったはずだ。「神を降ろす際には霊的に無防備になり、余計な霊が入ってくる可能性があるため、一度周囲を清めておく必要がある」というのも面白そうだ。実験室を清潔に保たないと実験結果が正しく出ない、のロジックである。

ことに清潔さを重視される現代の巫女なら清めや祓いはより強く求められる要素であろう。物語において、特別な力のある巫女であるなら、日本国を守護するような重要拠点を清め守り、また都市に発生する穢れと戦ってこれを祓うのは、非常にふさわしい役目といえる。神社本庁のような宗教組織、あるいは宮内庁式部職のような宗教に関係する国家組織がバックアップにつくというのもありそうだ。

また、巫の能力は神がかり・神降ろしに関係するものばかりとは限らない。多くの文化・文明において、シャーマンは知恵者であり、また共同体の中の相談役

巫には何ができる？

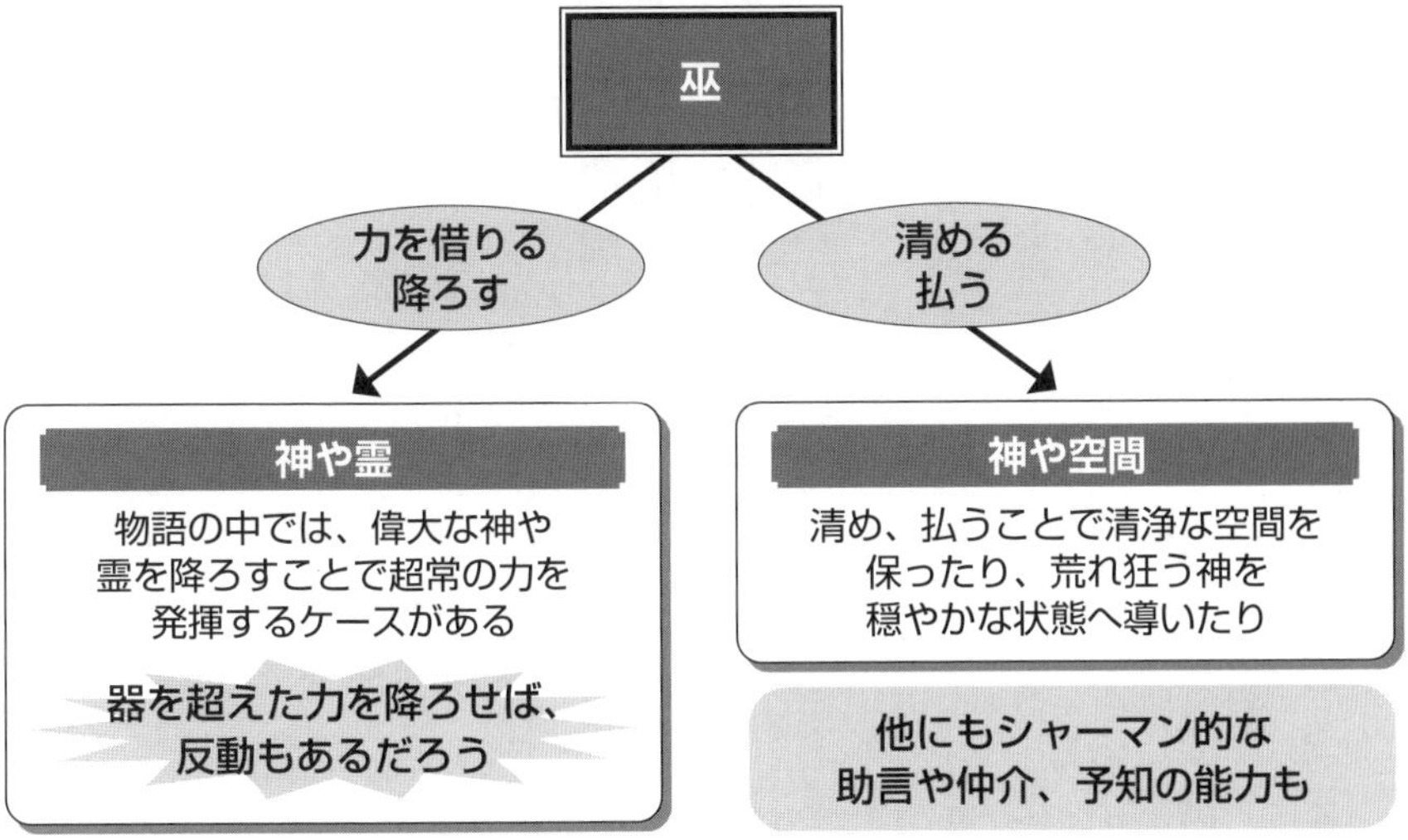
巫
力を借りる
降ろす
清める
払う
神や霊
物語の中では、偉大な神や
霊を降ろすことで超常の力を
発揮するケースがある
器を超えた力を降ろせば、
反動もあるだろう
神や空間
清め、払うことで清浄な空間を
保ったり、荒れ狂う神を
穏やかな状態へ導いたり
他にもシャーマン的な
助言や仲介、予知の能力も

的なポジションを占めたものだ。伝承にまつわる記憶、周辺地域についての情報、そして植物や鉱物など有用・危険な品々の知識を誰よりも蓄え、共同体のために役立てるのも、巫の役目としてふさわしいものであろう。

その役目の中には占い、未来予知もあったはずだ。いつの時代も人は自分の未来がどうなるか迷うし、突然自分の体や周囲に起きた異変・変化をどう解釈して良いのか頭を悩ませているもの。そこに巫が神の権威や人生経験を背景にして助言をし、気持ちを楽にするだけで、共同体そのものが円滑に回っていくことになる。これは単に巫がある種のカウンセリングをするだけかもしれないし、降ろした神や霊の力で未来を見通したり普通の人には見えない「縁」「因縁」を見てアドバイスをするのかもしれない。後者は例えば現代風にいえば、「こっくりさん」のイメージだろうか。

巫になる方法

現代、神社巫女になる方法は各神社の募集を探すのが一番だ。観光客が来るような大きな神社なら正月の繁忙期に向けて大量のアルバイト巫女を募集している し、常勤の巫女も人員が欠けたりしたら適宜募集がある。その時の条件としては未婚の女性であること、清潔感があることなどが挙げられる。

しかし、憑依巫女・口寄せ巫女、あるいは巫となると、求人票を探すわけにはいかない。なぜなら、この職業（といって良いかどうかは怪しいものだが）には特別なスキルが必要だからだ。任意に神がかり状態になり、また自分のタイミングで終わらせることができないようであれば、役目が果たせない。時々神がかりになる人は世の中にそれなりにいるかもしれないが、コントロールできないようでは職業にならないのである。

では、どのようにして神がかりになるスキルを習得するのか。一つは、素質（時に巫女っ気、巫女がらなどとも呼ばれる）がある者もない者も修行によって学ぶケースで、もう一つは先天的に素質のある者が目覚めるケースである。

前者の代表的なケースは東北青森、恐山のイタコだ。目の見えない少女が幼くして修行を始め、神がかりになる技を身につける。そこには生活のための道が少ない盲人が暮らしていくための技という側面があると考えられ、盲学校の整備などによってイタコになる者は減ったとされている。

後者については、さらに二つに分かれる。一つはまったくの偶然あるいはあらかじめ定められた運命（と本人や周囲が信じる）によって神がかり状態に入ったケース。そして当初は一般人として暮らしていたのに、その中で経験したさまざまな事件、出会い、決別などを経て宗教的な修行生活に入り、もともとの素質のおかげで神がかり状態になるケースだ。

もしあなたの創造する世界にファンタジックな存在——神や天使・悪魔、妖怪、あるいは宇宙人や精神生命体などがいるなら、巫がその神がかりの力に目覚めるにあたっては、彼らとの接触が原因であったりするのかもしれない。

元から感受性が強い人であるなら、不可思議な存在に遭遇するだけでいわば「チャンネルが開いて」、自在に神がかりになれるようなこともあるだろう。あるいは、本来は才能がないのに、不可思議な存在によって肉体や魂に細工をされて（例えば受信機のようなものを渡されたり埋め込まれたりして）神がかりになれるようになってしまう、というケースもあるだろう。

巫と「変身」

巫が神を降ろす時、しばしば外見的変化も伴う。目が釣り上がったり（狐憑き、狸憑き）、顔が青白くなったり、欠伸をしたり、手足が震えたりという変化が起きる。

あるいは、意識そのものを失っていて、神がかりが終わるとばたりと倒れ、起きると降ろしていた時のことは覚えていなかったりする。これは世界的に見られる現象で、「トランス状態」と呼ばれる。

霊や神などの尋常でない相手と相対する時に自分を異常な状態において対応するためだとも、自分を空っぽにして神や霊を受け入れる器にするだとも、空になった体から抜け出た魂が異界へ赴いているのだともいう。

この要素は現代エンターテインメントに付き物の「変身」のアイディアとも結び付けられるように思う。つまり、神や霊を身体の中に受け入れる際に起きる変化をもっとドラスティックで、また絵的にも映えるものにするわけだ。どんな姿が良いだろうか。

例えば、性別が変わるというのはどうか。巫が男性神を降ろすことで美青年に、覡が女性神を降ろすことで美少女に。単純にバトルの時だけ姿が変わるのも良いが、いっそ変身が長く続いて日常生活も異性の姿のまま過ごさなければならなくなったり、何度も変身を繰り返すうちに精神までが変質してしまう、というのはどうだろうか。

ＴＳＦ（transsexual fiction の略。性転換を題材にした物語）はオタク系エンターテインメントでも近年流行になりつつあるジャンルだし、ジェンダーにまつわる問題に切り込んでいくのも話題性や読者の興味という点でなかなか面白いだろう。ただし、現在進行形で論争になっている話題であるだけに、もしこのテーマを扱うなら相当慎重になる必要がある。旧来的に、ステレオタイプな価値観で書いてしまうと、思わぬ炎上を引き起こす可能性もあるので、注意されたい。

もちろん、別のパターンもある。神になるというのは純粋な存在になるということだ——と解釈して、中性的な姿になるというのはどうか。そこには神々しいカリスマが生まれ、人々は自然と彼あるいは彼女に跪くことであろう。

変身といえばコスチューム・チェンジだ。現代的な服装が小袖と袴の巫女服に、あるいは古墳時代風の服装になる、という具合が基本だろうか。力を与える神や霊に気が利いていたら、現代のヒーロー・ヒロイン風（例えば魔法少女！）的なアレンジが入っているかもしれない。これらの変身には単に武装を整えて戦闘力を上げるという効果もあるが、「普段とは違う姿になって気分を高揚させ、戦いの恐怖から心を守る」「姿形を変えて知人に見つけられたり写真を撮られたりしても正体バレを防ぐ」などの効果も付属しているとだろう。

巫と芸能

巫には（あるいは現代の巫女にも）芸能が付き物だ。何しろ、古代の巫女の姿を表していると思われる女神アメノウズメは、天の岩屋事件において舞い踊ることでアマテラスの興味を引いたのである。儀式や祭りにおいて舞うことでそこに華を添えるのは彼女たちの重要な役目であったはずなのだ。

ちなみにちょっと脱線すると、天の岩屋の前で踊ったアメノウズメは半裸であった。また、古代の巫女はしばしば「神の妻」でもあった。ここから分かるように、かつての巫女は「遊び女」とも呼ばれるような非常にセクシャルな存在で、神や人と性的な関係を結ぶこともごく普通にあったのである（もちろん覡が女性と関係を持つこともあったろう）。このような属性そのもの、あるいはそれを担当した人々はやがて清潔さ重視の方針から排除されていき、性行為を職業とするのは遊女（娼婦）ということになっていく。

しかし、憑依巫女の系統は消えることなく（性的な要素を持つか持たないかはそれぞれだが）、民間に残った。本項で繰り返し紹介しているイタコもそうだし、他にも各地を放浪する巫女たちがいたのである。布教のために芸や占いをした歩き巫女（のちに霊を招く市子）や、梓弓を携えて舞を踊る梓巫女などだ。また、平安時代の終わり頃から鎌倉時代にかけては白拍

神降ろしの付属要素

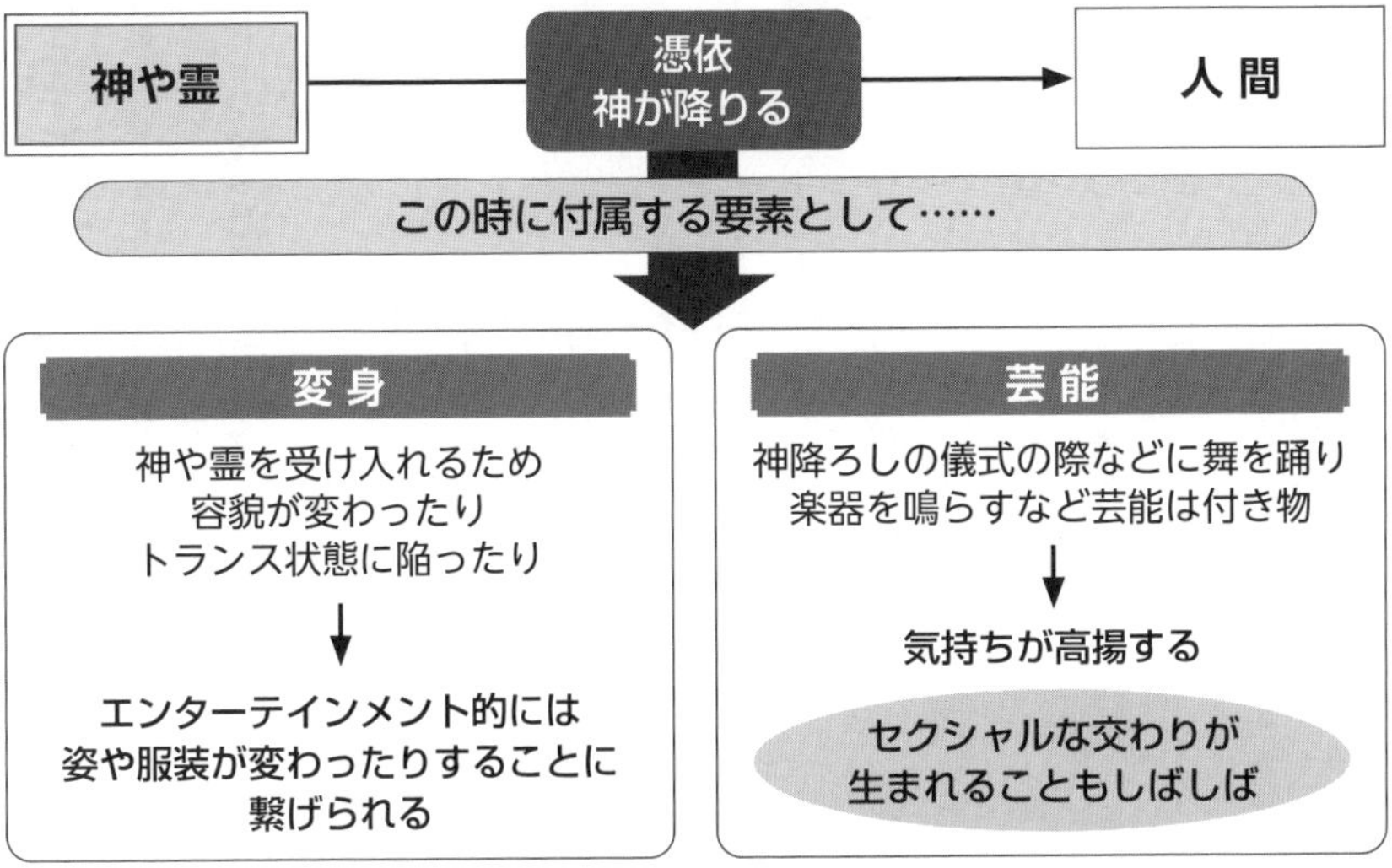
神や霊
憑依
神が降りる
人間
この時に付属する要素として……
変身
神や霊を受け入れるため
容貌が変わったり
トランス状態に陥ったり
エンターテインメント的には
姿や服装が変わったりすることに
繋げられる
芸能
神降ろしの儀式の際などに舞を踊り
楽器を鳴らすなど芸能は付き物
気持ちが高揚する
セクシャルな交わりが
生まれることもしばしば

子という男装の舞姫がいて、彼女たちも遊び女の流れをくむ。戦国時代には出雲大社の巫女・出雲阿国が現れ、勧進《かんじん》（寺社建築のための資金集め）で諸国を回り、その中から生まれた歌舞伎踊りが今の歌舞伎に繋がっている。

芸能との関係は神社巫女にも受け継がれ、儀式の際には神楽（アメノウズメがルーツという古代日本由来の演舞）や舞楽（神楽など古代からの演舞に大陸・中国から影響が加わった華やかな演舞）が舞われる。

この文脈で、和風ファンタジー世界の巫や現代の神社巫女などに、アイドル的な活動をさせるのはもはや定番に近いアイディアといえないか。彼や彼女たちの神楽や舞楽に、神社内に設置された会場に詰め寄せた人々が熱狂するわけだ。それは単に信者獲得や経済的事情からの活動なのかもしれないし、何か宗教的・魔術的な秘密があるのかもしれない。

古代日本的な巫であれば奔放で開放的なイメージがピッタリくるし、現代の神社巫女風なら清楚清潔なイメージと逆、ということでギャップの魅力・面白さが出てくるだろう。

㉔中国から持ち込まれた密教

密教——仏教における神秘主義

密教。秘密仏教ともいう。文字通り、世間一般には明らかにされない教えのことである（対義語は顕教、顕《あらわ》にされる教え）。

一口に仏教僧といっても宗派の違いから幅広いが、中でもファンタジックな物語の中で活躍し得るキャラクターとしては、天台宗・真言宗に代表される密教を修めた僧侶であろう。

彼らは秘密の教えを学び、厳しい修行を経て、呪術的・魔術的な能力を身につけたとされる。この力を験《げん》力《りき》という。

密教は世界中のさまざまな宗教に内包されている「神秘主義」の一種とされる。

この神秘主義の大前提になるのが神秘体験だ。仮にこの世界に魔法がないとしても、私たちは不可思議な出来事に遭遇する可能性がある。偶然から起きる確率の非常に小さいことが起きたり（炎に巻かれたがたまたま生き残れた、など）、当時の人々は知らなかっただけで科学的根拠のある出来事だったり（死んだと思ったら仮死状態になっていたので棺の中で目を覚ました、など）、といった出来事だ。もしくは、山中で修行したり、何時間も瞑想したりすると、極限状態になって幻を見たりもする。

これらの神秘体験に、私たちは神やそれに類する何かの存在を感じることがある。その神秘体験を通し、また再現するような修行をすることで、神や超自然的存在と自らを一致させようとする——これが神秘主義だ。

神に近づいていくわけなので、当然人間にはできないこと、すなわち魔法や超能力めいたこともできるようになる。しかし、それはあくまで神に近づくための「過程」に過ぎない、と考える方が普通だ。目的は魔法を使うことではない。そちらにばかり目を向けてし

密教とは

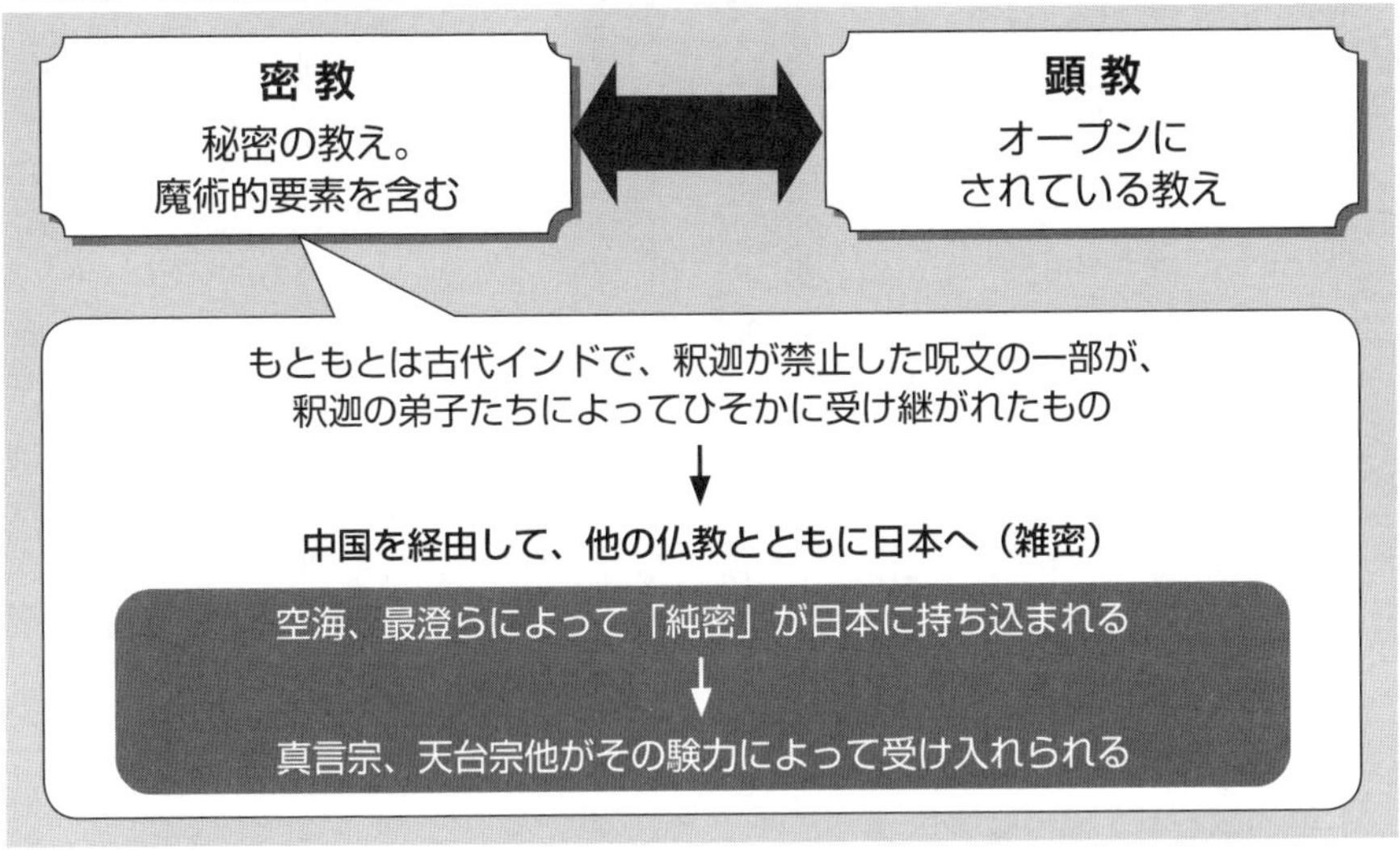
密教
秘密の教え。
魔術的要素を含む
顕教
オープンに
されている教え
もともとは古代インドで、釈迦が禁止した呪文の一部が、
釈迦の弟子たちによってひそかに受け継がれたもの
中国を経由して、他の仏教とともに日本へ（雑密）
空海、最澄らによって「純密」が日本に持ち込まれる
真言宗、天台宗他がその験力によって受け入れられる

まうと邪道に落ちてしまうのだ。

密教のもともとは釈迦の教えである仏教の中で、釈迦が好まなかった魔術・呪術的な教えをひそかに受け継いだことから来ているようだ。これがインドから中国・朝鮮を経て日本へ持ち込まれた。

日本における密教の始まりは、実は仏教の伝来と同じ頃である。仏教に含まれる形で密教的な教えも伝えられていたのだ。これを雑密という。

対して、体系的に持ち込まれた密教を純密という。その立役者こそ空海と最澄であり、二人はそれぞれ真言宗と天台宗を作り上げた。私たちがイメージする密教はこの頃に始まったと考えて良いだろう。

伝説多き弘法大師

中でも弘法大師こと空海は非常に伝説の多い人で、その中には魔術的なエピソードも多数含まれている。密教僧が扱うかもしれない魔術、あるいはその身に起きる奇跡として参考になるかもしれないものをいくつか紹介する。

まだ生まれ故郷の讃岐にいた頃、高い山の上から身を投げたことがある。自殺ではない。己に仏の道によって人を救う運命があると信ずればこそ、その運命を試すためにやったのだ。果たして、三度身を投げて三度、天女が彼を救ったという。

修行と勉強のために中国へ赴いた際には知恵を司る文殊菩薩《もんじゅぼさつ》の化身に出会った。空海は川のほとりでみすぼらしい格好の童子に求められ、「何もない空間に文字を書く」「流れる水の上に文字を書く」「龍の文字の最後の点を打って本物の龍にする」という三つの不思議を実現させる。この童子が文殊菩薩の化身であった。書の達人である空海の力を試しに来たに違いない。

空海は仏教誕生の地、天竺（インド）にも行ったという。しかし、まともに歩いて行ったのではない。まず白馬、次に青い羊、最後に車に乗って、花が咲き乱れる谷にて釈迦と出会ったというから、幻想的な体験の一種であろう。

日本に戻った空海は高野山を開き、真言宗を立てた。まだ中国にいた頃、三鈷杵《さんこしょ》を投げて己が寺を開くのにもっとも良い場所を探り、のちに高野山に三鈷杵が落ちていたのは有名な話だ。

日本では疑う者、敵対する者にも奇跡を見せなければならなかった。「理論は良いが実践はどうなんだ」と軽んじられれば黄金の大日如来《だいにちにょらい》（盧遮那仏《るしゃなぶつ》）に変じて見せ、雨乞い対決においてはヒマラヤから龍神を呼んできて雨を降らせた。

日本の各地には弘法大師来訪伝説が残る。書を残したり、寺を開いたり、やったことはさまざまだが、魔法的な意味で注目すべきは水にまつわるエピソードが多いことだろうか。水不足で苦しんでいたところ空海がやってきて水が出る場所を教えてくれたり、杖や独《と》鈷杵《こしょ》で地面を叩いて水を噴き出させてくれたという話が各地に残っている（その変形か、空海による発見をルーツとする温泉も数多い）。

しかし、このような恩恵を与えてもらえるのは大抵の場合空海に真摯に向き合ったり、わずかな水を分け合うなどの優しさを示したものであり、空海側からの求めを断ったりすると酷い目に遭わされてしまう。このような水についての話が多いのは、当時の人々が求めていた現世利益として水の確保がそれだけ重要だったということだろう。

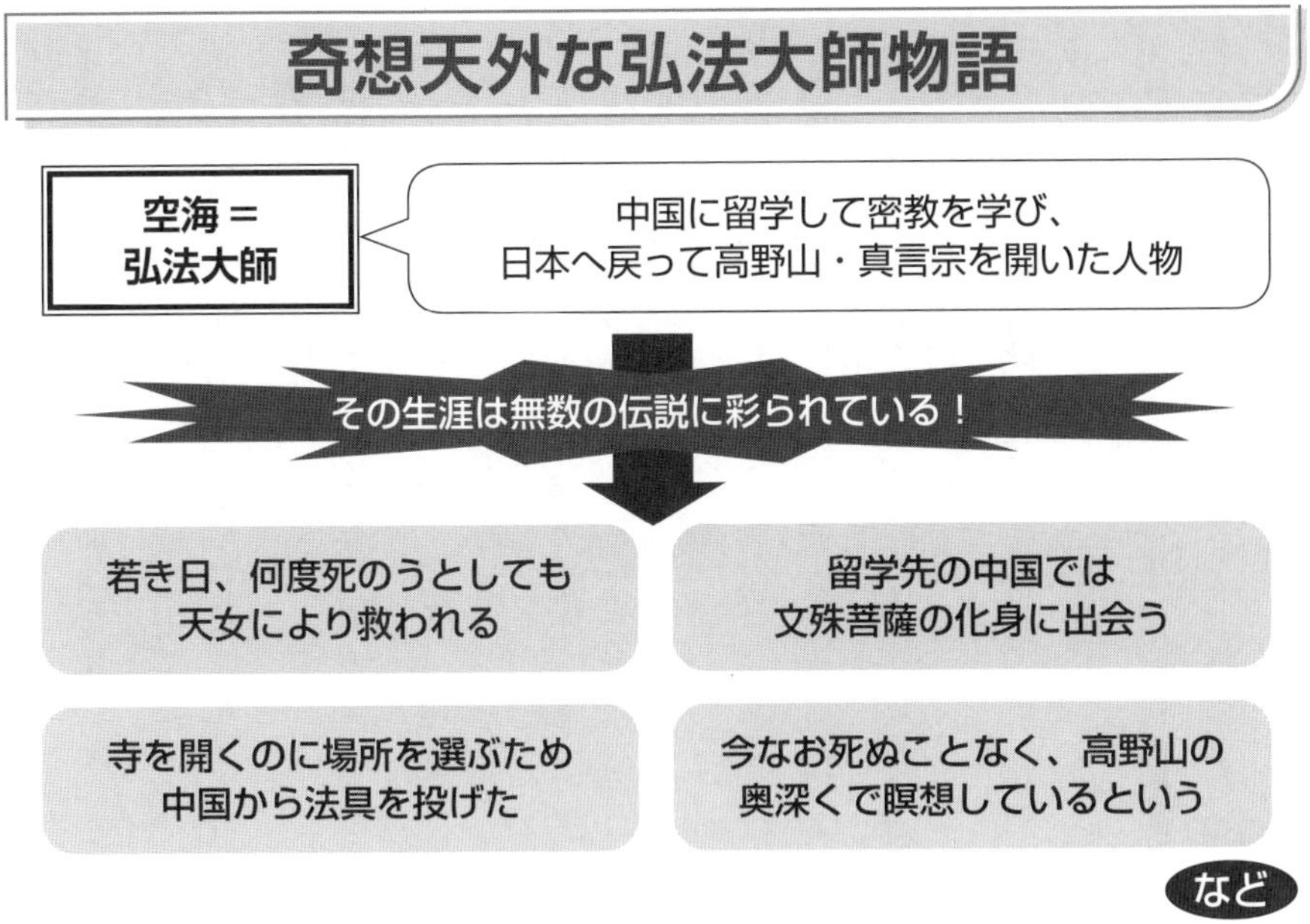
奇想天外な弘法大師物語
空海＝
弘法大師
中国に留学して密教を学び、
日本へ戻って高野山・真言宗を開いた人物
その生涯は無数の伝説に彩られている！
若き日、何度死のうとしても
天女により救われる
留学先の中国では
文殊菩薩の化身に出会う
寺を開くのに場所を選ぶため
中国から法具を投げた
今なお死ぬことなく、高野山の
奥深くで瞑想しているという
など

この空海、真言宗としては「死んではいない」ということになっている。高野山の奥深くにて入定、すなわち永遠の禅定（瞑想状態）に入った、というのである。

死せざる宗教指導者というのはいかにもファンタジックな話で、いろいろアレンジができそうだ。あなたの世界における「死なないまま瞑想し続ける宗教者」は何のためにそうなったのだろうか？　彼あるいは彼女が目覚める時、何が起きるのだろうか？

力ある言葉、真言

密教で欠かせないのが真言（マントラ）だ。神仏――すなわち仏、菩薩、明王、天といった超存在に祈りを捧げる際、この言葉を使用する（同種だが比較的長いものは陀羅尼と呼ばれたようだ）。形式としては、祈る対象のサンスクリット語での呼び名の前と後に聖なる言葉である「オン」と「ソワカ」をつけることがもっとも多いが、それ以外のものもある。

真言には超常の力があると信じられていたため、儀式の時などに唱えられる。あなたの世界において密教僧を和風魔法使いとして扱うのであれば、真言には不思議の力があるのであろう（あるいは真言そのものに力があるのではなく、その言葉によって刺激された術者の精神が力を発揮するのかもしれないが、これは他の魔術体系でも同じことである）。

具体的にはどんな真言があるのか。真言はセットになる印（手を所定の形に組む）とともに仏の数と同じくらい、あるいはそれ以上にあるので、とてもここですべては記せない。興味のある方は是非調べてみてほしい。ここでは代表的なものを紹介する。

例えば、真言密教で特に重視されるものに、「光明真言」がある。これは大日如来の真言であるだけでなくあらゆる仏にも菩薩にも対応する、最高の呪文であるという。特に、死者の罪を赦して、あの世へ送る力があると信じられていた。

また、虚空蔵菩薩の真言を百万回、百日回唱える「虚空蔵求聞持法《こくうぞうぐもんじほう》」も有名だ。これによって記憶力が飛躍的に高まるとされ、多くの真言や儀式の様式を覚えなければいけない密教僧にとってとてつもない価値のある術であったはずだ。若き日の空海はある僧侶からこれを学び、仏教の道に入っていったという。

真言密教で特に重視される不動明王にはいくつかの呪文がある。「火界呪《かかいじゅ》」は手で組んだ印から炎が溢れることをイメージしながら唱えることで煩悩を焼き尽くすというが、真に不思議な力のある世界では物理的あるいは魔法的に効果のある炎が吹き出しても良いかもしれない。また「慈救呪《じくじゅ》」は災厄を退ける呪文である。

犯罪にもなり得た修法

もう少しリアルに寄せて考えてみよう。史実の密教僧に求められたのは「修法」であった。これは術者の験力によって執り行う魔法的儀式だ。真言はこの際に用いられる。

当時の人々は密教僧の修法には現実的な効果があるのだと信じていた。今、日本の法律では他者を害するような修法（及び同種の魔術、呪術、おまじない）を執り行い、その後ターゲットが死んだとしても、殺人罪に問われることはまず考えられないという。呪いによって人が死ぬことは科学的に証明しようがないから

真言

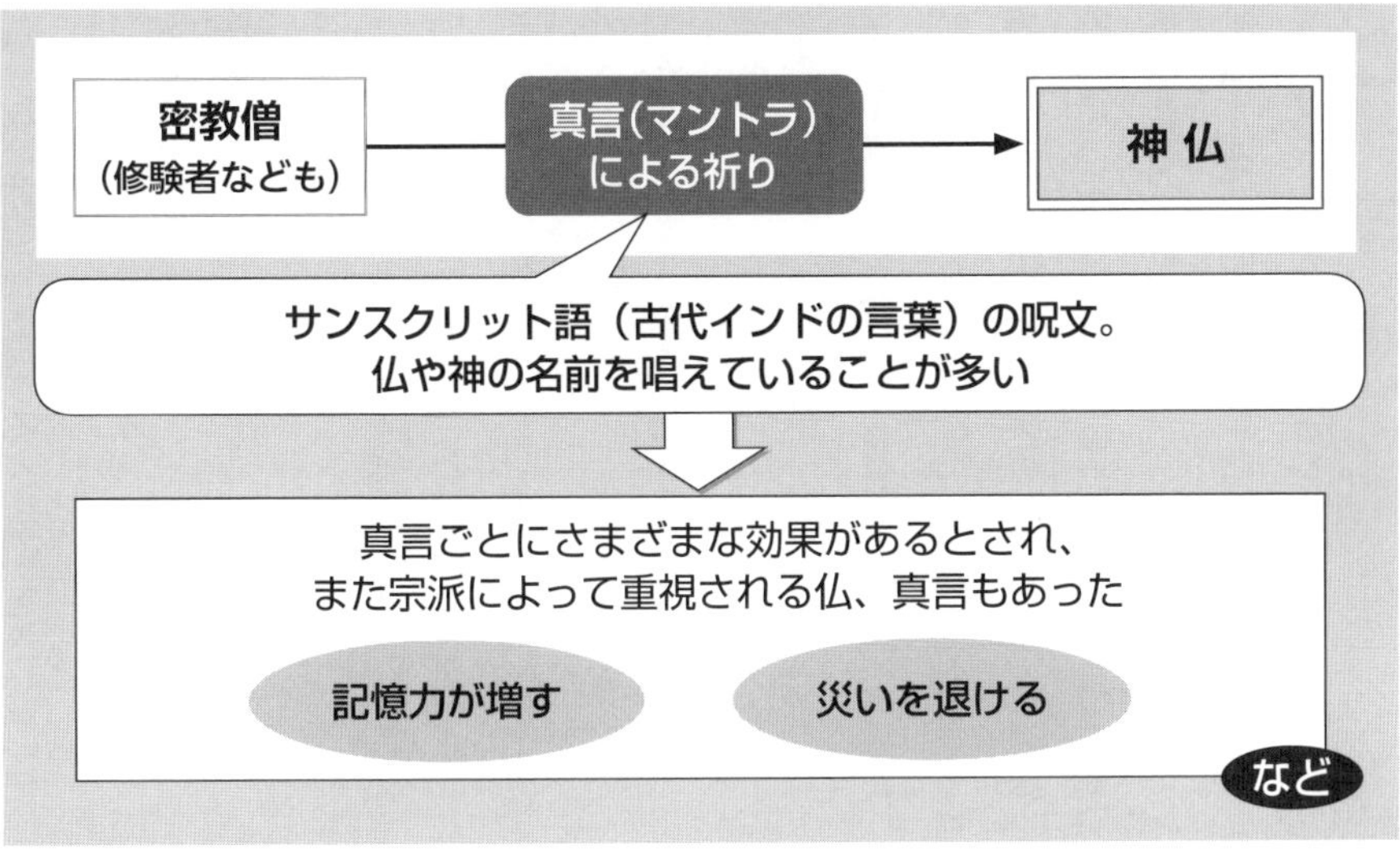
密教僧
（修験者なども）
真言（マントラ）
による祈り
神仏
サンスクリット語（古代インドの言葉）の呪文。
仏や神の名前を唱えていることが多い
真言ごとにさまざまな効果があるとされ、
また宗派によって重視される仏、真言もあった
記憶力が増す
災いを退ける
など

だ。

しかし、古代の日本は違った。修法を始め、儀式には現実の力があると信じられていたのである。ゆえに政敵を呪殺しようとしていたことがバレればそれだけで罪に問われたりする。また、壇を設けて修法を行うことは、民間で行うことが禁止されていた。

現代日本において銃器や兵器を持つことが許されるのが基本的に国家権力だけであるように、強力な修法は国家が独占するべきというのが当たり前の考え方だったのである。

ここからは具体的に修法について見てみよう。儀式は多種多様にあったが、ある程度体系的に整理されていた。いくつかの分類法があり、

・**息災法**：災いや病を取り除き、息災に過ごす
・**増益法**：幸福（益）を倍増させる
・**調伏法**：敵を倒し、障害になる魔を取り除く
三種法という時はここまで。
・**敬愛法**：平和・円満の状態をもたらす
四種法という時はここまで。

・**鈎招法**《くしょうほう》：良い神や仏、愛する人を招く法（他の法の前段階として行ったとも）
・**延命法**：長寿を祈る

六種法という時はここまで。

修法では複数の壇（祭壇）を置き、その形や配置などはどの法を使うかによって変わってくる。例えば大壇という各種の法具を置く壇と、護摩を焚く護摩壇など。

具体的な修法としては、次のようなものが知られている。

・**五壇法**：不動明王を始めとする五大明王を本尊とし、安産を祈る。ただの安産ではなく、お産を邪魔する物の気を調伏することによって実現しようという修法
・**七仏薬師法**：息災・増益法。薬師如来の七つの姿である七仏が名前の由来
・**太元帥法**《たいげんのほう》：太元帥明王を本尊とし、敵対する国家そのものを調伏せんとする大秘法

これらの修法の多くは、当初シンプルだった儀式がやがて複雑化し、設置する壇の数も増え、スケールの大きなものになっていった。

また、修法にはさまざまな密教法具が用いられたが、その中にはもともとインドにおいて武器として使われていたものが含まれている。それらは仏や神の持ち物やシンボルとして日本へ持ち込まれたものだ。法具となったあとは単に武器として使うのは難しくなったものが多いが、悪しき霊や物の怪を払うのにはむしろ効力が高まっただろうし、また魔法的な攻撃を行うのに適している、というのは説得力がある。

「金剛杵」は両端に突起を持つ法具で、突起の形によって種類が分かれる。「輪宝」はインドにおけるチャクラム、つまり周囲に刃がついた円盤がベースで、本来は投げて人を殺傷するものだった。

現世利益と悟りの狭間で

このように、国家や権力者にとって有用な力を持つ密教僧たち、また密教教団は、大いにもてはやされることになる。となれば自然、彼らも有用な真言や修法

修　法

修法とは

密教僧が行う、呪術的儀式。壇を設け、比較的大掛かりに行う

↓

当時はその効果が実在するものと信じられたので
国家が独占。政敵を呪えばそのことが罪になる

具体的にはどんな種類があるのか？

- ●息災法
- ●増益法
- ●調伏法
- ●敬愛法
- ●鉤招法
- ●延命法

↓

儀式の種類ごとに唱える真言も、壇の配置や形も違う

を中心に修行するようになるだろう。人々を幸せにするために術を使うというのは、釈迦が否定してなお呪文を伝えた、密教の最初の理念を考えればけっして間違いではない。

しかし、そもそも神秘主義としての密教にとって、修法を役立てることは第一の目的ではなかったはずなのだ。目指すべきは仏に近づくこと、すなわち悟りを開くことであろう。

あなたの作る世界に密教のような神秘主義的教団があるとして、そこではこの問題はどのように解決されているのだろうか。あるいは、解決できずに内部対立が起きてしまっているのだろうか。その世界の真言や修法が目に見えて不思議な力を発揮するなら、この問題は非常に大きなものになっているはずだ。

例えば、あくまで宗教的な理想を目指す若き僧侶が、修法による現世利益ばかりを求める教団と対立する物語はいかにもありそうだ。逆に、かつて理想を追い求め、しかし夢破れて、今は験力によって報酬を得ることだけを目的とする主人公の活躍と再生の物語……というのはどうか。

㉕役小角が開いた修験道

修験道とは

修験道は日本独自の宗教だ。山中にて修行を行い、験力を得て人々を救う、即身成仏する（生きたままで仏になる）ことを第一とする。その修行者たちは修験者、あるいは山で伏すから山伏と呼ばれる。なお、山岳での修行そのものは仏教僧も神道の神官も行うことに注意。

ルーツは古来からの山岳宗教にあり、そこに密教や道教、儒教などが入って独自の形を得た宗教とされる。しかし、実際のところその中心をなすのは密教の教えであり、「民衆版の密教」ともいうべき存在であったとされる。

修験者の特徴の一つは、独特の白い装束であろう。実はこの格好が定着したのは江戸時代頃の話で、本書のメインテーマである古代、及び続く中世の修験者たちの服装はもっと山歩きに便利な、実用的なものだったとされている。

ただ、この格好は完全に修験者のトレードマークになっているため、創作の中では少し時間を前倒ししてこの装束で登場させても大きな問題にはならないだろう。

また、修験者の装束には宗教的な意味がある。そもそもこの格好は不動明王をモチーフにしている。さらに彼らはこの服装に絡めて民衆に自分たちの教義（それは実質的に密教のそれであったという。不動明王の姿を借りるのも、密教で頂点に置く大日如来と関係が深いからだ）を説明した。

例えば、頭には兜布《ときん》といって、六角形で先が尖った被り物をしている。これは大日如来の五智の宝冠に例えられる……という具合だ。

こんなふうに、修験者とは自分たちが山で修行したりあちこち渡り歩いたりしながら、民衆と密着して密教の教えを伝える人々であったのだ。

修験道の歴史

修験道の歴史をたどっていくと、まず奈良時代に山中で修行した宗教者・呪術者がいた。その代表が役《えんの》小《お》角《づの》、あるいは役行者《えんのぎょうじゃ》と呼ばれた男だ。

役小角は葛城山にこもって修行する呪術師であったらしい。彼には不思議な力があり、その源泉は精霊を操る技にあったという。ところが、弟子の一人が「役小角は人を惑わす悪人だ」と騒ぎ、政府がこれを取り上げたので、彼は伊豆へ流されてしまった……。これが歴史書『続日本紀』の記述である。

『日本霊異記』には、よりスケールの大きな話が収録されている。半僧半俗の修行者である役小角は、孔《く》雀明王呪《じゃくみょうおうじゅ》という真言を身につけていた。その力は、鬼神を支配し、好きなように働かせるという凄まじいものだ、という。この物語でも彼は政府に密告されて伊豆へ流罪になってしまうのだが、密告の主体が面白い。なんと、小角によって働かされていた神、ヒトコトヌシが密告したのだ。しかも小角も伊豆で大人しくはしていない。飛行の能力を得た彼は夜になるたびに中国他あちこちへ出かけていた、とされる。この他、前鬼・後鬼という二匹の鬼を従えていた、という話もよく知られている。

これらの物語で語られる小角は超人そのものである。

やがて密教が盛んになる中で、密教僧も山岳修行を大いに行った。ここから生まれたのが修験道であり、修験者（山伏）であったのだ。だから修験道と密教僧は関係が深い。

なお、役小角は修験道の開祖ということになっているが、彼が経典などを書いたわけではない。さまざまな影響を受けながら、代表的な就業場所として熊野三山や吉野の金峰山などを中心に、自然発生的に誕生した修験道が象徴としての開祖を求めた時、山中に暮らした伝説的呪術師である役小角がちょうど条件にあった、ということであるらしい。

その後、中世には仏教教団と関係を持ちつつ天台密教系の本山派と真言密教系の当山派という二つの大きな教団が生まれた。他にも、各地の山にも独自の教団が生まれている。修験者たちはそれらに属しつつ各地で山にこもって修行して悟りを開くをことを目指し、あるいは庶民に自分たちの教えを説いた。また近世には庶民の願いに応えて祈祷をし、呪術を行う属性が強まったが、明治維新に際して活動を禁止されてしまった。

――と史実に基づいて解釈するのも良いが、ファンタジックな要素を考えてもみたい。役小角は単に己が修行して力を得たいだけの人であったのだろうか。それとも、のちの修験道教団に繋がる種をまいたのだろうか。明治政府はなぜ修験道を潰したのか。想像の余地はいろいろありそうだ。

修験者の修行と道具

修験道を学ぶ者は苦しむ庶民を救うことを大きな目的として掲げる。そのためには験力を身につけねばならず、結果として想像を絶するような修行が必要になる……というわけで、修験者には山にこもっての修行が付き物となる。

山に入る時期は山によって違う。前日には護摩を焚くが、これは修行の無事を祈るとともに、擬似的な葬儀でもあった。死を体験し、異界である山に入るわけだ。

山に入る際には唱言《となえごと》という決まり言葉を唱える習慣がある。「懺悔懺悔《さんげさんげ》／六根清浄／お注連に八大／金剛童子」と歌うように唱えながら山に入ってくるわけだが、ここには修験道の教えが示されている。懺悔し、目と耳と鼻と舌と体と意思の六根を清めれば、首にかけている注連縄《しめなわ》に八大金剛童子《こんごうどうじ》が宿る、ということなのだ。

具体的にはどんな修行をするのか。滝に打たれる、水垢離《みずごり》をする（それも真冬の冷たい水で！）あたりは今でもよく知られている。他にも、水や穀物を摂取するのを止めたり、木の棒で打たれたり、重い石を担いだりという過酷なものがある一方で、水汲みをしたり木を集めてきたりと修行のための準備がまた修行になっているという構造にもなっていたようだ。変わったところでは、相撲も修行の一つに数えられていた。これだけ過酷な修行をし、相撲の技まで身につけているのだから、修験者は殴り合ってもかなり強かったのではないか。

しかも彼らは武器を持っている。

修験道とは

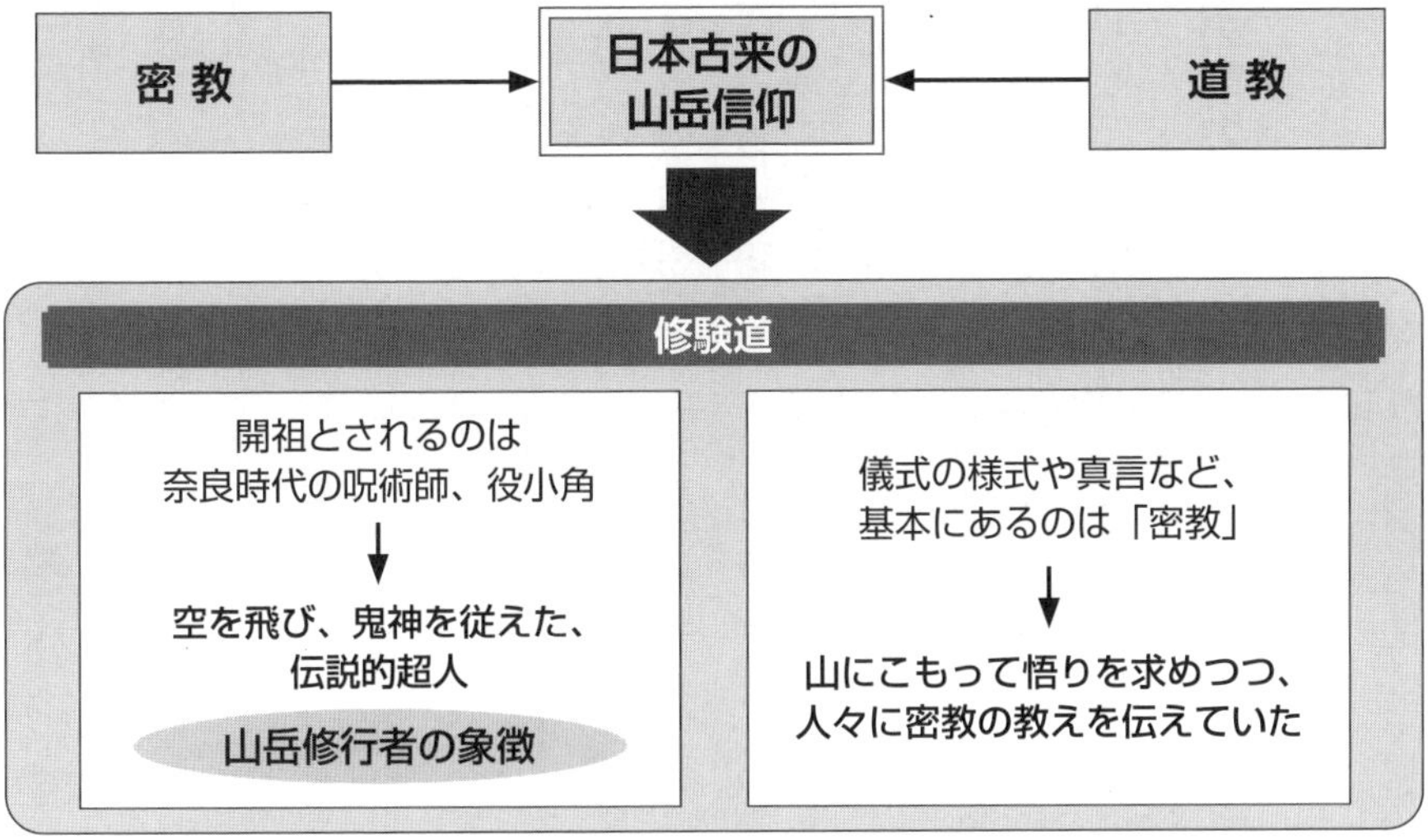
密教
日本古来の山岳信仰
道教
修験道
開祖とされるのは
奈良時代の呪術師、役小角
空を飛び、鬼神を従えた、
伝説的超人
山岳修行者の象徴
儀式の様式や真言など、
基本にあるのは「密教」
山にこもって悟りを求めつつ、
人々に密教の教えを伝えていた

例えば錫杖《しゃくじょう》は長さ一七〇センチほどの木の棒の頭に金属製の輪が付けられ、そこにさらにいくつもの輪が通されている。修験者は山の中を歩く時にこれの石突き部分を地面に突き、先端の金輪を鳴らす。その音が魔を退けるというが、現実的には熊や猪のような危険な山の獣を警戒させ、近寄せない効果があったはずだ。そしてもちろん、先端が金属製の長い杖を修験者の力で振り回せば、簡単に人を殺し得る破壊力が生まれる。

また、金剛杖という棒を用いた棒術も身につけた。これによる戦闘術は僧侶たちに受け継がれ、彼らは薙刀（杖の先に刀の刃がついた武器）による戦闘にその技を用いた。いわゆる山法師が薙刀を得意としたのはそのためである。

実用品と儀式道具と武器の三つの顔を持っていたのが斧だ。今はともかく、かつて整備されない山の中を歩いていた修験者たちには斧が必需品だった。進路を遮る草や木の枝などを斬りはらいながら進まなければならなかったからだ。当然、必要とあらば武器としてふるったことであろう。

修験者の持ち物としてもう二つ、「笈《おい》」と「法螺貝」

を紹介したい。

笈は修験者が背中に背負っているもので、荷物を入れることができる。現代の修験者たちは箱型の笈を背負うことが多いが、これは山道が整備されているからこそ。草木が生い茂る昔の道はこれでは大きすぎてあちこち引っかかってとても進めないので、竹や木の板で作ったものが多かったようだ。

法螺貝は文字通りホラガイという名前の貝で作った楽器だ。大きく、遠くに響く音が出るので、主に山に入った修験者同士の連絡に用いられた。何しろ携帯電話も無線もない時代である。平野のように遠くからいるかいないかを判別することもできない。しかし、音なら届くわけだ。

他に、動物を避け、悪しきものを遠ざける、家に呪いをかけ衰退させる「逆さ法螺」、天狗に守ってもらう「天狗寄せ」などの吹き方があったという。

修験者の能力

呪文としては般若心経が好んで唱えられる。真言・陀羅尼は多数あり、密教のそれに加えて役小角を讃えるものなど、修験道独自のものも含まれる。

また、密教、修験道、そして陰陽道にも共通するまじないに「九字」がある。縦に四本、横に五本の線を描いて作る図形のことだ（陰陽道では「ドーマン」と呼ぶ）。

修験道では手で九つの印を組み、また「臨・兵・闘・者・皆・陣・烈・在・前」と九つの呪文を唱え、最後に刀印といって二本指で空中に縦四横五の線を切る。呪文は中国の道教、印は密教の、ハイブリッドの呪法である。これが密教にも持ち込まれ、同じような仕草をする。

修験道の九字は魔を祓い、願いを叶え、災いを退ける術であるとともに、他の術を行う前の準備の術でもあった。

修験道といえば飛行だ。役小角は既に紹介した通り流刑地の伊豆からあちこちに飛んだし、空飛ぶ妖怪である天狗との関係も深い。

修験者と縁が深い超常の存在として、天狗と鬼神がいる。

天狗はのちに紹介する妖怪の一種だが、修験者たち

修験者の能力

基本的には密教僧と同じだが……

↓

- 山の中を歩く技術と道具
  ↓
  体も随分鍛えられるはず
- 真言・修法は密教のものに加えて、修験道独自のものも少なからずある
- 役小角がそうだったように、空を飛ぶのも修験者の験力だったはず
- 鬼神や天狗と親しい
  ↓
  支配するよりは対等・仲間

など

は古くから「先達」として彼らを敬った。修験道では先に修行していた者が後に続く修行者を導くのだが、人間より先に山中で修行していた存在として彼ら天狗を設定したのである。

鬼神については役小角のところで紹介した通り。優れた修験者であれば、本来人間よりはるかに格上のはずの鬼や神さえも従えることができるのだ。ただ、開祖たる小角さえも神を抑えきれず歯向かわれているのだから、無理やり支配するよりは、対等の仲間に近いのかもしれない。神が直接的に小角を排除しようとしなかったあたり、傷つけることができないような契約の可能性もある。

役小角は孔雀明王呪を使ったというから、自身の験力によるというより、神仏の権威によって従わせたという側面が強かったのかもしれない。また、役氏は賀茂氏の末裔で、小角に逆らったという神は賀茂氏に祀られていた一言主だとされるから、血筋にまつわる因縁によって従えていた（しかし逆らわれてしまった）、ということなのかもしれない。

これは僧侶・修験者にまたがる話なのだが、変わっ

たところで「飛鉢法《ひばちほう》」という能力がある。僧侶は木や鉄でできた鉢を持ち歩き、これに托鉢をいただいて食べ物を得る。しかし、例えば修行のために山の中に入っている時などは、托鉢をいただくことができない。どうするか。なんと、鉢がひとりでに浮かび、飛んで、托鉢をもらいに行くというのだ。これが飛鉢法である。

しかもこれ、単に鉢を飛ばすだけではないようで、「蔵ごと米をもらっていった」などという話もある。もっと凄い話では、「琵琶湖を進む船に鉢を飛ばしたところ、気味悪がられたので、船で運んでいる米丸ごと、鉢と一緒に飛んで行った」とまでいう。

そんな特別なことができなくとも、木なり鉄なりでできた鉢を飛ばせるだけで、十分だ。……そいつを相手の頭に叩きつければ、簡単に殺せるではないか。真面目な密教僧や修験者はやらないだろうが、破戒僧ならやるだろう。

修験者は密偵に向いている？

ここまで読んでもらって分かったかもしれないが、修験者はファンタジックな能力のあるなしを横においても、密偵・スパイに向いた存在なのである。最後に、あったかもしれない彼らの側面について考えてみよう。

彼らは修行のためにあちこちの山に登るから全国どこへいても違和感がない。道には関所があるから怪しげな人物は警戒されるものだが、そもそも宗教者は世俗と無縁ということでフリーなことが多いし、いざとなれば脇の山なり森なりに入れば良い。普通の旅人は山中で難儀するかもしれないが、修験者には勝手知ったる場所だ。

験力が使える修験者ならさらに有能だ。空が飛べれば、鳥よりも、狼煙よりも、馬に乗った武士よりも、はるかに優れた情報伝達手段になれる。天狗や鬼神の力を借りられれば、普通は得られない情報が得られるだろう。

こういう事情から、実は修験者こそ忍者のルーツの一つなのではないか、という説がある。忍法めいた技——猿のように木々の間を飛び回ったり、炎が巻き起こったと思ったら姿を消したり、そんな技を修験者が使うのも面白いかもしれない。

ただ、ここで問題が一つある。修験者はあくまで宗

修験者は密偵になれる？

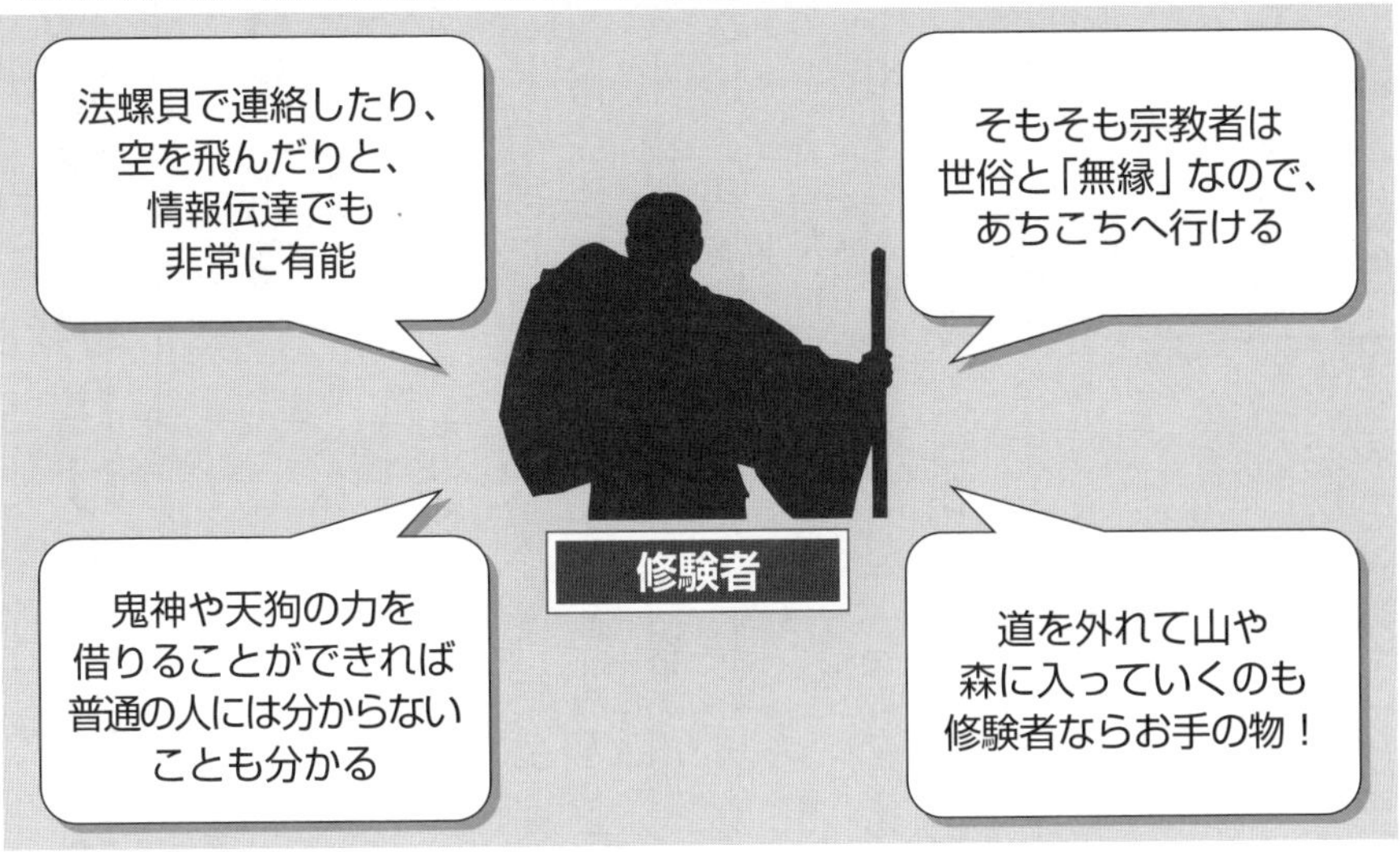
法螺貝で連絡したり、
空を飛んだりと、
情報伝達でも
非常に有能
そもそも宗教者は
世俗と「無縁」なので、
あちこちへ行ける
修験者
鬼神や天狗の力を
借りることができれば
普通の人には分からない
ことも分かる
道を外れて山や
森に入っていくのも
修験者ならお手の物！

教者であり、信仰のための修行者なのだ。そんな彼らが密偵として働いたり、あるいは忍者に変化していくのは、修行の時間を減らしたり、信仰を捨てることとイコールになってしまうだろう。どのような理屈があって修験者はその道を選んだのか。

まず考えられるのは、「自衛のため」だ。宗教が世俗と切り離されているというのは建前であり、敵対勢力に攻撃されたり荘園を奪われたりする可能性はある。寺院や修行場を守るための情報収集や撹乱工作はどうしても必要で、そのために修験者が密偵として働いた、というケースだ。

「技術だけ流出した」可能性もある。修行を途中で止めた者や信仰を失った者、技術だけ教わった者などが技術だけ他人に教えたり自ら密偵働きをするようになったのだろうか。

もしかしたら、「密偵や忍者として働くことこそが修行の形」というのもあり得るかもしれない。危険な潜入任務に挑戦したり、強敵と戦ったりすることを「仏に近づくため」の最高の修行とする……というのも、エンタメの世界ではないとは言えないだろう。

㉖安倍晴明だけではない陰陽道

陰陽師の二つの顔

この第三章ではここまで、和風ファンタジー世界で活躍できそうな、あるいは日本の神話・伝説をベースとしている魔法使い・能力者の紹介をしてきた。しかし、「和風魔法使い」の代表格は、なんといっても本項で紹介する陰陽師であろう。彼らは陰陽道を用いて主に平安時代を中心に活躍したとされ、未来を見、呪いを操り、また式神を味方にしたという。

だが、注意してほしい。陰陽師には二つの顔があるのだ。一つは、大陰陽師・安倍晴明に代表される、伝説の中で語られる魔法使いとしてのそれ。そしてもう一つは、史実に姿を残す、占いや儀式を職能とする職人としてのそれである――。

占いとしての陰陽道

まず、陰陽道とは何なのだろうか。そのルーツは古代中国で考え出された陰陽五行思想である。

これは「この世界は陰と陽、そして木火土金水の五行の組み合わせによって作られている」という考え方だ。注目すべきは、五行は相生（良い影響を与える）と相克（悪い影響を与える）の関係を持っているとされたこと。木→火→土→金→水の矢印の順に力を与え、木→土→水→火→金の順に害してしまう。陰陽師のバトル、あるいは陰陽道の影響が強い世界観では、この相性を意識していると雰囲気が出るだろう。

中国ではこの陰陽の考え方をベースに易が生まれた。占いの一種で、筮竹（細い棒）を用いて六十四卦という結果を二度出し、前の結果から後の結果への移行を見て運命を見定める。

陰陽道には易以外にもさまざまな学問・技術が含まれており、非常に有用なものとみなされたので、これを学んだ陰陽師を貴族たちが顧問・助言者として雇った。

陰陽師は本来占い師？

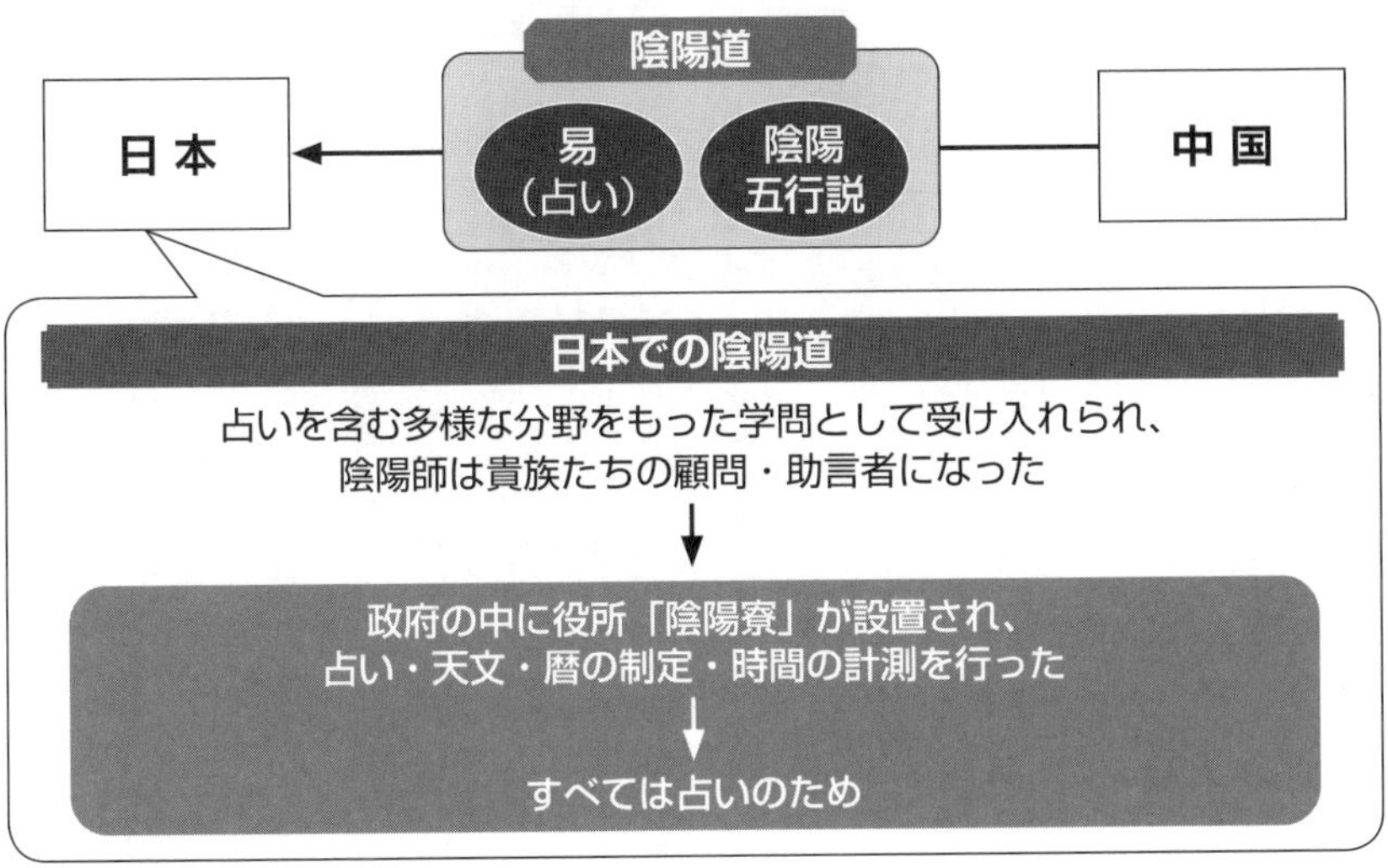
陰陽道
日本
易
（占い）
陰陽
五行説
中国
日本での陰陽道
占いを含む多様な分野をもった学問として受け入れられ、
陰陽師は貴族たちの顧問・助言者になった
政府の中に役所「陰陽寮」が設置され、
占い・天文・暦の制定・時間の計測を行った
すべては占いのため

こうなると、朝廷としても放ってはおけない。役人の職種として「陰陽師」を作ったのである。さらに六七六年には「陰陽寮」という役所まで作られた。

陰陽寮の部門と役割を見てみよう。

・**陰陽部門**
国家レベルでの災害、土地の事情などについて占いを行う

・**歴部門**
暦を作る。占いには月日が大事な要素だった

・**天文部門**
当時の人々が運命の予兆と考えていた天体の動き、気象の変化を観測する

・**漏剋《ろうこく》部門**
漏剋（水時計）により、時刻を計る。占いには正確な時刻管理が重要だった

各部門に一人ずつ博士がいて、陰陽部門には六人の陰陽師がいた。他に全体の統括役として長官の陰陽頭、またその補佐官が数名いる。とはいえ、皆が陰陽道に

関係する役目を務めていたので、彼らは総じて「陰陽師」と呼ばれていた。

この部門一覧を見てもらえれば分かる通り、陰陽師の主な仕事は占いであったのである。

なお、伝説的な陰陽師として知られる安倍晴明は、この陰陽寮で働いていた史実の人物である。彼は賀茂忠行・保憲の親子に学んで陰陽道の達人となったという。賀茂親子も陰陽道の歴史を代表する術者であったが、保憲は「自分の子では晴明に勝てない」と考え、賀茂家に伝わっていた暦と天文のうち、天文は晴明に（ひいてはその子孫である土御門家に）譲ったという。

呪術と禁忌

ところが、平安時代中期になると、彼らに別の仕事が増えてくる。呪術だ。先に紹介した部門分け、専門分けとはまた別に、陰陽寮の陰陽師なら皆呪術を行うことができ、仕事としていたのである。

と言っても、彼らが行ったのは人を害するたぐいの呪術ではないようだ。国を襲った疫病を抑えるための「四角祭」「四堺祭《しかいさい》」、旱魃《かんばつ》の時の雨乞いに「五龍祭」。「竈神祭《かまどがみさい》」「本命祭」「三元祭」は、天皇家の家政や皇族の健康のためのものであった。密教僧たちの修法などと同じように、国を守る呪術師としての活動が求められたのだ。

また、陰陽師たちは禁忌への対応も仕事だった（これは役職を引退した陰陽師も行ったようだ）。ここでいう禁忌は「この時期（時間）にこの方角へ出かけるのはよくない」という意味である。

陰陽師は皇族・公家のために禁忌を調べ、これは良くないと思ったら「日時を変えるべき」「出かける方角を変えるべき」「そもそもこの日は屋敷にこもっているべき」と助言する。天皇の公式行事などは陰陽寮の仕事として調べるし、公家の用事についても依頼を受けて調べたようだ。

そして「出かけるべきでない」と言われた公家は当然外出を控え、また「物忌《ものいみ》」という紙を貼ったりして、凶事が去るのを待つ。この一連の行動が「物忌」である。どうしても出かけなければいけない用事があるが、目的地を凶の方向と言われたらどうするか。一度別の方向へ移動した上で、方向転換して目的地へたどり着

陰陽師に求められる呪術

儀式
天皇のため、国家のため、さまざまな呪術儀式を行う →災いを抑え、天皇の健康を願う、など
禁忌の管理
方角や時刻などで災いが予告される →物忌や方違のアドバイスをする
呪詛と呪詛返し
政争の中で、「血を流さない攻撃」としての呪術が求められた →守るための呪詛返しも陰陽道にある
役人の陰陽師に頼めない人、後ろ暗い呪いを 依頼したい人は、民間の**「法師陰陽師」**に頼む

くのだ（例：北が凶なので、まず東北へ、続いて北西へ、三角形を描くように移動する）。

法師陰陽師と呪詛

このようにして、役人の陰陽師が朝廷や皇族、公家の陰陽道需要に応えていたのだが、そこには限界があった。単純に人手が足りなかったのである。役人の陰陽師は三十人程度しかいないのに、公家は数百人いる。さらに庶民にも陰陽道を求める声があった。

そこで、公務員としての陰陽師とは別に、民間としての陰陽師が現れることになる。彼らは僧侶の格好をしていたので「法師陰陽師」と呼ばれていた。他に紙冠という独特の被り物をしていて、これは清少納言の『枕草子』にも出てくる。そのくらい、法師陰陽師は平安時代にはありふれた存在だったのである。

では、彼らに求められた陰陽師としての仕事は何だったのか。その大きな部分を占めたのは「呪詛」であった。呪いの力によって相手を傷つけようとしたのである。

平安時代の公家たちは血の穢れを忌み、血が流れるような暴力的行為、武力による敵の制圧などは好まなかった。だが、同時に平安時代は公家による政治闘争が加熱し、陰謀が横行し、水面下で激しい争いが巻き起こっていた時代でもあった。血を流さずに相手を排除して自分が政治的に成功するにはどうしたら良いか。そのための手段として選ばれたのが呪詛であり、それを担当したのが民間のアウトロー陰陽道職人である法師陰陽師だったのだ。

密教の項で紹介した通り、当時呪詛は犯罪であったから、役人の陰陽師にこんな仕事が頼めるはずがないのである。実際、政治闘争の中で呪詛を企み、それが露見して逮捕されてしまった法師陰陽師も歴史に残っている。なお、「実は役人の陰陽師も呪詛を行うことがあった」という説がある。それは天皇からの命令があった時、国家の敵に対して行う呪詛であった。この話の真偽は定かではないが、可能性はある。

一方、呪われる側も無防備ではない。呪詛が当たり前の世の中であるから、何か異変があったり、屋敷の中で奇妙なものを見つけたりしたら、対抗手段を考えるのだ。陰陽師は呪詛ができるとともに呪詛返しができるとされていたため、この役目をしばしば依頼された。こちらの仕事は犯罪でないので、役人の陰陽師も引き受けてくれる。

また、良かれと思ってやった呪い（のろい、よりはまじない）が思わぬ結果になってしまったこともあったらしい。競馬《くらべうま》の無事を祈って埋められた呪物（後述する式神）が放置された結果、人に災いを起こした、という話が残っている。こんなふうに騒動を起こす呪いの後片付けを陰陽師が依頼されることもあったろう。

このような事情を鑑みれば、あなたが作る世界において陰陽師を単に和風魔法使いとして設定するのは勿体無いと思わないだろうか。公的機関に仕える役人としての陰陽師と、民間業者としての法師陰陽師。その関係性を生かしたいものだ。

一つの考え方として、警察と探偵になぞらえれば分かりやすい。役所に所属する陰陽師は警察官であり、公的なバックアップが期待できるものの、行動や権限はかなりの部分で制限される。一方、法師陰陽師＝探偵は自由に行動することができるものの、所詮は個人だからできることに限界がある、という具合だ。

陰陽師と式神

ここからは伝説の中の陰陽師、魔法使いとしての陰陽師にさらにフィーチャーしていきたい。彼らは何ができると人々に信じられていたのか。それはイコール、物語の中で彼らが操る魔法として登場させて良いものであるはずだ。

伝説や物語、あるいは現代のエンターテインメントなどの中で陰陽師が多用するのは「式神」である。ところがこの術、一つの名称で二つの意味を内包しているから混乱する。

一つは無機物（紙であったり、木片であったり）を擬似的な生き物のように動かす術だ。西洋の魔術でいうところのゴーレムに近いかもしれない。ちなみにこちらの用法では術を使うことを「式を打つ」という。

もう一つは文字通り「神」、鬼や神を従えることだ。安倍晴明は十二神将（仏教の十二神将とは別）の式神を用いたという。

ちなみに、史実的には、呪いをかけるための媒介になる呪物のことを式神といっていたらしい。

これだけ複雑で正体不明な式神であるから、既存の伝説や解釈をある程度無視してしまうのも一つの手であろう。あなたの作る作品において、「史実がどうかはともかくとして、うちの作品ではこう！」とはっきり定義してしまうのである。そのほうが読みやすい。

例えば、陰陽師が作る（打つ）式神と契約する式神、どちらかにしてしまうというのがもっとも分かりやすい解決法だ。前者でありつつキャラとして生かしたいなら「よくできた式神は知能を持つ」とすれば良いし、後者だと陰陽師の活躍する余地が狭いというなら「術者の力を注ぎ込むことで式神になった鬼神を強化できる」とする手がある。

あるいは、別の解釈もできる。そもそも術で打つ式神も契約する式神も、ルーツは同じとしてしまうのだ。普通式神は即興で作り、時間が経つと消えてしまうものだが、何かの偶然があったり、陰陽師が優れていたりすると、永続的に残る。このような式神は鬼神と呼ばれ自由に行動するが、時に陰陽師と契約することもある。あるいは古代に神々によって作り出された鬼神もいるのかもしれない……という具合だ。

この他、紙に筆で呪文を書き記した符を用いて不思議な現象を巻き起こすのも、エンターテインメントの中の陰陽師がよく使う術であろう。呪詛や呪詛返しなどに使う符からの発想だろうか。

また、エンタメの中の陰陽師はしばしば、陰陽五行思想に基づいた不思議な術を用いる。これは中国で生まれた考え方で、陰陽師の思想である陰陽道のベースになっている。簡単に言えば「この世のすべては陰と陽、そして木火土金水の五行の組み合わせ・関係性で出来上がっている」という考え方だ。

これをエンタメ的な魔法に応用するなら、「陰の気が強すぎて人間や自然に悪影響が出ているところ、陽の気を導いて鎮める、あるいはその逆」や「木火土金水を操って攻撃する」などが分かりやすい。

予言と災難除け

史実を考えると、陰陽師の能力としてもっとも重要なのは予言と儀式、災難を避ける力であろう。この辺り、伝説と物語からいくつか拾ってみたい。

安倍晴明は法師陰陽師・芦屋道満《あしやどうまん》との術くらべにおいて長持の中身を当てることになった。答えは大柑子（蜜柑）で、実際道満はその通りに答えたのだが、晴明は鼠と答える。これでは晴明の負けかと思いきや、中から出てきたのはなんと鼠だったのである。

このエピソードでは、晴明が術で大柑子を鼠に変えた、つまり変身の術を使えたことになっている。だが、別の解釈もできないだろうか。しばしば「未来予知とは未来を変える、選択肢を選ぶ力である」と主張されることがある。未来があやふやで、いくつもの選択肢が未決定の状態にあるとしたら、予知で「こうなる」と選ぶのは未来を決める行為なのではないか。

ということは逆説的に、予知・予言することで本来起きるはずだったこと（この場合は長持を開いたら大柑子が出てくるということ）を変えることも可能なのではないか——。もしそうなら晴明はまさに大魔法使いであるし、変身の術よりは本来占い師である陰陽師らしいとも言えるのではないか。

晴明の物語には、他にも不思議な術が出てくる。長持の一件のあと、道満は晴明の弟子になったのだが、晴明が中国で修行をしているうちに（なおそんな事実

伝説の中の陰陽道

式神

紙や木など、無機物を
まるで命があるように動かす

鬼神と契約し、従えてしまう

↓

あなたの物語ではどのように解釈する？
独自の理屈を考えたい

予言・占い

陰陽師の本来の役割

↓

安倍晴明の逸話の中には、
未来を書き換えたような話も……

災いを払う

特別な歩法や音などによって、
邪悪を払う技も陰陽道の中にある

は史実には見つけられない）彼の妻を抱き込んで秘術の書を奪い取り、戻ってきた晴明を殺してしまった。ここまではよかったのだが、異変を察知した晴明の師匠が中国からやってきて骨を掘り出すと、「招魂続命の法」をかけた。すると晴明は蘇り、道満を金縛りにして殺したのであった。

つまり、晴明の学んだ陰陽道には死者を蘇らせる術と、金縛りの術があったことになる。前者がとんでもない技なのは言うまでもないが、後者も使い勝手が良く、活躍させやすい技といえよう。

ちょっと面白いところでは、「反閉《はんぺい》」という術がある。これは「片足を先に出す↓もう片足を先の足に寄せる」を繰り返し、左右に足を動かすものだ。この特殊な移動法により悪運を退け、幸運がやってくるという。ルーツは中国の「禹歩《うほ》（北斗七星などの図形を描いて歩く）」にあり、のちに相撲の四股に発展した。

災難を払う術なら「鳴弦《めいげん》」というのもある。使うのは弓だ。しかし矢はいらない。そのまま弓の弦を弾き、音を鳴らす。この音が見えない矢になって悪霊を退けるのだ、という。

㉗魔と、それを討つ者たち

古代日本のヒーローたち

冒険物語やスケールの大きな物語にはヒーローが付き物だ。古代日本にも数々のヒーローたちがいた。彼らは基本的にはまず史実の人物がいて、その記録が物語られるに従って尾ひれがつき、あるいは大きく脚色されるという過程を経て、非常にファンタジックな要素を持つ物語の主人公になった。

その偉業、その能力、その冒険は物語の主人公のサンプルとするのにふさわしいものばかりだが、「かつてこの世界にはこんな英雄がいた」設定として使うのも良いだろう。その冒険や伝説は本当なのだろうか？

何か嘘があるとしたらそれは単に尾ひれがついただけなのか、それとももっと重要な秘密があるのだろうか？　かつてそのようなヒーローだった人が時を経て今も生きているならどんなふうになっているのだろうか？　こんなふうに、物語のネタにもなる。

ヤマトタケル

草薙剣の使い手として有名なヤマトタケルの物語は名に「ヤマト」の名を持つのにふさわしい、古代日本を代表するヒーローだ。

彼の物語は『古事記』『日本書紀』の双方に記されているが、特に『古事記』のそれが実にドラマティックで人気があり、よく知られている。

ヤマトタケルは景行《けいこう》天皇の皇子で、元の名をオウスといった。兄のオオウスに父の命を伝えに行ったところ拒否されたので掴んで殺してしまった――というから相当の乱暴者で、父天皇も怯えてこの子を遠ざけようとした。

そこで与えられた役目が、西日本の異民族退治であった。まずはクマソタケル兄弟を、女装して宴の席に潜入することで殺害する。ヤマトタケルの名はこの時に弟のほうから与えられた名だ。さらに出雲でイズ

ヒーローとルーツ

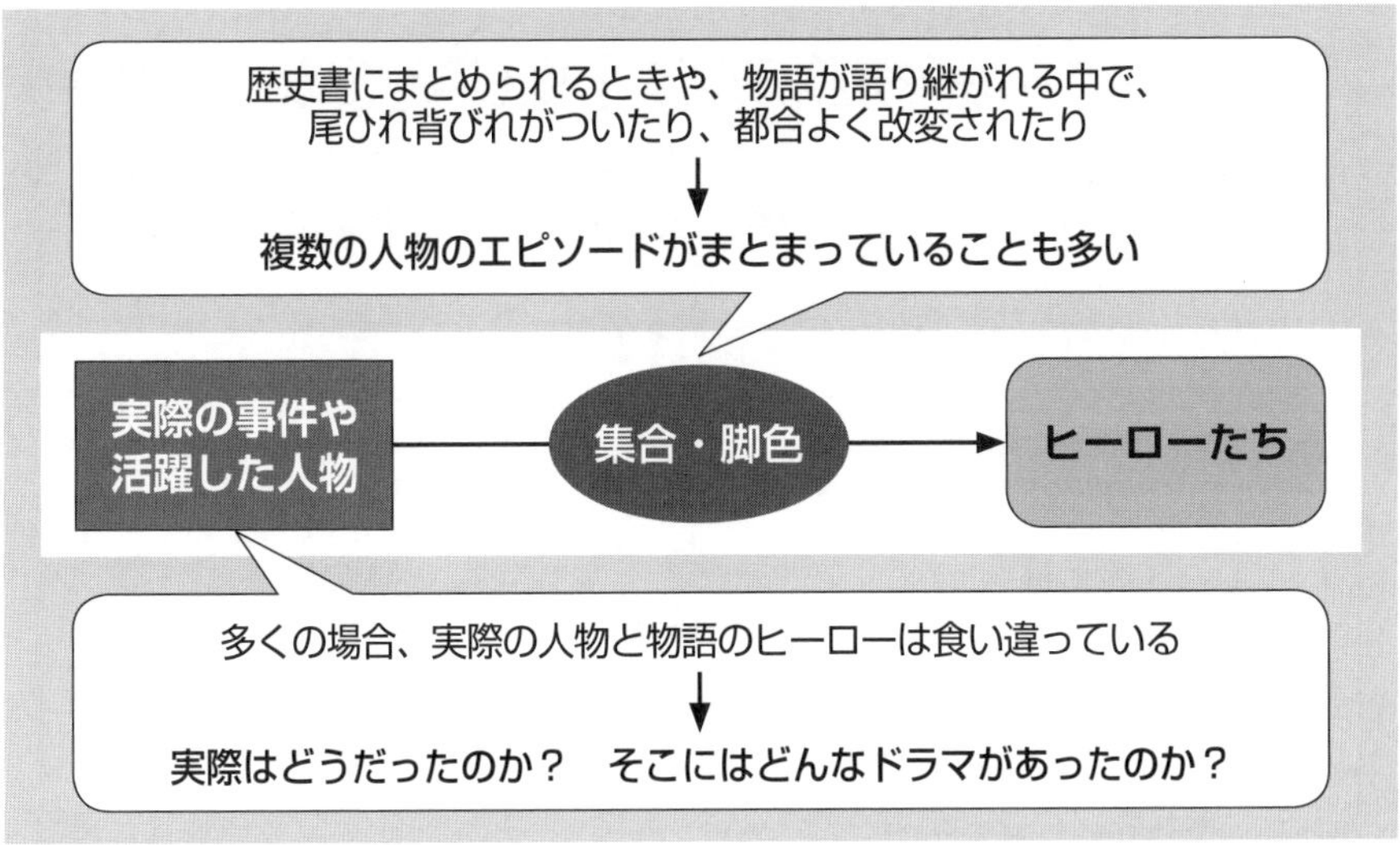
歴史書にまとめられるときや、物語が語り継がれる中で、
尾ひれ背びれがついたり、都合よく改変されたり
複数の人物のエピソードがまとまっていることも多い
実際の事件や活躍した人物
集合・脚色
ヒーローたち
多くの場合、実際の人物と物語のヒーローは食い違っている
実際はどうだったのか？　そこにはどんなドラマがあったのか？

モタケルの殺害にも成功する。この時はまず彼と友情を結び、木で偽物の太刀を作ってから、「太刀を交換しよう」と持ちかけた。イズモタケルは当然その太刀を抜けないが、ヤマトタケルの太刀は抜けるので、そのまま殺してしまった、というわけだ。

天皇のもとに戻ったヤマトタケルだが、父はこの息子を自分のもとに置いておきたくはない。すぐさま、次は東方の荒ぶる神々、大和朝廷に従わない人々を討つように命じた。それも単独でだ。こうなれば、彼にも父の心が分かる。伊勢神宮に赴いたところで叔母のヤマトヒメに会って「父はどうして私に死ねとおっしゃるのか」と泣いた。これを哀れに思ったヤマトヒメはかつてヤマタノオロチから出た天叢雲剣と、袋を与え、「いざという時は開きなさい」と伝える。

尾張で国造の娘ミヤズヒメと婚約し、神々や異民族を平定しながらヤマトタケルはさらに東へ進んだが、相模では恐ろしい危機に陥った。この国の国造の罠にはめられ、草原の中で周囲を野火に囲まれてしまったのだ。この時、叔母から与えられた袋を開くと、火打ち石が入っている。そこで天叢雲剣で草を斬り、火打

ヤマトタケルと桃太郎

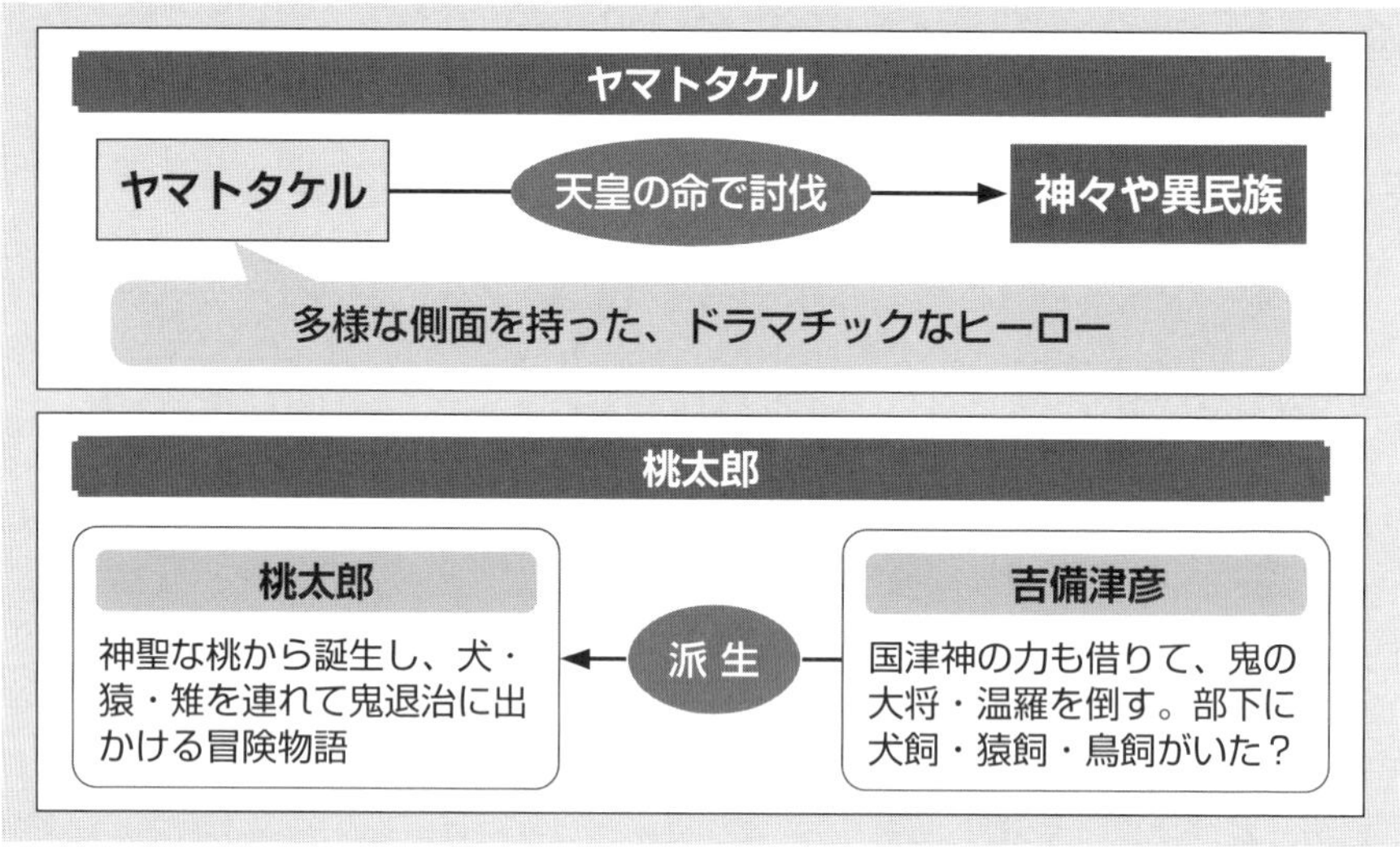
ヤマトタケル
ヤマトタケル
天皇の命で討伐
神々や異民族
多様な側面を持った、ドラマチックなヒーロー
桃太郎
桃太郎
神聖な桃から誕生し、犬・猿・雉を連れて鬼退治に出かける冒険物語
派生
吉備津彦
国津神の力も借りて、鬼の大将・温羅を倒す。部下に犬飼・猿飼・鳥飼がいた？

ち石で火をつけて、迎え火をすることで火の向きを変え、ヤマトタケルは生き延びるのだった。これが「草薙剣」の名の由来である。

その後もいくつもの危機に襲われたヤマトタケルだが、どうにか諸国を平定し、尾張に戻ってきてミヤズヒメと結婚する。ところがその翌日、草薙剣を彼女のもとにおいて伊吹山の神を討伐に赴いたのが第一のミス、そして現れた白い猪を「これは山の神の使者だ」と誤った宣言をしたのが第二のミスだった。実際には山の神本人だったのである。神話における誤った宣言には報いがあるもので、氷雨を受けたヤマトタケルはすっかり弱ってしまった。

それでもどうにか西へ向かったが伊勢国で力尽き、死ぬ。彼の魂は白く大きな鳥になって一度着地し、その後またどこかへ飛び去ったという。

加減の分からぬ乱暴者の顔、狡猾な知恵者の顔、けっして得られぬ父の愛に飢える子どもの顔、そして最後には慢心によって死ぬ、いかにも古代の英雄という顔。いくつもの側面を持つヤマトタケルは、古くから物語の主人公として愛されてきたのである。

一方、『日本書紀』はヤマトタケルをどう描いているのか。物語の大筋は同じである。景行天皇の皇子であるオウスは、父の命令によって西や東の異民族討伐に奔走する。熊襲の長に近づくために女装を行い、炎にまかれて命の危機に陥った際、草薙剣のおかげで助かるのも同じだ。そして、やはり最後には神に対する不敬のせいで命を失い、白鳥になって飛び立つ。

ところが、実際に読んでみると、印象が違うことに気づくはずだ。こちらのヤマトタケルは力余って兄を殺したりせず、父からの愛情がないことに嘆き悲しんだりもしない。旅立つ時も孤独ではなく、弓の名人を引き連れている。父・景行天皇も自分に代わって敵を倒してくれる息子を寵愛し、「この天下はお前の天下、（天皇の）位もお前の位」として後継者と認めるような発言をし、ヤマトタケルが死んだ際にも深く嘆き、悲しんだという。

興味深いのは『古事記』の景行天皇が息子の神がかりの力を恐れているのに対し、『日本書紀』の景行天皇はそうではないところだ。むしろ、「形としては私の息子だが、実は神人である」として、天による助力そのものであり素晴らしい存在として受け取っている。『日本書紀』のヤマトタケルは名前の通り日本の英雄であり、輝かしいヒーローなのだ。

『古事記』『日本書紀』それぞれのヤマトタケルを見比べた際、エンタメとして魅力的なのはどう見ても前者だ。そこには葛藤があり、愛憎があり、勝利があり、悲劇がある。しかし、後者も「時の政府が認められる公的なストーリーはこうだったのだな」という視点に立つと味わい深くなるものだ。ヤマトタケルのようなヒーローが実際にいたとして（今残っている物語はどちらにせよ複数のストーリーを一つにまとめたものであろうが）、異民族を次々打ち倒した英雄と父の天皇が不仲だったなど、認められるはずがない。両者の関係は円満であり、英雄にも不満はなく、国家は盤石である……それこそが「英雄にふさわしい物語」なのだ。これは英雄と国家のあり方として参考になる。

なお、古代日本を代表するヒーローであるヤマトタケルは、各地でその活躍が伝説として語られている。大魚や鬼、九頭竜などを退治したというヤマトタケル伝説は、彼が人間には手が出せない存在と戦ってくれるヒーローとして受け入れられていたことが分かる。

桃太郎と吉備津彦

ヤマトタケルに勝るとも劣らぬ日本のヒーロー、それは「桃太郎」であろう。

彼の物語は老夫婦が一日の仕事に出かけるところから始まる。夫が山で芝刈りをする間に妻が川で洗濯をしていると、上流から奇妙なものが流れてきた。それはなんと巨大な桃だったのだ。

家に持ち帰ってさあ食べようと切ってみれば、その中には赤子が入っていた。桃から出てきたので桃太郎と名付けられた彼はすくすくと育ち、ある日「人々を苦しめる鬼ヶ島の鬼を退治する」と言い出した。夫婦は吉備団子を持たせて送り出す。

道中、桃太郎は犬・猿・雉と出会い、吉備団子を分け与える代わりに鬼退治に同行してもらうことに。いざ船で渡った鬼ヶ島ではたくさんの鬼が待ち構えていたが、桃太郎はもちろん三匹のお供もそれぞれのやり方で戦い、鬼を倒す。蓄えられていた財宝を持ち帰って凱旋する桃太郎一行であった……。

冒険物語としてはシンプルだが、主人公の出自が典型的な異常出生譚（東洋における桃は邪を祓う神秘の果物であるから、鬼退治は宿命と言える）であること、お供の動物たちが個性豊かであることなどから、今なお高い知名度と人気を誇っている。

この桃太郎の物語に、実は元ネタがあったと考えられているのをご存知だろうか。それは吉備津彦と温羅《うら》の戦いの物語である。

時は崇神《すじん》天皇の御代である。吉備国に温羅という鬼がおり、堅固な城にこもって人々を苦しめていた。元は百済の王子とされ、怪力とともに呪法も心得た恐るべき鬼だった。

この討伐の任を得たのが「四道将軍」と呼ばれた孝《こう》霊《れい》天皇の四兄弟の三男、五十《い》狭芹彦命《させりひこのみこと》、のちの名で吉《き》備《び》津《つ》彦命《ひこのみこと》であった。単に武勇に優れただけでなく、方《ほう》術《じゅつ》（中国道教由来の魔術）も身につけていたという。

両者は激しく争った。温羅が岩を投げれば吉備津彦は矢でこれを撃ち落とす。膠着状態になったところ、吉備国の国津神が現れて助言をしたので、それを受けて吉備津彦は二本の矢をいちどきに放った。一本は岩を、もう一本は温羅の左目を見事に射抜いたのである。

温羅は城の中に逃げ込み、それからまもなく大量の水が城から吹き出した。その中に巨大な鯉がいる。これは温羅の変身した姿だと見抜いた吉備津彦は鶴に変じて戦い、ついに温羅を倒したのであった。

ところが残された温羅の首は唸り声を上げ続け、長く続くので吉備津彦も参ってしまった。そんな頃吉備津彦の夢の中に温羅が現れたので、いう通りに首を埋め、祀らせると、唸り声も止んだという。

今、吉備津彦は岡山県の吉備津彦神社に祀られている。ここに犬飼・猿飼・鳥飼の名が見られることから、歴史的人物としての吉備津彦（彼が戦ったのは鬼ではなく大和朝廷に反抗する人間であろう）にはそのような名の部下がいて、彼らの活躍があるいは温羅との戦いに、またあるいは桃太郎伝説になったものと考えられている。

坂上田村麻呂と鬼たち

坂上田村麻呂《さかのうえのたむらまろ》は桓武天皇の時代、平安京造営と並ぶ巨大事業であった、蝦夷の討伐で活躍した武将である。渡来人の末裔で、「赤面黄鬚《せきめんおうしゅ》、勇力《ゆうりき》人に過ぐ、将帥《しょうすい》の量あり」と、特異な外見と優れた能力が知られていたようだ。人格面でも人を惹きつけたという。

彼は征夷大将軍の職に就いたことでも有名だ。のち、この職は「将軍」と略されて武家の棟梁・幕府の長がつくものとして定番化したが、元は文字通り「夷」、つまり東の異民族を討つ職であったのだ。

さて、史実の田村麻呂は阿弖利為《あてるい》を始めとする蝦夷の首長らと戦った武将として知られている。しかし、伝説の中の田村麻呂はこれにとどまらない。彼は数々の鬼と戦い、これを倒したことになっているのだ。おそらく蝦夷の首長らのイメージが膨らんだのであろう鬼たちと田村麻呂の戦いを見てみよう。

田村麻呂と鬼の戦いについての伝説は東北の各地にあり、あるいは後世にもさまざまに物語られて、細かいバージョン違いがある。その中には田村麻呂をモデルにしたキャラクターが活躍するものもある。

特によく出てくるのが「悪路王《あくろおう》」あるいは「高丸」と呼ばれる鬼だ。史実では田村麻呂に降伏した阿弖利為をベースにしたものと考えられる。岩手に残る伝説では、「田村麻呂は観音様の名を受けて悪路王と戦った。数度にわたる激しい戦いの末、田村麻呂の放った矢が悪路王の首を跳ね飛ばし、勢い余って秋田まで飛んでいった」という。

あるいは、「八面大王《はちめんだいおう》」なる鬼とも闘ったという。これは八つの頭がある鬼ではなく、さまざまな姿に変身できる鬼（八はたくさんの意味）だったのではとされる。

田村麻呂は蝦夷討伐の途中、この鬼の軍団に苦しめられる人々を救おうと戦いを挑んだが、八面大王は石を飛ばしてくるわ神通力で矢が当たらないわでどうにもならない。しかし、観音様のお告げで「十三節ある山鳥の尾」で矢を作れば良いと分かり、それからしばらくして、その矢を自発的に届けてくれる人が現れた（この人物については、「尾が十三節ある山鳥を救ったところ娘が現れて三年一緒に暮らしたが、観音様のお告げの日に尾を残して去った」という、鶴の恩返しめいた別エピソードがある）。

矢の力によってついに田村麻呂は八面大王を倒したが、鬼はただでは倒れなかった。その死体から吹き出した血が雨になり、人々を病気にしたのである。しかしまたしても観音様のお告げ通り温泉が湧き、人々の病を癒やしたという。

「大嶽丸《おおたけまる》」（悪路王と同一視されることもある）という鬼との戦いの中では、もう一人重要なキャラクターが登場する。「鈴鹿御前《すずかごぜん》」あるいは「立烏帽子《たてえぼし》」の名で呼ばれる彼女は、天竺（インド）の第四天魔王の娘であるとも、天女であるともいう。自在に空を飛ぶ剣を含む三本の魔剣を持つ彼女は当初田村麻呂と戦い、しかしやがて彼と恋に落ちる。

二人は協力して大嶽丸やその配下の鬼と戦う。この戦いの重要なキーになるのが、大嶽丸が鈴鹿御前に惚れていたことだ。彼女はこれを利用する。わざと囚われたり、あるいは「命を狙われている」と訴えて大嶽丸の大事な剣を借りたりと物語によってやることは違うが、とにかく鬼を弱体化させる。こうして田村麻呂は大嶽丸を倒し、美しい姫をも手に入れるのだった。

多種多様な特殊能力を持ち、場合によっては死んでも蘇ってくるような（大嶽丸が蘇生して再び戦いを挑んでくるバージョンがある）鬼に対して、田村麻呂は神仏の力を借りて戦う。当時の人々の世界観を感じさせる構図である。

源頼光と四天王

平安時代のヒーローといえば、源頼光と彼に付き従う頼光四天王であろう。彼らは武士として武力を用いて、その力によって魔と戦った。当時現れ始めた新しい存在である武士の彼らは、同じ人間相手ではなく鬼や妖怪との戦いで名を上げた——と伝説は語る。

四天王のラインナップは次の通りである。

・渡辺綱《わたなべのつな》

単独エピソードもある、四天王筆頭格。彼を祖として渡辺党という武士の一族が生まれた。この渡辺党が多く参加する滝口の武士は陰陽師とともに儀式を行うなど、呪術的な側面が強かったとされる。

・坂田金時《さかたのきんとき》

「足柄山の金太郎」として知られる。山姥の子として生まれた彼は熊とともに幼少期を過ごしたが、やがて頼光に見出され、京で武士になった。

・碓井貞光《うすいさだみつ》

金時を見出した武士。実は彼もまた碓氷山の山姥の子であるという。

・卜部季武《うらべすえたけ》

『今昔物語集』にも登場。そこでは「平」姓を名乗る。

頼光と四天王の武勲としてもっともよく知られるのは、酒呑童子討伐のエピソードであろう。

姫をさらった酒呑童子を討て、と命じられた頼光は、四天王及び平井保昌《ひらいやすまさ》という武士を引き連れて敵の本拠地である大江山に出発した。武者の格好ではない。修験者の装束で正体を隠した。既に紹介した通り、彼らは背中に笈《おい》を背負っているから、武器がそこに隠せて都合が良いということもあったのだろう。また、道中で神社に祈願したところ、神々の化身から役に立つアイテムを授かることもできた。

酒呑童子らは宴の真っ最中であった。頼光らは酒盃に注がれた血を飲み、差し出された人肉も平然と口にしたので、鬼たちもすっかり油断してしまう。この時授かったアイテムの一つ、「神便鬼毒酒《しんべんきどくのさけ》」を飲ませたせいもあって、鬼たちは寝入ってしまった。

頼光は姫を救い、またもう一つのアイテムである退魔の星兜他武具を整えると、まずは寝入っていた酒呑童子の首を斬って殺害した。この騒ぎで起きてきた他の鬼たちとの戦いはまさに死闘であったが、どうにか全員無事で生き延びることができたのだった。

この戦いには後日談がある。平安京の羅城門に鬼が現れると聞いた渡辺綱が出向いてみても鬼はいない。ところがその帰り道、橋のたもとで娘と出会い、送っていくことになるものの、娘の様子がおかしい。これは鬼が化けていたのだ。髪を掴まれて空に宙吊りにされた綱だが、その腕を名刀髭切丸で斬りつけ、どうにか難を逃れるのだった。

綱が戦利品として鬼の腕を持ち帰ってしばし、伯母が訪ねてくる。彼女に腕を見せながら武勇談を語っていると、突如として彼女が豹変する。なんと、あの時の鬼が化けていたのだ。腕を掴み、そのまま姿を消してしまう。これは茨木童子と言って、大江山の鬼の生き残りであった。

頼光と四天王にまつわる物語はさまざまあるが、その中に血を分けた弟との対立を語るものがある。浄瑠璃『丑御前の御本地』がそれだ。

頼光の弟として生まれた丑御前は誕生時点で歯も髪もあって目が輝くという異常な有様であり、父・満仲にも疎まれて殺されそうになる。母が匿ったので成長することができたが、やがて「満仲の子」を名乗って暴れ始める。満仲が丑御前を騙して東国へ流刑にすると、怒った丑御前は謀反の兵をあげた。ことここに至って、頼光は弟を討伐するため東国へ出陣せざるを得なくなってしまう。

戦ってみると丑御前は強かった。頼光や四天王も敗れてしまう。そこで動いたのが四天王の中でも特異な生まれをしており、東国にも親しんでいる坂田金時だ。彼は丑御前の流刑に反対し、戦いにも消極的だった。しかしこのままでは良くないと丑御前の元へ赴き、説得したのだが結局上手くいかない。酒宴の後、帰ろうとする金時を丑御前が襲うと、四天王が助けに現れた。軍勢同士の戦いに敗れた丑御前は牛の怪物へ姿を変え、頼光らの軍勢を打ち破ってしまった、という。なんと

坂上田村麻呂と源頼光

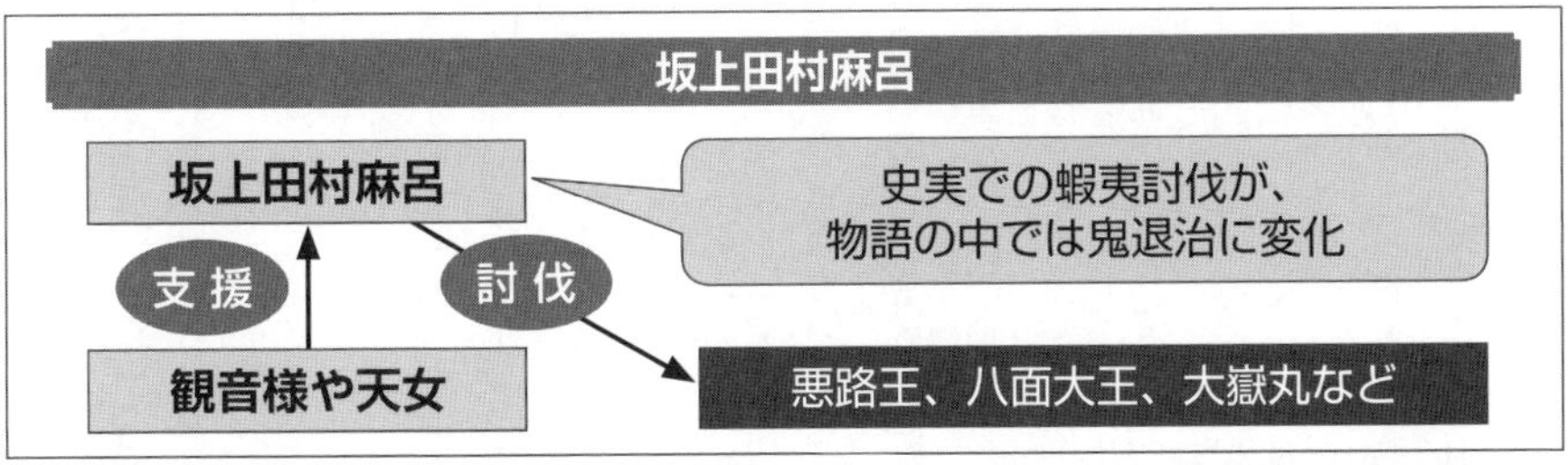
坂上田村麻呂
坂上田村麻呂
史実での蝦夷討伐が、
物語の中では鬼退治に変化
支援
討伐
観音様や天女
悪路王、八面大王、大嶽丸など

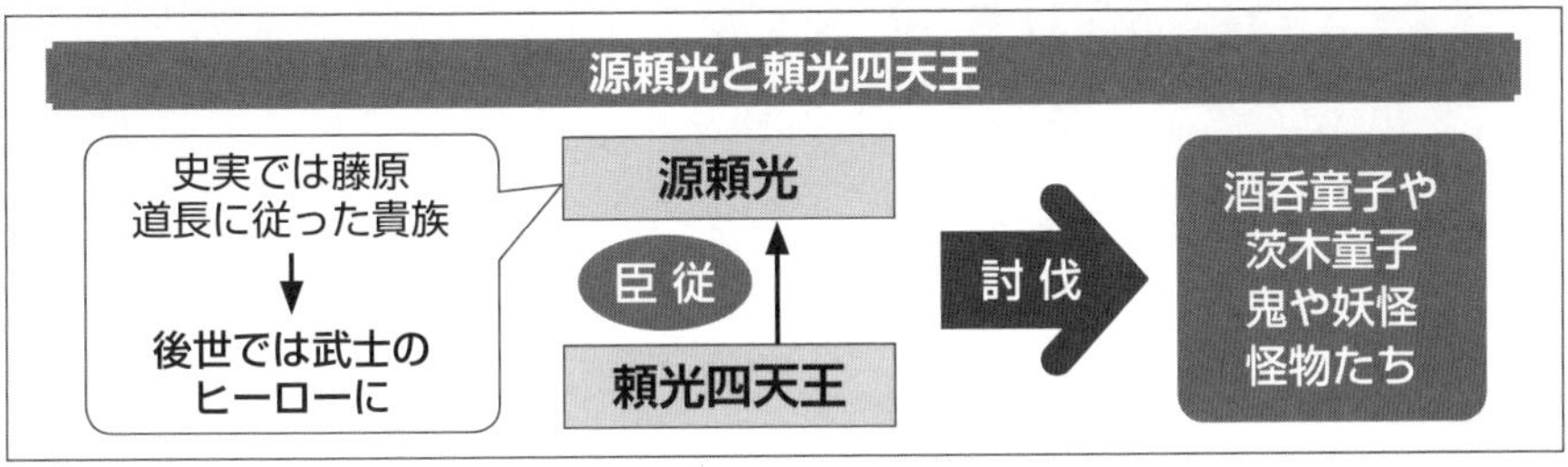
源頼光と頼光四天王
史実では藤原
道長に従った貴族
後世では武士の
ヒーローに
源頼光
臣従
頼光四天王
討伐
酒呑童子や
茨木童子
鬼や妖怪
怪物たち

この話、頼光と四天王の敗北で終わるのだ。

最後に、史実の源頼光はどんな存在だったのか。伝説のようなヒーローでなかったのは当然として、勇猛な武士だったというのも実はちょっと怪しい。

源の名が示す通り天皇家から別れた血筋である源氏の一つ、摂津源氏の開祖とされる人物である。武家団を支配下におき、のちの武士のルーツにある人物の一人であることは間違いないのだが、一方で当人自身はといえば軍事面での活動もありつつ、基本的にはよくいるタイプの中級貴族であった。貴族としての彼の特徴は藤原道長と深く結びつき、その引き立てで出世したことにある。道長の新屋敷のために家具一切を献上したという逸話からも、なかなかの胡麻擂り屋であったのではないか。

その上で、のちに源氏が平氏との抗争を経て「武家の棟梁」の座を独占するに至って、源氏の中で政治的成功者であり、武士としての活動もあった頼光がルーツとして選ばれ、「こんな偉大な武勲を挙げたに違いない」と考えられて伝説が生まれた部分が大きいのではと考えられている。

㉘ 怨霊と天変地異

怨霊とは

怨霊。それは強い恨みや憎しみを持った生者の霊か、あるいは無念のうちに非業の死（戦死や自殺など）を遂げた死者の霊のことをいう。

日本では古来より霊とは肉体という器の中身であると考えられていた。これが安定していると私たちは普通に生きている状態であるわけだが、実は気を失った時や寝ている時、あるいは恋など強い思いに我を失った時などに意外と抜け出ることもある。いわゆる「人魂」になるわけで、「タマ」から繋がるためか玉の姿を取る（あるいはそこからおたまじゃくしのようなしっぽが出ている）とされた。また、魂の出入り口は主に口であるという。

死ねばもちろん、魂は体から抜け出る。そうしてどこへ行くか。天へ行くとも、山上に行くとも（一章で紹介したようにそこで氏神の一部になる）、海の彼方へ行くとも、墓場に立つ木になるとも諸説ある。

霊が素直にどこかへ行ってくれる（あるいはまだ生きている自分のところへ戻ってくれる）なら良いのだが、必ずしもそうとは限らない。悪さをする可能性がある。それが怨霊だ。

特に死者の怨霊は突然肉体を失った状態なので、どうにか本来の安定した状態に戻ろうとする。死んだばかりや死にそうな人の肉体、あるいは何かの都合で魂が不安定になっている（それこそ生霊が抜けた状態などだろうか）肉体に取り憑こうとするのだ。

一方、生者の怨霊の悪さとして有名なケースだと、創作だが『源氏物語』の六条の御息所《みやすどころ》のケースがよく知られている。主人公、光源氏に恋い焦がれた彼女は、嫉妬の思いが強すぎるあまり生霊になって、源氏の妻である葵の上を苦しめてしまう。目が覚め、自分の体についた祈祷の護摩の香り（生霊を退けるために焚かれていた）によって自分が生霊になっていたことを自

怨霊

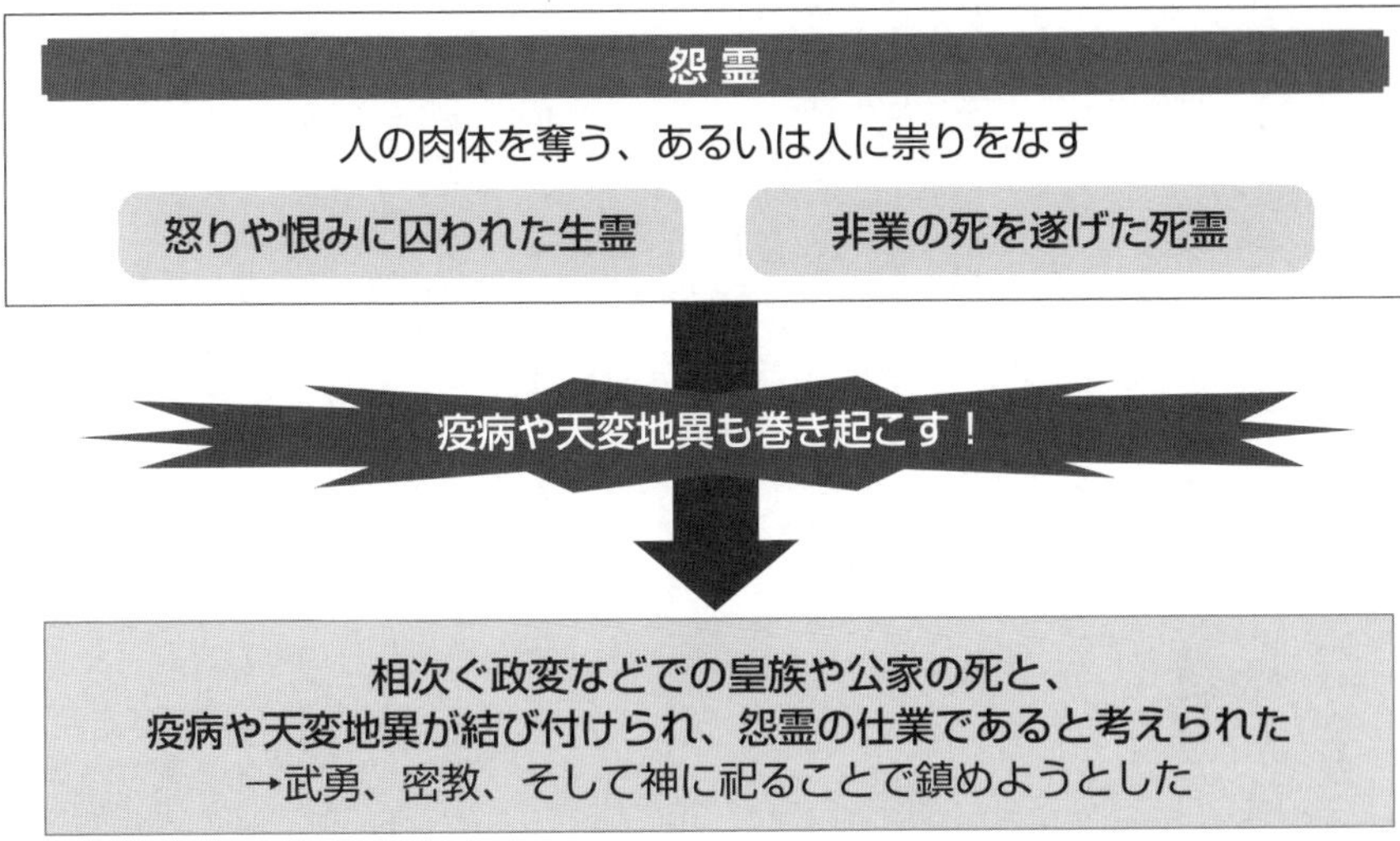

覚した彼女は源氏から身を引く覚悟をする……のだが、その後も物語に登場し、死んでからもやっぱり怨霊になって葵の上他源氏周辺の女たちを苦しめる。

怨霊と天変地異

生者の霊によせよ、死者の霊にせよ、単独で人を襲って苦しめるだけならば害は小さい。だが、日本においては怨霊の祟りはそれだけではない、と信じられていた。

強力な怨霊は人を乗っ取ったり苦しめたりするだけでなく、天変地異を巻き起こしてとてつもない被害を出す——というのだ。

その背景にあったのは何か。実は、奈良時代の後半から平安時代にかけて、皇族や公家たちの権力争いが凄まじく、無念の死を遂げた高貴な人々が何人もいた。そこに天変地異や、疫病の発生（人が増えたことから衛生的に不潔な環境が生まれると必然的に発生しやすくなるが、当時の人たちはまだその因果関係を知らない）などがあると、この時代の価値観としては「これはあの方の怨霊の仕業に違いない」と解釈するのがもっとも妥当であったということなのだろう。

このような怨霊の害を取り除くには、いくつかの方法があった。一つは、密教の呪術的な力によって調伏すること。一つは、武勇を示すことによって鎮めること。そして、お経を唱え、怨霊の苦しみをなだめ、成仏させることである。怨霊に対する手法としては、前者二つのような強引なやり方から、その恨みをなだめる方法へ移行していく傾向にあったようだ。

いわゆる御霊信仰——怨霊を神として祭り、敬う信仰は、まさにそのようななだめるやり方の延長線上にあると言って良いだろう。

ここからは、そのような「神になった怨霊たち」の中から代表格の三人を紹介する。すなわち、「早良親王」、「菅原道真」、「平将門」である。

早良親王

早良親王は光仁天皇の子で、桓武天皇の弟になる。母の身分が低かったせいで出家して僧侶になったが、父を助けて宗教政策で活躍。後に還俗して兄の皇太子になり、その信任を受けて藤原種継とともに政治を取りしきったほどの人物である。

ところが、この時進んでいた大事業である長岡京の造営をめぐって、早良親王と種継の関係が悪化。ついには種継暗殺事件が発生するや、「政敵であった早良親王がやらせたのではないか」と疑われてしまったのである。兄の桓武天皇は彼から皇太子の地位を奪い、寺へ幽閉。その後、自ら食を断っていた早良親王は淡路島へ移される最中に死んでしまう。

早良親王の死後、桓武天皇の周囲で次々と人が亡くなり、新たに皇太子になった安殿親王さえ病で命が危うくなるに至って、世の人々は「これは早良親王の怨霊による祟りに違いない」と噂した。そこで桓武天皇は天皇になれなかった彼にわざわざ「崇道天皇」の号を贈り、淡路にそのまま葬られていた彼を奈良に改葬するなど礼を尽くした。弟の怨霊を畏れ、その怒りを鎮めんとするがゆえであろう。

今、早良親王は京都の上御霊神社に、他の怨霊たちとともに「八所御霊」として祀られている。

菅原道真

菅原道真という名は知らなくとも、学問の神様である「天神さま」のことは知っているかもしれない。

平安時代前期、学者の家に生まれた彼は早くから学問の才を示し、しかも役人としても順調な出世を遂げた。そんな道真に目をつけたのが、藤原一族の専横に頭を痛めていた宇多《うだ》天皇である。その信任を受けて道真はますます出世し、もはや意味を失いつつあった遣唐使を廃止するなど業績も残した。やがて宇多天皇はその座を退くが、あとを継いだ醍醐《だいご》天皇は引き続き道真を重用し続けた。

これがよくなかった。藤原一族は目の上のたんこぶとなった道真の排除にとりかかり、結果として彼は九州の大宰府に左遷されてしまった。そして二年後、ついに再び京の土を踏むことのないまま、道真は九州で亡くなったのである。才ある人が後ろ盾を得て本来の格以上の出世をするも、かえって政争に巻き込まれ、味方や基盤に乏しいがゆえに悲劇的な最期を迎える……。歴史上よく見られるシチュエーションである。

道真の怨霊が注目されるようになったのは彼の死からちょうど二十年後、醍醐天皇の皇太子たる保明《やすあきら》親王（道真の政敵でこの頃には既に死んでいた藤原時平《ふじわらのときひら》の妹と、醍醐天皇の間の子）が死んだことにあったようだ。醍醐天皇は早速道真の名誉を回復するなどしてその怨霊を慰めようとしたが、その後も保明親王の子が死に、さらに内裏に雷が落ちて多くの公家が死ぬという悲劇まで起きたのである。このことに衝撃を受けた醍醐天皇は病の床に伏し、そのまま亡くなってしまった。

神としての道真は天満天神（天神さま）として北野天満宮ほかに祀られ、学問の神として知られる。他に、内裏落雷事件から、道真は怨霊としても神としても雷の属性を持って描かれることが多い。そこから転じて、雷を呼ぶ＝雨雲を呼ぶということで、田の神、農業の神として崇める地域も少なくない。また、青龍になって藤原時平を殺したという話も伝わっている。

道真といえば、「飛梅」伝説も忘れるわけにはいかない。彼は京から左遷される際、屋敷の梅の木に「東風《こ》吹《ち》かば匂《にほ》ひおこせよ梅の花主なしとて春な忘れそ」と歌った。この梅の木が飛んで太宰府まで道真を追いかけた、というのである。ファンタジックに解釈するなら、梅の精か、梅に宿る神が主人を忘れず、追ったのだと考えるべきだろう。想像をたくましくすれば、怨霊になった彼を慰める役目を果たした……などとも思えてくるのだが、どうか。

平将門

平将門は関東に勢力を広げた桓武平氏の一族である。若い頃には京に出て藤原氏の一人に仕えたこともあり、インテリ的な側面もあった。

その生涯は周辺の武家、ことに親族の者たちとの争いの連続だった。自分が対立の主役になることもあったし、他人の争いに巻き込まれ、調停を試みるも上手くいかず結局戦う、ということも多かったようだ。特に常陸国司と武家の争いに巻き込まれた際、国府を焼き払ってしまったことが彼の人生の転機になった。日本国への反逆者になってしまったのである。同時期、西日本では海賊大将と呼ばれた藤原純友が暴れていたので、これとあわせて「承平天慶の乱」という。

以後、将門は関東を独立国家にする方向へ舵を取り、自ら「新皇」を名乗るようになる。天皇と同格の存在だから従わない、というわけだ。しかし、彼がこの名を名乗れたのは数カ月のことに過ぎなかった。藤原秀郷《ふじわらのひでさと》（大百足退治の俵藤太《たわらのとうた》としても有名）らとの戦いに敗れた将門は首を落とされて殺されてしまったのである。

だが将門はここでは終わらなかった——と伝説は語る。京で晒された将門の首は三カ月経っても色が変わらない（腐らない、ということか）どころか目さえ閉じない。夜になると「残りの五体よここに来い、もとに戻って再びいくさをしよう」と語る始末。しかし通り過ぎる人が「将門は俵藤太の謀で死んだぞ」と歌うや、目はふさがり、屍も枯れた……というのが、『太平記』で語られる物語だ。

また、この『太平記』、そしてのちのお伽草子『俵藤太物語』では生前の平将門も恐ろしい化け物であったと語っている。なんと、全身が鋼鉄でできていたというのである。こんな怪物を俵藤太が討てたのは、こめかみだけが生身であったからだ（『俵藤太物語』では将門が六人の影武者を引き連れていた話、また弱点が分かったのは将門の愛妾が藤太に弱点を伝える話な

３人の怨霊

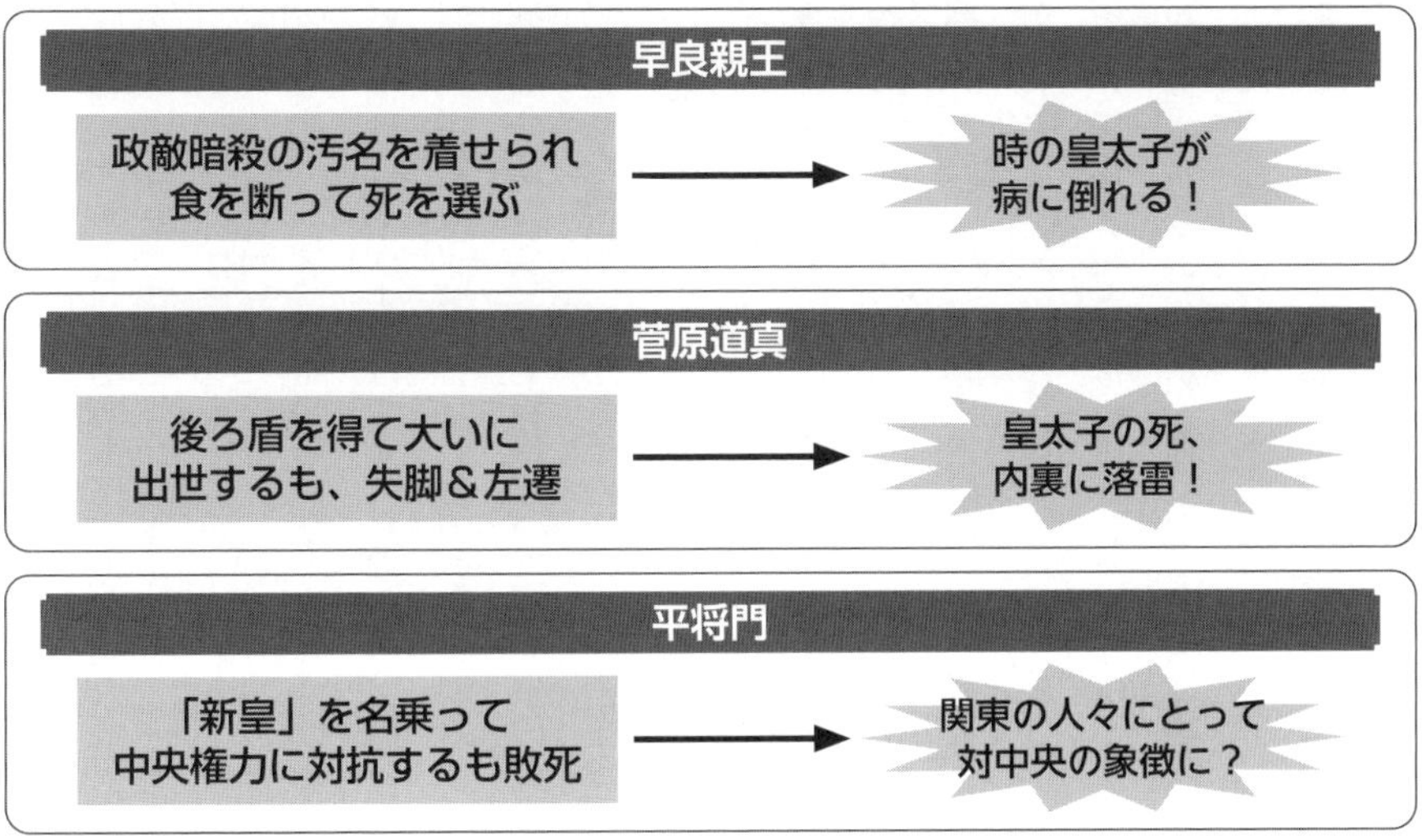
早良親王
政敵暗殺の汚名を着せられ
食を断って死を選ぶ
時の皇太子が
病に倒れる！
菅原道真
後ろ盾を得て大いに
出世するも、失脚＆左遷
皇太子の死、
内裏に落雷！
平将門
「新皇」を名乗って
中央権力に対抗するも敗死
関東の人々にとって
対中央の象徴に？

どが追加されている）。

この話が戦国時代・江戸時代に入るとさらに展開し、胴体が首を追って動き、途中で倒れてそこで祟りをなしたので祀られたとか、首が空をしばらく飛んだのちに落ちて祀られたとかいう話になる。このどちらの話も、「そうして祀られて始まった神社がいまの神田明神だ」となるのである。

これらの将門怨霊伝説は、早良親王・菅原道真の怨霊化とはちょっと違う流れで生まれたように思う。天変地異の理由を怨霊に求めたというよりは、関東の庶民が中央と対立するシンボルとしての将門のイメージを膨らました結果としての怨霊化だったのではないか。

崇徳院

実は日本最大の怨霊として知られるのはここまで紹介した中の誰でもない。その名は「崇徳院《すとくいん》」――つまり、七十五代天皇たる崇徳天皇その人なのだ。

彼が生きたのは平安時代の終わり頃であり、その生涯は政治の実権が公家から武家へ移っていく過程と深く関わっているので、古代日本を主に扱う本書の目的とは少しずれる。しかし、怨霊を扱うにあたって崇徳院を避けて通るわけにもいかないので、ここで簡単に紹介したい。

崇徳院は鳥羽天皇の子で、父の後を継いで天皇になったが、父との折り合いが悪かった。その背景として、実は崇徳は鳥羽の子ではなく、鳥羽の祖父にあたる白河天皇の子であったからだ、という伝説がある。

崇徳は鳥羽の圧力を受けて異母弟の近衛天皇に天皇の座を譲らざるを得ず、しかもその次に己の子をつけようとしたがそれも叶わず後白河天皇が即位したので、追い詰められてついに父の死をきっかけに挙兵した。保元の乱である。これに敗れて讃岐へ流された崇徳は大いに世を恨んで死んだ、という（実際には穏やかに日々を過ごしたのが伝説で脚色されたのだと考えられている）。

その崇徳が怨霊として世に喧伝された背景は、早良親王や菅原道真のケースとよく似ている。天変地異が相次ぎ、後白河天皇の周囲に不幸が連続したので「これは崇徳院の怨霊の仕業に違いない」ということになったのだ。以後、朝廷は度々崇徳院の霊を奉り、庶民も『雨月物語』などにその怨霊を登場させる。そうしてイメージが拡大し、最大の怨霊として知られるようになったようだ。

物語と怨霊

怨霊はなんといってもまず敵として使いやすい要素だ。肉体を失った魂だけの存在であるから、力押しで勝てるとは限らない。宗教者の助けや、聖なるアイテムの力が必要になり、いややっぱり武勇で脅して退かせる必要がある……など、バトル展開を幅広いものにしてくれるだろう。憎しみや恨みといった要素、あるいは生き霊なら本体が関わってくるので、「正面からでは勝てないから、なぜ怨霊になったのかの謎を解き、元凶を排除しよう」という展開にもできる。

相手がもっと強大な怨霊である場合は、神として祀らねばならないということもあるだろう。その場合は「なぜ単純に倒すことができないのか？」に答える理屈も用意しておきたい。日本には怨霊を神として祀る風習があるわけだが、それ以外に理由があっても良い。例えば日本の場合、政争で倒れた皇族が怨霊にな

物語と怨霊

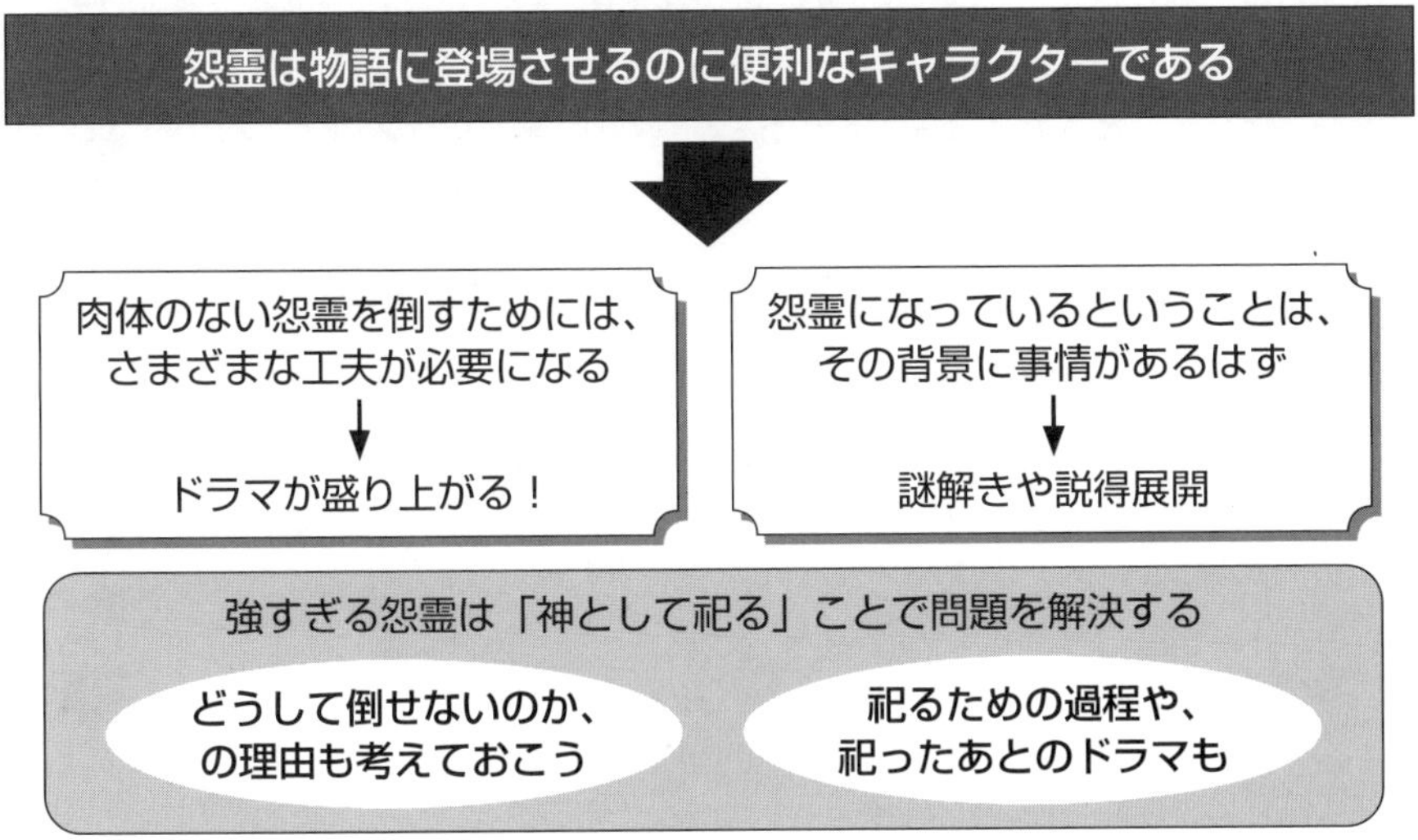
怨霊は物語に登場させるのに便利なキャラクターである
肉体のない怨霊を倒すためには、さまざまな工夫が必要になる
ドラマが盛り上がる！
怨霊になっているということは、その背景に事情があるはず
謎解きや説得展開
強すぎる怨霊は「神として祀る」ことで問題を解決する
どうして倒せないのか、の理由も考えておこう
祀るための過程や、祀ったあとのドラマも

るケースがしばしば見られる。彼らは神の末裔たる皇族であるわけで、その血筋に秘められた力こそが怨霊化してしまう原因である、とするのはどうだろうか。

あるいは、世間に渦巻く負のエネルギーの影響を受けている、というのはどうだろうか。神の如き怨霊は個人の力だけで出現するようなものではない。一人の恨みが核となり、そこに人々の怒りや苦しみが吸い寄せられ、強大な怨霊となるのである。その力はあまりにも強すぎて個人ではどうにもならないから、神に祀るのだ……というわけだ。

物語としての盛り上がりを考えると、「祀っておしまい」というわけにもいかない。儀式はクライマックスの展開としては難しいだろう。そこで、「祀る前にやらねばならないことがある」とするのがよさそうだ。怒りや恨みに囚われて暴走する怨霊に一度打撃を与えて正気に戻すとか、周囲の憎しみを吸い上げて強大になった怨霊をいわば「砕い」てある程度の大きさにする必要があるとか、いや怨霊を説得し、なだめ、神に祀ることを承知させねばならないなど、いろいろな展開を考える余地があるだろう。

㉙妖怪——零落した神

妖怪とは

時に人間を脅かし、時に人間と共存する存在。主人公たちが旅の中で戦う障害としても、舞台や軍団を率いて戦う相手としても、そして物語の最後に待つ敵としても、人外の怪物（モンスター）は物語にとって重要な存在だ。

ゲームやアニメなどでは主にギリシャ神話やヨーロッパの伝説出身のモンスターがメジャーだが、せっかくの和風ファンタジーものなら日本、あるいは東洋出身の怪物たちに出てきてもらって雰囲気を出したいものだ。そこで出番になるのが彼ら——日本独自の存在、妖怪である（古代にはこの言葉はなく、「物の怪」などと呼ばれていた）。

古くは神がそうであったようにこれらの不思議な存在にもあまり具体的な姿を当てはめる習慣がなく、のちに鬼や天狗などが登場しても現代ほどの多彩さはなかった。

それが中世・近世の妖怪絵師たち、そして現代の水木しげるらクリエイターたちの想像力によって誕生するに至った。しかし、物語の中では古代から彼らがいたことにしたって良いだろう。

神が妖怪になった？

妖怪は零落《れいらく》した神である……というのは、柳田國男の有名な言葉だ。ここでいうのはキリスト教を始めとする一神教における唯一神のことではないし、仏教の中に取り込まれている主にインド出身の神々のことでもないはずだ。日本古来の、八百万と呼ばれた、万物に宿るアニミズム的な神々のことだろう。さて、彼らはなぜ零落したのだろうか。

史実でいえば、日本古来の神への信仰が、外からやってきたさまざまな宗教によって圧され、衰退し、あるいは信仰そのものが弾圧されて途絶えたことが原

妖怪とは

妖怪（物の怪）は、自然の不思議な出来事に
説明をつけるために考えられたものとされる
→神や精霊とルーツは基本的に同じ

神はなぜ妖怪になったか？

忘れられ、信仰を失い、見捨てられて、
威厳ある神から奇怪な妖怪になったのか？

強い感情に捕らわれた人間が妖怪になってしまうケースもあった

他にもさまざまなルーツがあったりルーツが不明な妖怪がいてもいいのではないか

因である。その結果として、かつて神として語られていたものが物語や伝説の中の奇怪な怪物としてしか語られなくなり、神（の一部）は妖怪になったわけだ。

しかしこれは神と妖怪を実在しない物語の中の存在としてとらえた場合の話である。もし、神も妖怪も実在し、その神が零落した結果として妖怪になるのであれば、それはどのようなメカニズムを持って変化するのであろうか？

一つは、「看板が変わっただけ」の可能性である。神は昔から何も変わらないのに、人間の見る目が変わっただけのパターンだ。異形の姿、異能の力をかつては神々しいもの、素晴らしいものとして敬っていたのに、のちには恐ろしいもの、気持ちの悪いものとして見るようになった、というわけである。

もう一つは、「信仰が姿や性質に影響を与える」パターンだ。神は信仰されることによって力を増減させ、存在が確かになったり朧《おぼろ》になったりする……というのはよく見られる設定であろう。であるならば、神として信仰してくれる民がいなくなり、怪物として忌み嫌われれば、当然姿も変わるし、性格も邪悪でねじ曲

がったものになってもおかしくない。だって、人間がそう望んだのだから。

このような元神の妖怪は、信者を集めて信仰が復活したり、誤った噂が否定されたり、ねじ曲げられた歴史の真実を正しく再発見したりすることができたなら、神としての姿や性質を取り戻せるかもしれない。壮大な物語の目標としてふさわしいものと言えるだろう。

最後の一つは、「環境の変化によって姿や性質が変わってしまった」ケースである。先のパターンに近いが、信仰ではなく別のものによって影響を受けることもあり得るのではないか。

妖怪の住処もいろいろあるが、山や森、川や海など、本来人間が住みつけない領域に住んでいるものは多い。しかし、人間たちが発展するとこれらの領域は開発され、あるいは汚染されて、住みにくくなっていく。己の聖域を汚され、生活範囲も乱されたなら、神の性質が変わってしまっても不思議ではない。

特に森は急激に小さくなっていくことだろう。建築資材にするため、あるいは燃料（特に鉄を活用するようになると、大量の薪が必要になる）にするために木を切り出すからだ。日本人は古くから自然と共存すると良い、実際輪番制といって切り出す場所と植林する場所を長期スパンで交代するように設定することで森を残す試みがされてきた。しかし、それでも多くの場所で森は無くなったのだ。山や川、海も汚染されたりそこに住む生き物が激減したりすればやはり環境が変わる。

あなたの世界では、神はどんな性質を持つのだろうか。そこから、妖怪がどんな存在なのかという答えも導き出されるはずだ。

もちろん、すべての妖怪（と呼ばれる存在）がかつて神だったなどとする必要はない。元は動物や植物だったもの、最初から神と対立する邪悪な存在だったもの、あるいは別のルーツを持つもの。多種多様にあっても良いだろう。妖怪は正体不明だからこそ恐ろしく、不気味で、興味を引くのだから。

人間が妖怪に？

人間が妖怪になるケースも、実はある。死んでお化け（幽霊、悪霊）になったり、あるいは怨霊になって神として祀られるのも「妖怪になった」といえるかもしれないが、妖怪とお化けの関係はかなり微妙なのでここでは一旦置く。

人間が怒りや恨みなど負の感情を溜め込みすぎたせいで人間でないもの――妖怪になってしまうことがあるのだ、と伝説に語られているのだ。例えば、本書でここまで紹介した中だと、崇徳天皇が死後に天狗になったという話がある。

また代表的な元人間妖怪に、「鉄鼠《てっそ》」がいる。鉄鼠、またの名を頼豪鼠《らいごうねずみ》。元は頼豪という高僧であった。

藤原氏に生まれて天台宗の園城寺（三井寺）に入って才を示し、特に祈祷の力で知られていた。時の白河法王に依頼されて子どもが生まれるように祈祷を行い、これが上手く行ったのかどうなのか、確かに白河法王に皇子が誕生する。早速褒美をという話になり、頼豪は「園城寺に戒壇（僧侶の守るべきルールである戒律を授ける場所）を作る許可がほしい」と言い出した。

これを許可したら天台宗として唯一戒壇がある延暦寺の既得権益が崩れてしまうので、法王も許可できない。褒美の約束を反故にされた頼豪は大いに憤り、「皇子を呪い殺す」と言って死んだ。その後本当に皇子は死んでしまう。人々は頼豪の祟りと噂したろう。

それだけではない。延暦寺の祈祷によって新たな皇子が誕生すると再び頼豪は怒り、今度は延暦寺を攻撃した。この時の彼は八万四千という途方も無い数の鼠で、体は石、牙は鉄であったという。ゆえに鉄鼠である。この鼠を叩き殺しても怒りは収まらず、ついに祠を作って鎮めることになった、と伝説は語る。

頼豪という僧侶がいて、法王に約束を反故にされ、恨んで死んだのはどうやら本当のようだが、その後のことは創作である。とはいえ、強い感情が人を妖怪にしてしまう一つの例示としては十分ではないか。

代表的な妖怪たち

妖怪は実に多種多様だ。道や辻などに現れる「道の怪」、山や森に潜む「山の怪」、川に住む「川の怪」に海で遭遇する「海の怪」、雪女に代表される「雪の怪」、家（つまり人間）と深い関係のある「家の怪」のように、居住地域で分類されるもの、「火の怪」「音の怪」という具合に身体的特徴や人間を脅かす手段で分類されるもの、「動物の怪」「木の怪」というふうにルーツで分類されるものなどがいる。

人間に対する態度も、敵対的でいきなり襲いかかるようなもの、いたずらを仕掛けてくるもの、友好的なもの、距離を取ろうとするもの、さまざまだ。

しかし、時にはそんな彼らが数多集まり、「百鬼夜行」という集団を形成することもあるという。

それらのすべてを本項で紹介するのは不可能なので、ここでは代表的なものだけをピックアップする。

◇鬼

本書でも度々紹介してきた、角を持ち、牙は鋭く、赤や黒などの肌を持つ、人型の妖怪。虎皮の褌《ふんどし》や鉄の金棒などの道具類もよく知られている。地上で人を襲って暴れる（異民族のイメージが投影されているという）一方で、地獄では閻魔大王の配下として獄卒を務める。

日本古来にも鬼のイメージはあったが、そこに仏教や陰陽道の考え方が持ち込まれ、現在の形になったという。

◇天狗

顔が赤くて鼻が高く、修験者の服装をして山に住む妖怪。その格好の通り、修験者との縁が深い。手には羽団扇がある。

山中において木が倒れたり、笑い声がしたり、石つぶてが飛んできたりするのは天狗の仕業であるという。自在に空を飛ぶなど神通力があり、手足の爪は鋭く、武器も使うから戦えば強かっただろう。近世以降は「人をさらう」という伝説も生まれる。

バリエーションの一つに烏《からす》の顔をした烏天狗がいて、しばしば物語の中では格下の天狗として登場するが、歴史としてはこちらのほうが先であるようだ。

◇河童

子どものような小柄さで、頭に皿、顔には嘴、背中に甲羅、全身が鱗に覆われた、川に住む妖怪。皿に水がないと力が出ないが、水中では非常に強く、人、牛、馬などが川そばにいると引きずり込んでしまうという。また、尻子玉を抜くという話も有名。

地上でも力が強く、しばしば人間に相撲の勝負を挑んでくる。人懐こいかと思えば、この戦いで人間側が勝ってしまうと不機嫌になって害をなすと言うから、基本的には恐ろしい妖怪であると考えるべきだろう。好物がきゅうりなのは有名だ。

◇化け狐／化け狸

狐も狸もともに人に幻を見せたり、あるいは自身が変身したりして、人を化かすことがあると信じられた。「狐狸妖怪」という言葉があるくらい妖怪としてポピュラーな存在である。どちらかというと狐のほうが恐ろしく、狸にはユーモラスなイメージがあったようだ。九尾の狐などが有名。

ちなみに動物が長生きすると霊性を獲得して妖怪化するというのはかなり広く知られた考え方のようで、狐狸だけでなく猫も尾が二つに分かれた「猫又」になるという。

◇付喪神《つくもがみ》（九十九神）

百年の年月を経た道具が命を得て動き出すという妖怪。伝承は「人に害をなす」というが、愛情を与えられていた道具は人を守り、捨てられてしまった道具は人を害す、と考えたほうがしっくりくるのではないか。人間が多種多様な道具を使いこなしてきたのにあわせて無数の付喪神がいるが、ゴミとして捨てられたものたちの王は「塵塚怪王《ちりづかかいおう》」なる、ゴミの寄せ集めの妖怪であるという。

◇土蜘蛛

古くは大和朝廷に従わない部族の名で、『日本書紀』にも記述がある。洞穴に住む、手足が長いなどの情報があるが、このような特徴から土蜘蛛と呼ばれたというよりは、「土蜘蛛という名前からイメージが広がってそのような特徴をつけられた」とも。

のちに妖怪として扱われるようになり、源頼光やその部下たちとも戦っている。その時の姿は女であるとも、名前の通り巨大な蜘蛛であるともいう。

◇座敷童

古い家につく子どもの姿をした妖怪。成り上がりの家には出現しない。他の妖怪のように悪さをせず、その家に幸をもたらすというが、座敷童が去ってしまうと没落してしまう。つまり、座敷童が現れた家の者は常に彼らが去ることを恐れなければならないわけで、必ずしも幸福だけを与える妖怪とは言えない。

恐らくは家の隆盛と没落に理由をつけるために生まれた物語だろう。しかしルーツは河童とも。

◇山姥

山中に住まう、女の姿をした妖怪。鬼の一種とも。人食いの化け物として描かれることもあれば、子どもを養う母親的な存在として物語の中に登場することもある。

古代の巫女や、山の神（女性であるという）のイメージが投影された部分も大きいと考えられる。

◇鵺《ぬえ》

猿の頭、狸の体、蛇の尾、虎の手足を持った妖怪。鳴く声が（実在する鳥の）鵺という不吉な鳴き声の鳥のものであったため、この名で呼ばれるようになった。転じて正体不明の例えにも使われる。

伝統妖怪と現代日本

伝統的な日本妖怪は、現代日本ではどのように暮らしているのだろうか。

天狗や河童、山姥のような、自然と密着して暮らしていた妖怪たち。あるいは、土蜘蛛や地上に暮らす鬼など、おそらくはもともと異民族の姿が投影されており、人間の敵としてイメージされていた妖怪たち。彼らは人間が増え、都市が広がっている過程でダイレクトに居住領域を削られてしまったはずだ。

結果、どうなるか。追い立てられて滅びてしまうこともあれば、人間がめったに入ってこない深山幽谷でひっそり暮らしていることもあろう。猪や熊、鹿などがそうであるように「最近は人間が山や森から姿を消したせいで、むしろ自然と密着する妖怪が増えている」などということがあってもおかしくない。

人間社会に溶け込んで暮らしている可能性もある。化け狐や化け狸のようなもともと変身術の達者なものであるなら分かりやすい。人間のふりをして暮らしているわけだ。他の妖怪たちも人間に変身したり人間の

代表的な妖怪

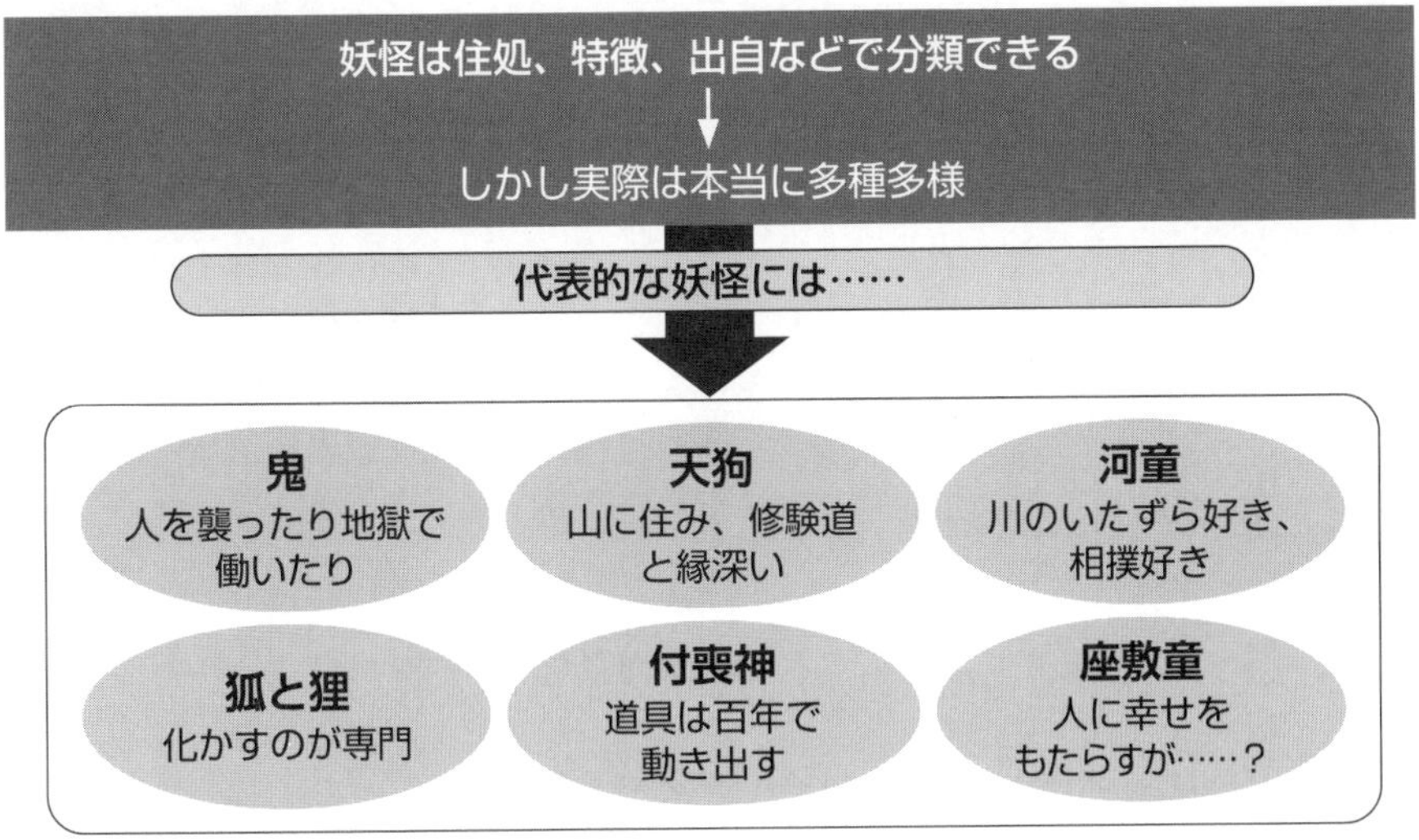

妖怪は住処、特徴、出自などで分類できる
しかし実際は本当に多種多様
代表的な妖怪には……
鬼
人を襲ったり地獄で働いたり
天狗
山に住み、修験道と縁深い
河童
川のいたずら好き、相撲好き
狐と狸
化かすのが専門
付喪神
道具は百年で動き出す
座敷童
人に幸せをもたらすが……？

皮を被ったりする術を学んだのかもしれないし、路地裏や地下などでなるべく人と接しないようにしながらひっそり生きているのかもしれない。理解ある個人や、人間と妖怪の共存を目指すＮＰＯ・ＮＧＯなどの協力者のおかげで暮らせている、というのも面白そうだ。

付喪神や座敷童など、そもそも人間と密接な関係がある妖怪の場合は、時代の変化によって状況が変わってきている可能性も考えられる。付喪神は人間の愛着によって生まれる妖怪であるはずだが、この大量生産・大量消費時代に、工場で製造され使い捨てられる道具が果たして妖怪化するものであろうか？「しない」と考えてもいいし、「する」と考えてもいい。ロボットペットやロボット掃除機を本当のペットのようにとらえたり、兵士たちが戦場で活躍するロボットやドローンを戦友として見る時代なのだから、現代の道具が付喪神化してもおかしくないと思うのだが、どうか。

他の妖怪たちも、現代社会であり方を変えるかもしれない。人間社会に適応した河童はそれでも相撲を愛するのか、他の格闘技を好むようになるのだろうか？

おわりに

本書、『古代日本のポイント29』の内容はいかがだったろうか。単に古代日本の歴史や事情、キャラクターを紹介するだけではなく、その面白さ、魅力にフォーカスし、かつ「創作に役立てるためにどうしたらいいのか」をしっかりとアピールする本になっていただろうか。

なるべく神話・古代日本を中心に創作の役に立ちそうな情報を詰め込んでみたが、やはり範囲が広いだけに一冊の本に書けることは限界がある。願わくば本書は事典的に、さらに詳しい内容を調べるための扉として使っていただきたい。主要参考文献のコーナーも大いに役立つだろう。

もちろん、純粋に読み物として楽しんでもらえたのであれば、それはそれで制作陣として満足である。本書で紹介した古代日本のアレコレはそれだけ面白いものであると信じているからだ。ただ、やはり創作に役立てることを念頭に置いて作ったものだから、創作を志す皆さんにとって何かしら有用なヒントになる本であってほしい。

「はじめに」でも紹介した通り、本書は『物語づくりのための黄金パターン　世界観設定編』シリーズの五冊目だ。秀和システムさまから刊行させていただいていた『創作事典』シリーズのリニューアル版は本書で完了ということになる。

今後の『物語づくりのための黄金パターン』シリーズ展開については未定だが、「こんな本を作ってみたい」というイメージはある。「組織・集団・舞台」編で説明しきれなかった「物語の舞台」にフォーカスする『場面設定編』。「現実に起こり得るトラブルやアクシデントとその対応」をまとめることで、リアルな物語だけでなく現実離れした展開を描く上でも役に立つ『トラブル＆対応編』。学校にフォーカスして紹介する『学園編』などだ。また、秀和システム時代の本書の後書きでも希望として書いていたのだが、本書で描いた古代日本のその先、つまり中世日本についての事典も可能であれば形にしたい。

これらはあくまで現時点での希望に過ぎず、実現が難しいものもあるが、とりあえず列挙してみた。どれかが実現すれば幸いだ。

最後に。本書の他にも、私が所属する株式会社榎本事務所では創作に役立つ書籍の制作、また情報発信などを行っている。小説や漫画などエンタメ全体に目を向けたものからキャラクターやストーリー、世界設定など各要素にフォーカスしたものまで、また、情報を詰め込むことに力を入れたものからシートに書き込むなど実用性を高めたものまで、実にさまざまに存在する。是非、皆さんの目標に合わせた本やサービスに触れてほしい。

最新情報は公式サイトで随時告知しているため、「榎本事務所」で検索していただければ分かるようになっている。

特に、「榎本メソッド小説講座 -Online-」のウェブサイトにおいては、さまざまなコースを設定させていただき、能力や事情に合わせた活用ができるようにしている。一度ご確認いただければありがたい。

榎本秋

主要参考文献一覧

・『日本大百科全書』（小学館）
・『改訂新版　世界大百科事典』（平凡社）
・『世界の神話伝説図鑑』（著：フィリップ・ウィルキンソン／日本版監修：井辻朱美／訳：大山晶／原書房）
・『世界の神々・神話百科』（著：フェルナン・コント／訳：蔵持不三也／原書房）
・『世界神話事典』（編：大林太良、伊藤清司、吉田敦彦、松村一男／角川学芸出版）
・『世界の神話』（著：マイケル・ジョーダン／訳：松浦俊輔他／青土社）
・『世界の神話101』（編：吉田敦彦／新書館）
・『火の起源の神話』（著：J・G・フレイザー／訳：青江舜二郎／筑摩書房）
・『世界　神話と伝説の謎』（著：ニール・フィリップ／訳・監修：松村一男／ゆまに書房）
・『死にカタログ』（著：寄藤文平／大和書房）
・『世界神話学入門』（著：後藤明／講談社）
・『早わかり旧約聖書』（著：生田哲／日本実業出版社）
・『楽しく学べる聖書入門』（監修：関田寛雄／ナツメ社）
・『世界史辞典』（編：前川貞次郎、会田雄次、外山軍治／数研出版）
・『口語訳　古事記』（著：三浦佑之／文藝春秋）
・『八百万の神々』（Truth in Fantasy31）（著：戸部民夫／新紀元社）

・『ギリシア・ローマ神話（1）～（3）』（著：グスターフ・シュヴァーブ／訳：角信雄／白水社）
・『ギリシア神話　神・英雄録』（Ｔｒｕｔｈ　ｉｎ　Ｆａｎｔａｓｙ16）（著：草野巧／新紀元社）
・『北欧の神話伝説』（世界神話伝説大系29―30）（編：松村武雄／名著普及会）
・『ケルト神話』（Ｔｒｕｔｈ　ｉｎ　Ｆａｎｔａｓｙ85）（著：池上正太／新紀元社）
・『アイルランド　自然・歴史・物語の旅』（著：渡辺洋子／三弥井書店）
・『オリエントの神々（Ｔｒｕｔｈ　ｉｎ　Ｆａｎｔａｓｙ74）』（著：池上正太／新紀元社）
・『虚空の神々』（Ｔｒｕｔｈ　ｉｎ　Ｆａｎｔａｓｙ6）（著：健部伸明と怪兵隊／新紀元社）
・『マヤ・アステカの神々』（Ｔｒｕｔｈ　ｉｎ　Ｆａｎｔａｓｙ69）（著：土方美雄／新紀元社）
・『知っておきたい世界と日本の神々』（監修：松村一男／西東社）
・『日本伝説体系　第1巻　北海道・北奥羽編』
（編：宮田登／著：阿部敏夫、渋谷道夫、成田守、矢島睿／みずうみ書房）
・『アイヌの世界観』（著：山田孝子／講談社）
・『アメリカ先住民の宗教』（著：ポーラ・R・ハーツ／訳：西本あづさ／青土社）
・『クトゥルフ神話超入門』（監修：朱鷺田祐介／新紀元社）
・『図解　クトゥルフ神話』（Ｆ　Ｆｉｌｅｓ　ｎｏ．００２）（著：森瀬繚／新紀元社）
・『怖い女　怪談、ホラー、都市伝説の女の神話学』（著：沖田瑞穂／原書房）
・『日本現代怪異事典』（著：朝里樹／笠間書院）

以上

【編著者略歴】**榎本秋**
文芸評論家。各所で講師を務める一方、作家事務所を経営。主な著作に『物語を作る人必見！登場人物の性格を書き分ける方法』(玄光社)、『100のあらすじでわかるストーリー構成術』(ＤＢジャパン)など。本名(福原俊彦)名義で時代小説も執筆。

【著者略歴】**榎本海月**
ライター、作家。専門学校日本マンガ芸術学院小説クリエイトコースで担任講師を務める。『物語づくりのための黄金パターン』シリーズ(ＤＢジャパン)など、榎本秋・榎本事務所との共著多数。他、暁知明名義で時代小説を執筆。

物語づくりのための黄金パターン
世界観設定編⑤
古代日本のポイント29

2023年3月10日　第1刷発行

編著者	榎本秋
著者	榎本海月・榎本事務所
発行者	道家佳織
編集・発行	株式会社DBジャパン 〒151-0073 東京都渋谷区笹塚1-52-6 千葉ビル1001号室
電話	03-6304-2431
ファックス	03-6369-3686
e-mail	books@db-japan.co.jp
装丁・DTP	菅沼由香里（榎本事務所）
印刷・製本	大日本法令印刷株式会社
編集協力	鳥居彩音・槙尾慶祐（ともに榎本事務所）

ISBN978-4-86140-340-8
Printed in Japan 2023

※本書は2019年10月4日に株式会社秀和システムより刊行された『日本神話と和風の創作事典』を底本に、増補・改訂を行ったものです。